MAHF

DE SUIKERSTEEG

Van dezelfde auteur:
Tussen twee paleizen
Paleis van verlangen

Nagieb Mahfoez

De Suikersteeg

Uit het Arabisch vertaald
door Richard van Leeuwen

HET WERELDVENSTER

Tweede druk 1993
© 1957 by Nagieb Mahfoez, Caïro
De eerste druk in het Arabisch verscheen in 1957 onder de titel *As-Soekkariyya*
Deze vertaling kwam tot stand via een overeenkomst met de American University in Cairo Press.
© 1993 Nederlandse vertaling Het Wereldvenster/Unieboek bv,
Postbus 97, 3990 DB Houten.
Uit het Arabisch vertaald door Richard van Leeuwen.
Omslag: Peter van Hugten.

Alle rechten voorbehouden. Niets uit deze uitgave mag worden verveelvoudigd, opgeslagen in een geautomatiseerd gegevensbestand, of openbaar gemaakt, in enige vorm of op enige wijze, hetzij elektronisch, mechanisch, door fotokopieën, opnamen of enige andere manier, zonder voorafgaande schriftelijke toestemming van de uitgever.

ISBN 90 269 6046 8 CIP
NUGI 301

DEEL EEN

I

Ze zaten dicht tegen elkaar aan rond de stoof en hielden hun handen boven het vuur gespreid, de magere, uitgemergelde handen van Amiena, de verstarde handen van Aisja en Oemm Hanafi's handen, die er uitzagen als het schild van een schildpad. De twee mooie, frisse, witte handen waren van Na'iema. De januarikou was bijna tot ijs gestold in de salon, de salon die er nog net zo uitzag als vroeger, met de kleurige tapijten en de canapés langs de muren. Alleen de oude olielantaarn was verdwenen en op haar plaats hing nu een elektrische lamp. Ook de plaats van de salon was veranderd, want het koffieuur werd nu op de eerste verdieping gehouden. De hele bovenverdieping was naar beneden verhuisd, voor het gemak van sajjid Ahmed, wiens hart het niet meer verdroeg dat hij de hoge trap beklom. Ook de bewoners van het huis zelf hadden veranderingen ondergaan. Amiena's lichaam was verdord en haar hoofd glansde van de grijze haren. Hoewel ze nauwelijks zestig jaar was, leek ze tien jaar ouder. De verandering van Amiena viel echter in het niet vergeleken met het verval van de weggekwijnde Aisja. Het was lachwekkend, of wrang, dat ze nog steeds goudblond haar en blauwe ogen had. Maar die uitgebluste blik straalde geen leven uit; die bleke huid, van welke ziekte was die een symptoom? En dat gezicht, met de geprononceerde beenderen, de ingevallen wangen en diepliggende ogen, was dat het gezicht van een vrouw van vierendertig? Oemm Hanafi zag eruit alsof de jaren zich in haar opstapelden zonder haar wezen te raken. Ze hechtten zich als aardschillen op haar huid en rond haar nek en mond, zonder haar vlezige, vette lichaam aan te tasten. Maar haar sombere blik leek deel te nemen aan het onuitgesproken verdriet van de familie. In dit gezelschap was Na'iema als een enkele roos in de hof van een begraafplaats. Ze was een mooi meisje van zestien, met een gezicht dat getooid was met blauwe ogen en een goudblonde krans van haar. Ze leek sprekend op haar moeder, Aisja, in haar jonge jaren, en was misschien zelfs nog bekoorlijker. Maar ze was mager en tenger als een schim. In haar ogen lag een bescheiden, dromerige blik, die zuiverheid en naïveteit uitstraalde, en verbazing over de wereld. Ze zat tegen de schouder van haar moeder aangedrukt alsof ze geen moment van haar zijde wilde wijken.

Terwijl ze boven de stoof in haar handen wreef, zei Oemm Hanafi: 'Deze week zullen de werklui klaar zijn met bouwen, na anderhalf jaar.'

'Het huis van *amm** Bajjoemi de limonadeverkoper...' zei Na'iema op spottende toon.

Aisja sloeg haar ogen op van de stoof en keek even naar Oemm Hanafi, maar ze zei geen woord. Destijds hadden ze vernomen dat het huis dat ooit van sajjid Mohammed Ridwaan was geweest, zou worden afgebroken en dat er op naam van *amm* Bajjoemi de limonadeverkoper een nieuw gebouw met vier verdiepingen zou worden neergezet. Die oude herinneringen... Marjam en Jasien... Wat zou er van Marjam geworden zijn? En Oemm Marjam, en Bajjoemi, die zich door erfenis en aankoop het huis had toegeëigend... Het was een tijd waarin het leven nog een leven was en het hart onbekommerd.

Oemm Hanafi vervolgde: 'Het mooiste is de nieuwe winkel van *amm* Bajjoemi, mevrouw. Limonade, ijs, snoepgoed... Overal spiegels en elektrische lampen, en de radio staat dag en nacht aan. Ik beklaag Hasanain de kapper, Darwiesj de bonenverkoper, al-Foeli de melkverkoper en Aboe Sarie de eigenaar van de notenbranderij, die in hun bouwvallige winkeltjes naar de zaak en het huis van hun vroegere collega kijken.'

Terwijl ze haar sjaal om de schouders wikkelde, zei Amiena: 'God de Schenker zij geprezen.'

Na'iema sloeg haar armen om haar moeders hals en zei: 'De muur van het huis grenst aan deze kant aan ons dak. Als er mensen in wonen, hoe kunnen we dan op het dakterras zitten?'

Amiena kon de vraag die door haar mooie kleindochter was

* Aanspreektitel, letterl. 'oom'; andere aanspreektitels in het vervolg: *oestaaz*: 'meester', gebruikt voor intellectuelen, ambachtslieden, kunstenaars, etc.; *sajjid, sidi, si*, sjeik: 'heer, mijnheer, jongeheer, oude heer', gebruikt bij mannen met aanzien, maar ook bij heiligen; *hanoem* (Turks), *sitt*: 'dame'; *khawaga*: aanduiding voor niet-moslims en Europeanen; *hagg, hagga*: titel voor resp. man en vrouw die de pelgrimstocht naar Mekka heeft volbracht.

gesteld niet negeren, al was het alleen uit consideratie met Aisja.

'Trek je daar maar niets van aan,' zei ze. 'Wandel er maar zoveel als je wilt.'

Ze keek tersluiks naar Aisja om te zien wat voor uitwerking haar welwillende antwoord had, want ze was zo bezorgd om haar dat het leek alsof ze bang voor haar was. Aisja luisterde echter niet en keek op dat moment in een spiegel boven de tafel tussen haar kamer en die van sajjid Ahmed. Ze had nog steeds de gewoonte in de spiegel te kijken, ook al had het geen betekenis meer. Met het verstrijken van de tijd joeg de aanblik van haar ingevallen gezicht haar geen schrik meer aan. Telkens als een innerlijke stem haar vroeg: 'Waar is de Aisja van vroeger?' antwoordde ze onverschillig: 'En waar zijn haar zoons Mohammed en Oethmaan en haar echtgenoot Khaliel?' Amiena merkte dit op en haar hart kromp ineen. Haar angst sloeg weldra over op Oemm Hanafi, die zozeer met de familie was vergroeid dat ze hun zorgen had overgenomen.

Na'iema stond op en liep naar de radio, die tussen de deuren van de ontvangkamer en de eetkamer stond. Ze draaide de knop om en zei: 'Het is tijd voor het platenprogramma, mama.'

Aisja stak een sigaret aan en inhaleerde diep. Amiena tuurde naar de rook die zich in een vluchtige wolk boven de stoof verspreidde. Uit de radio klonk een stem die zong: 'O gezelligheid van vroeger, kom je ooit weer terug?' Na'iema liep weer naar haar plaats, terwijl ze haar jurk strak om haar lichaam bijeenhield. Net als haar moeder vroeger, hield ze van zingen. Ze probeerde de liedjes die ze hoorde te onthouden en met welluidende stem na te zingen. Deze liefhebberij deed niet af aan haar godsdienstigheid, die al haar gevoelens overheerste. Ze verrichtte toegewijd het gebed, had vanaf haar tiende gevast in de ramadan en droomde vaak over de wereld van het verborgene. Het maakte haar grenzeloos blij al-Hoessein te bezoeken, wanneer haar grootmoeder haar daartoe uitnodigde. Maar terzelfder tijd gaf ze haar liefde voor zingen niet op en zong ze telkens wanneer ze alleen was in haar kamer of in de badkamer.

Aisja keurde alles goed wat haar dochter deed. Ze was haar hoop die oplichtte aan een donkere horizon. Ze had bewondering voor zowel haar vroomheid als haar stem. Zelfs de aanhankelijkheid aan haar, die soms buitensporig leek, werd door haar aangemoedigd. Ze was erop gesteld en tolereerde er geen enkele opmerking over. Ze ergerde zich in het algemeen aan kritiek, zelfs als die onbeduidend of goed bedoeld was. Zo had ze bijvoorbeeld geen bezigheden in het huis, afgezien van zitten koffiedrinken en roken, maar als haar moeder haar vroeg mee te helpen met het werk – niet omdat ze hulp nodig had, maar omdat ze haar afleiding wilde bezorgen –, zei ze op bittere toon: 'Ach... Laat me toch met rust.' Ze stond Na'iema niet toe een hand uit te steken, alsof ze bevreesd was bij de minste beweging die ze maakte. Als ze in haar plaats het gebed had kunnen verrichten, zou ze het hebben gedaan, om haar de inspanning te besparen. Hoe vaak had haar moeder haar hierover niet aangesproken, zeggend dat Na'iema inmiddels een 'bruid' was en dat ze de taken van een 'vrouw des huizes' zou moeten leren. Dan zei Aisja op een toon die haar ergernis verried: 'Zie je niet hoe tenger ze is? Mijn dochter zal nooit inspannend werk kunnen verdragen. Laat haar dus met rust, zij is mijn enige hoop in deze wereld.' Amiena kwam er niet meer op terug. Haar hart werd verscheurd door verdriet om haar. Als ze naar haar keek, kwam ze haar voor als de belichaming van ontgoocheling. Als ze haar ongelukkige gezicht zag, dat geen uitdrukking meer had en alle lust tot leven had verloren, smolt haar ziel weg in droevige verzuchtingen. Daarom was ze bang haar te ergeren en had ze zich eraan gewend haar bitse opmerkingen ruimhartig en toegeeflijk te verdragen.

De stem zong: 'De gezelligheid van die mooie tijd...' Aisja rookte haar sigaret en luisterde. Ze had vroeger van zulke liedjes gehouden en ze hield er nog steeds van, want het verdriet en de wanhoop hadden haar gevoeligheid ervoor niet gedood. Misschien hadden ze die zelfs versterkt, omdat ze gewoonlijk verdriet en teleurstelling verwoordden. Als er een ding onmogelijk was in het leven, dan was het de terugkeer van de gezelligheid van vroeger. Ze vroeg zich zelfs vaak af of het verleden wel werkelijkheid was, en niet een droom of een hersenschim. Waar was dan het gelukkige gezin? Waar was haar geëerde echtgenoot? Waar waren Oethmaan en Mohammed? Was ze slechts acht jaar van dat verleden gescheiden?

Amiena stelde deze liedjes maar zelden op prijs. In haar ogen was de voornaamste verdienste van de radio dat ze erdoor in staat werd gesteld naar de heilige koran en de nieuwsberichten te luisteren. De liedjes maakten haar bang om hun treurige teksten en ze was zo bezorgd wanneer haar dochter ernaar luisterde, dat ze op een keer tegen Oemm Hanafi zei: 'Is dat geen geweeklaag?' Ze dacht zo onophoudelijk aan Aisja dat ze bijna de symptomen van de hoge bloeddruk en vermoeienissen waaraan ze leed vergat. Haar enige verlichting was het bezoek aan al-Hoessein en de andere heiligen, dankzij sajjid Ahmed, die haar geen restricties meer oplegde en haar zo vaak naar de huizen Gods liet gaan als haar beliefde. Ook zij was niet meer de Amiena van weleer. Het vele verdriet en de kwalen hadden haar veranderd. In de loop der tijd had ze haar bewonderenswaardige ijver bij het werken verloren, evenals haar buitengewone vermogen om te organiseren, schoon te maken en alles op orde te brengen. Afgezien van de zorg voor sajjid Ahmed en Kamaal interesseerde het haar niet meer. Ze had de keuken en de voorraadkamer aan Oemm Hanafi overgedragen en beperkte zich ertoe toezicht te houden. Zelfs dit toezicht nam ze niet te ernstig op. Ze had een grenzeloos vertrouwen in Oemm Hanafi, want dit huis en het gezin waren haar niet vreemd en ze was bovendien een gezellin voor het leven geweest, in voor- en tegenspoed. Ze was zo met de familie versmolten dat ze er een deel van was geworden en met heel haar hart meeleefde met de tegenslagen en vreugde.

Het was een poosje stil, alsof het lied hun gedachten in beslag nam. Uiteindelijk zei Na'iema: 'Ik kwam mijn vriendin Salma vandaag op straat tegen. Ze zat met mij op de lagere school. Volgend jaar doet ze het baccalaureaatsexamen.'

Aisja zei bitter: 'Als je grootvader je had toegestaan door te studeren, had je het nog beter gedaan dan zij. Maar hij heeft het verboden.'

Amiena merkte het protest op dat in de woorden 'Maar hij heeft het verboden' besloten lag, en ze zei: 'Haar grootvader heeft opvattingen waar hij nooit van afwijkt. Zou je het beter hebben gevonden dat ze had doorgestudeerd ondanks de inspanning? Ze is toch te teer om inspanning te verdragen?'

Aisja schudde zonder iets te zeggen haar hoofd. Na'iema zei verdrietig: 'Ik had graag mijn opleiding willen afmaken. Alle meisjes studeren tegenwoordig, net als de jongens.'

Oemm Hanafi zei schamper: 'Ze gaan studeren omdat ze geen man kunnen vinden. Maar een mooi meisje als jij...'

Amiena knikte instemmend en zei: 'En je hebt toch gestudeerd, meisje. Je hebt je schooldiploma. Wat wil je nog meer? Je hoeft niet te werken. Laten we God dus vragen je sterk te maken en je prachtige schoonheid met gezondheid en wat vlees en vet te vervolmaken.'

'Ik wil dat ze gezond is, maar niet dik,' zei Aisja heftig. 'Dikte is een tekortkoming, vooral bij meisjes. Haar moeder was de mooiste van iedereen, en ze was niet dik.'

Amiena glimlachte en zei vriendelijk: 'Je moeder was inderdaad de mooiste van iedereen, Na'iema.'

'En toen werd ze de ongelukkigste van iedereen,' zei Aisja zuchtend. Oemm Hanafi prevelde: 'Onze Heer schenke u vreugde vanwege Na'iema.'

Amiena wreef vol affectie over Na'iema's rug en zei: 'Amen, Heer der twee werelden.'

Ze vervielen weer in stilzwijgen en luisterden naar een nieuwe stem die zong: 'Ik wil je elke dag zien...' Opeens ging de deur van het huis open en weer dicht. Oemm Hanafi zei: 'De oude sidi.'

Ze stond op en holde de kamer uit om de lantaarn op de trap aan te doen. Even later hoorden ze het vertrouwde tikken van zijn stok, waarna hij in de deuropening van de salon verscheen. Ze stonden allemaal op uit beleefdheid. Hij bleef even naar hen staan kijken en zei toen tussen zijn zware ademhaling door: 'Goedenavond.'

Als uit één mond antwoordden ze: 'Goedenavond.'

Amiena ging hem voor naar zijn kamer en deed het licht aan. De man volgde haar als een toonbeeld van deftigheid en grijze ouderdom en ging zitten om op adem te komen. Het was nog geen negen uur 's avonds. Hij was nog even gesoigneerd als vroeger, met dezelfde wollen *goebba*,* satijnen kaftan en zijden *koeffiyya*.** Het met wit getooide hoofd, de zilverkleurige snor en het magere lichaam, ontdaan van zijn 'bewoners', dat waren allemaal, evenals zijn vroege thuiskomst, verschijnselen van de laatste tijd. Daartoe behoorden ook de kom

* Lange open mantel met smalle mouwen.

** Hoofddoek voor mannen.

melk en de sinaasappel die zij voor zijn avondeten klaarmaakte. Geen alcohol, lekkere hapjes, vlees of eieren meer. Toch was de glinstering in zijn grote blauwe ogen nog aanwezig ten teken dat zijn levenslust niet was verslapt.

Zoals altijd begon hij met Amiena's hulp zijn kleren uit te trekken, waarna hij zijn wollen *gilbaab** aantrok, zijn mantel omsloeg, zijn mutsje opzette en op de canapé ging zitten. Ze zette hem het blad met het avondeten voor en hij nam ervan zonder geestdrift. Daarna gaf ze hem een beker die voor de helft met water gevuld was. Hij pakte het medicijnflesje, goot zes druppels in de beker en dronk het met een van walging vertrokken gezicht op, mompelend: 'God zij geprezen, de Heer der twee werelden.'

De dokter had hem vaak gezegd dat het medicijn tijdelijk was, maar het dieet voor altijd. Hij had hem vaak gewaarschuwd zich er strikt aan te houden en het niet te verwaarlozen, want zijn hoge bloeddruk was nog toegenomen en belemmerde het hart. De ervaring dwong hem de diagnose van de dokter te geloven, nadat hij de gevolgen had ondervonden toen hij zijn instructies te licht had opgenomen. Zodra hij zich te buiten ging, werd hij ogenblikkelijk gestraft. Uiteindelijk had hij zich bij de voorschriften neergelegd. Hij at en dronk alleen nog wat hem was toegestaan en kwam niet later thuis dan negen uur. Toch was de hoop niet helemaal uit zijn hart geweken dat hij ooit, indien mogelijk, zijn gezondheid zou terugkrijgen en van een aangenaam en rustig leven zou kunnen genieten, ook al was het niet het leven van vroeger, dat voorgoed voorbij was. Hij luisterde met genoegen naar het gezang dat uit de radio kwam. Gezeten op de matras sprak Amiena met hem over de kou, die dag, en de regen die 's ochtends was gevallen. Hij luisterde niet naar haar, maar zei opgewekt: 'Ik heb gehoord dat ze vanavond liedjes van vroeger uitzenden.'

De vrouw glimlachte goedkeurend, aangezien ze van die liedjes hield, waarschijnlijk omdat sajjid Ahmed ze boven alles liefhad. De ogen van de man straalden even van blijdschap, maar werden daarna weer lusteloos. Hij was niet meer in staat van een behaaglijk gevoel te genieten zonder terughoudendheid, of zonder dat het zich plotseling tegen hem keerde en hij

* Eenvoudig lang gewaad.

uit de droom ontwaakte en op de werkelijkheid stootte, de werkelijkheid die hem aan alle kanten insloot. Maar het verleden was een droom. Waarover zou hij blij kunnen zijn, nu de dagen van gezelligheid, muziek en gezondheid voorgoed achter hem lagen, en het heerlijke eten en drinken en andere genoegens waren verdwenen? Wat was er overgebleven van zijn tred, fier als een kameel, en zijn schallende lach? Waar was het krieken van de ochtend terwijl hij zwijmelde van alle geneugten? Nu was hij ertoe veroordeeld om negen uur thuis te komen en om tien uur te gaan slapen. Eten, drinken en lopen werden nauwkeurig gedoseerd en in het schrift van de dokter geregistreerd. En dit gezin, dat door de tijd in droefheid was gedompeld, hij was er het hart en de steunpilaar van. De ongelukkige Aisja was als een doorn in zijn zij. Hij was niet in staat goed te maken wat er van haar leven was teloorgegaan en kon zich zeker niet gerust voelen over haar. Zou ze straks niet alleen en ellendig zijn, zonder vader of moeder? Hij was evenzeer ongerust over zijn gezondheid, die steeds slechter dreigde te worden. Hij vreesde bovenal dat zijn krachten het zouden begeven en dat hij aan bed gekluisterd zou zijn, als een dode, maar nog niet echt dood, zoals veel van zijn vrienden en dierbaren.

Deze gedachten zwermden om hem heen als vliegen en hij vroeg God om bescherming. Hij kon beter naar de liedjes van vroeger luisteren, al was het alleen om erbij in te slapen.

'Laat de radio maar aanstaan, ook als ik ben ingeslapen.'

Ze knikte glimlachend. Hij zei met een zucht: 'Wat kost het me moeite de trap op te komen.'

'Rust dan uit, sidi, op elke overloop.'

'Maar de lucht is zo vochtig op de trap. Wat een vervloekte winter.'

Hij voegde er op vragende toon aan toe: 'Ik wed dat je al-Hoessein hebt bezocht, zoals altijd, ondanks de kou.'

Verlegen zei ze: 'Voor een bezoek aan hem wordt elk ongemak licht, sidi.'

'Het is mijn schuld.'

Om hem tevreden te stellen, zei ze: 'Ik loop om de heilige tombe en bid om gezondheid en genezing voor u.'

Wat had hij behoefte aan oprecht gebed. Al het goede was hem ontzegd. Zelfs de koude douche waarmee hij elke ochtend zijn lichaam placht te besproeien was hem verboden, omdat die gevaarlijk zou zijn voor zijn aderen, zeiden ze. Als al het goede schadelijk is, zij God ons genadig...

Er ging enige tijd voorbij waarna ze in de kamer de deur van het huis hoorden slaan. Amiena keek op en zei zacht: 'Kamaal.'

Al na enkele minuten kwam Kamaal de kamer binnen in zijn zwarte regenjas, die toonde hoe lang en mager hij was. Hij keek naar zijn vader door zijn vergulde bril. Door zijn dikke, zwarte snor zag hij er nu deftiger en mannelijker uit. Hij boog zich over de hand van zijn vader en groette hem. Sajjid Ahmed nodigde hem uit te gaan zitten en vroeg hem zoals altijd met een glimlach: 'Waar ben je geweest, *oestaaz*?'

Kamaal was gesteld op deze beminnelijke, zachtmoedige toon, die hem pas na een lang leven ten deel was gevallen. Terwijl hij op de canapé ging zitten, zei hij: 'Ik ben naar het koffiehuis geweest met vrienden.'

Wat voor vrienden zouden dat zijn? Hij ziet er ernstig uit, te serieus en te deftig voor zijn leeftijd. En de meeste avonden brengt hij in zijn studeerkamer door. Wat een verschil met Jasien... Maar ze hebben allebei hun slechte kanten.

Hij vroeg hem glimlachend: 'Ben je vandaag naar het congres van de Wafd geweest?'

'Ja, we hebben naar de toespraak van Moestafa an-Nahhaas* geluisterd. Het was een gedenkwaardige dag.'

'Ze hebben ons verteld dat het een grote gebeurtenis zou worden, maar ik kon er niet bij zijn en heb mijn uitnodiging aan een van mijn vrienden gegeven. Mijn gezondheid laat geen inspanning meer toe.'

'God geve u kracht,' zei Kamaal aangedaan.

'Hebben er geen incidenten plaatsgevonden?'

'Nee, de dag is vreedzaam verlopen. Tegen de gewoonte in heeft de politie zich tot surveilleren beperkt.'

De man knikte tevreden en zei toen op veelbetekenende toon: 'Laten we op ons oude onderwerp verdergaan. Ben je nog steeds niet op je verkeerde beslissing over privé-lessen teruggekomen?'

* Opvolger van Saad Zaghloel als leider van de nationalistische beweging, de Wafd. Zie voor de politieke verwikkelingen die de achtergrond van het verhaal vormen ook het nawoord.

Kamaal voelde zich nog altijd beschroomd wanneer hij zich genoodzaakt zag de mening van zijn vader tegen te spreken. Hij zei vriendelijk: 'Daar hebben we het toch al vaak genoeg over gehad?'

'Elke dag vragen vrienden me of je privé-les aan hun kinderen wilt geven. Wijs eerlijke inkomsten toch niet af. Privé-lessen zijn een belangrijke bron van inkomsten voor onderwijzers. En het zijn de notabelen van de wijk die het vragen.'

Kamaal deed er het zwijgen toe, ook al stond er een beleefde weigering op zijn gezicht te lezen. De man vervolgde verdrietig: 'Je weigert het om je tijd te verspillen met eindeloos lezen en schrijven zonder honorarium. Dat past een verstandig iemand als jij toch niet?'

Op dat moment richtte Amiena zich tot Kamaal: 'Je zou net zoveel om geld als om de wetenschap moeten geven.'

Met een trotse glimlach vervolgde ze tegen sajjid Ahmed: 'Hij is net als zijn grootvader. Die liet zich ook door niets van zijn liefde voor de wetenschap afbrengen.'

Sajjid Ahmed verzuchtte: 'We zijn weer bij zijn grootvader. Was dat soms een tweede imam Mohammed Abdoeh?'*

Hoewel ze niets wist over deze imam, zei ze enthousiast: 'Waarom niet, sidi? Alle buren kwamen naar hem toe met hun godsdienstige en aardse problemen.'

De humor kreeg de overhand bij sajjid Ahmed en hij zei lachend: 'Tegenwoordig krijg je tien van zulke lieden voor een piaster.'

Amiena's gezicht nam een uitdrukking van stil protest aan. Kamaal glimlachte verlegen en vol genegenheid. Hij verontschuldigde zich en verliet de kamer. In de salon versperde Na'iema hem de weg, omdat ze hem haar nieuwe jurk wilde laten zien. Terwijl ze wegliep om hem te halen, ging hij naast Aisja zitten wachten. Net als de andere familieleden betuigde hij zijn affectie voor Aisja door middel van Na'iema, maar afgezien daarvan had hij evenveel bewondering voor het mooie meisje als vroeger voor haar moeder. Na'iema kwam terug met de jurk en spreidde hem uit op haar handen. Hij bekeek hem aandachtig en sprak zijn bewondering uit, waarbij hij de eige-

* Belangrijk islamitisch denker en hervormer, die een modernisering van de studie en interpretatie van de islam voorstond (gest. 1905).

nares liefdevol aankeek, bekoord door haar ongeëvenaarde, serene schoonheid die door haar puurheid en verfijndheid een fraaie schittering uitstraalde. Enigszins zwaarmoedig liep hij daarna weg. Het was droevig om een familie tot in de ouderdom te vergezellen. Het viel hem zwaar zijn vader zo verzwakt te zien, nadat hij zo krachtig en oppermachtig was geweest, of om te zien hoe zijn moeder verwelkte van ouderdom, of hoe Aisja wegkwijnde. De atmosfeer was geladen met ongeluk en de voorboden van het einde. Hij liep de trap op naar de bovenste verdieping – zijn 'appartement', zoals hij het noemde –, waar hij alleen woonde in zijn slaapkamer en zijn studeerkamer, die beide op de steeg Tussen Twee Paleizen uitkeken. Hij trok zijn kleren uit en ging gekleed in zijn *gilbaab* met daarover een kamerjas naar zijn studeerkamer, die was ingericht met een groot bureau, naast de *masjrabiyya*,* en twee boekenkasten aan weerskanten. Hij wilde ten minste een hoofdstuk lezen van het boek *Les deux sources de la morale et de la religion* van Bergson en een laatste revisie maken van zijn maandelijkse artikel voor het tijdschrift *al-Fikr*, dat deze keer over het pragmatisme handelde. Deze uurtjes gewijd aan de filosofie, tot middernacht, waren de gelukkigste van zijn dag. Daarin voelde hij, om zo te zeggen, dat hij mens was. De rest van de dag besteedde hij aan zijn werk als onderwijzer aan de Silahdaar-school of aan het voldoen aan allerlei noodzakelijke vereisten van het leven. Die laatste waren het domein van het dier dat in hem verborgen lag en hadden altijd ten doel zichzelf in stand te houden en zijn lusten te bevredigen. Hij hield niet van zijn officiële werk en had er geen eerbied voor, maar hij maakte zijn wrevel niet kenbaar, vooral thuis niet, uit vrees voor leedvermaak. Desondanks was hij een uitstekend leraar, die groot respect genoot. De directeur had hem zelfs met enkele bestuurlijke taken belast, zodat hij zichzelf gekscherend verweet dat hij een slaaf was. Was iemand die zijn werk bekwaam volbracht, zonder dat hij ervan hield, geen slaaf? Het was zijn drang om uit te blinken, die hij vanaf zijn jeugd had gehad, die hem ertoe aanzette zich onvermoeibaar in te spannen en zich te onderscheiden. Aanvankelijk had hij zich voorgenomen een door de leerlingen en onderwijzers gerespecteerde persoonlijkheid te worden, en

* Uitspringend erkervenster met houten traliewerk.

daar was hij in geslaagd. Hij werd niet alleen gerespecteerd, maar was zelfs geliefd, ondanks zijn grote hoofd en neus. Het leed geen twijfel dat zij – zijn hoofd en neus –, of zijn pijnlijke besef van hun aanwezigheid de belangrijkste factor waren geweest bij zijn onverzettelijkheid die hem tot zo'n eerbiedwaardige persoonlijkheid had gemaakt. Hij wist dat zijn hoofd en neus opstootjes om hem heen zouden veroorzaken en hij gebruikte zijn onverzettelijkheid als wapen om de boosaardigheid van spotters af te weren. Hij ontsnapte niet altijd aan toespelingen en provocerende opmerkingen tijdens de les of op het schoolplein. Hij trad de aanvallen eerst met strengheid tegemoet, maar later werd die getemperd door zijn aangeboren zachtmoedigheid. Bovendien was zijn bekwaamheid in het uitleggen van invloed, naast de enthousiaste wijze waarop hij van tijd tot tijd onderwerpen behandelde met betrekking tot het nationalisme, of herinneringen aan de revolutie. Dat alles zorgde ervoor dat de 'publieke opinie' onder de leerlingen hem gunstig gezind was en volstond – naast zijn strengheid die als het nodig was opkwam –, om ordeverstoringen in de kiem te smoren. Eerst hadden de pijnlijke toespelingen hem gekwetst en hadden ze zijn vergeten verdriet weer tot leven gewekt, maar uiteindelijk was hij verheugd over de vooraanstaande plaats die hij in de harten van de kinderen was gaan innemen, die met bewondering, genegenheid en ontzag naar hem keken.

Er was nog een probleem waarmee hij te maken had en dat samenhing met zijn maandelijkse artikel in het tijdschrift *al-Fikr*. Deze keer vreesde hij dat de directeur en de onderwijzers hem zouden aanspreken. Waren de oude en moderne filosofieën die hij uiteenzette en die soms de algemeen aanvaarde stelregels en moraal bekritiseerden, te rijmen met de verantwoordelijkheid van een onderwijzer? Gelukkig behoorde geen van zijn collega's tot de lezers van *al-Fikr*. Bovendien was hem uiteindelijk duidelijk geworden dat van het tijdschrift niet meer dan duizend exemplaren werden gedrukt, waarvan de helft naar de Arabische landen werd uitgevoerd. Dat gaf hem de moed ervoor te schrijven zonder dat hij bevreesd was voor zichzelf of voor zijn betrekking.

In deze luttele uren veranderde de 'leraar Engels aan de Silahdaar-school' in een vrij reiziger die in de grenzeloze sferen van het denken rondzwierf. Hij las, dacht na en legde de aantekeningen vast die hij daarna verwerkte in zijn maandelijkse artikelen. Hij werd tot zijn inspanning gedreven door het verlangen naar kennis, liefde voor de waarheid en zucht naar geestelijke avonturen, en door zijn hoop op troost en verlichting van de neerslachtigheid waarin hij was gedompeld en de gevoelens van eenzaamheid die zich in zijn hart hadden genesteld. Soms vond hij in zijn eenzaamheid zijn toevlucht bij de 'oneindige substantie' van Spinoza, of troostte hij zich in zijn onbeduidendheid door met Schopenhauer deel te nemen aan de strijd tegen de begeerte, of zwakte hij zijn medeleven met Aisja's tegenspoed af met een dosis van de filosofie van Leibniz, waarin het kwaad werd verklaard, of laafde hij zijn dorstige hart aan de liefde voor de dichterlijkheid van Bergson. Toch slaagde hij er met zijn onophoudelijke werkdrift niet in de klauwen van de onzekerheid af te stompen, die aan kwelling grensden, want de waarheid was een geliefde die even wispelturig was als een menselijke geliefde en even weerbarstig, geneigd met het verstand te sollen, twijfel en jaloezie te wekken, en tegelijkertijd vurig verlangend te bezitten en tot vereniging te komen. Net als een menselijke geliefde toonde ze vele gezichten en buien, en was ze grillig en vaak niet gespeend van sluwheid, bedrog, wreedheid en hooghartigheid. Als de hopeloosheid en uitputting hem overvielen bij zijn werk, zei hij om zich te troosten: 'Ik lijd weliswaar, maar ik leef, ik ben een levend mens. Het menselijk leven dat die naam verdient heeft altijd zijn prijs.'

Het doornemen van de boeken, het controleren van de berekeningen en de balans opmaken van de vorige dag, het waren bezigheden die Ahmed Abd al-Gawwaad van oudsher nauwgezet en tot in de puntjes uitvoerde. Maar tegenwoordig, nu hij ziek en oud was, kostten ze hem meer moeite dan vroeger. Zoals hij daar over zijn boeken gebogen zat onder de plaat met de *bismillah*,* met zijn zilverwitte snor, die bijna verdween onder zijn grote neus die nog groter leek doordat zijn gezicht zo mager was, zag hij er meelijwekkend uit. Zijn assistent en werknemer Gamiel al-Hamzawi, die tegen de zeventig liep, zag

* Afkorting van de formule *In de naam van God de erbarmer, de barmhartige*, die veelvuldig in de koran en de gebeden van moslims voorkomt.

er nog beklagenswaardiger uit. Zodra hij met een klant klaar was, liet hij zich hijgend op zijn stoel zakken. Ahmed zei met enige wrevel in zichzelf: Waren we maar ambtenaren geweest, dan had het pensioen ons op deze leeftijd al dat werk en gezwoeg bespaard. Hij keek op uit het boek en zei: 'De gevolgen van de economische crisis zijn nog een beetje te merken.'

Er tekende zich bitterheid af op al-Hamzawi's bleke lippen en hij zei: 'Ongetwijfeld. Maar dit jaar gaat het beter dan vorig jaar. En vorig jaar ging het beter dan het jaar daarvoor. Hoe dan ook, God zij gedankt.'

Het jaar 1930 en de jaren die erop volgden... De periode die de kooplieden onder zijn vrienden de 'jaren van de terreur' hadden genoemd. Isma'iel Sidki* had het politieke leven beheerst en het economische leven stond in het teken van de schaarste. Ze gingen naar bed en werden wakker met berichten over faillissementen en liquidaties. Ze wreven zich in de handen terwijl ze zich afvroegen wat de volgende dag zou brengen. Hij was zonder twijfel een van de gelukkigen geweest, omdat het faillissement dat hem jaar na jaar bedreigde hem uiteindelijk bespaard was gebleven.

'Ja, God zij gedankt, hoe dan ook.'

Hij zag dat al-Hamzawi hem met vreemde blik aankeek, aarzelend en verlegen. Wat zou er zijn? De man stond op, schoof zijn stoel dichter naar het bureau, ging weer zitten en glimlachte bedeesd. Hoewel de zon scheen was het snerpend koud. Fluitende windvlagen deden de deuren en ramen klapperen. Terwijl hij rechtop ging zitten zei sajjid Ahmed: 'Zeg maar wat er is. Ik ben ervan overtuigd dat je iets belangrijks te zeggen hebt.'

Al-Hamzawi sloeg zijn ogen neer.

'Ik bevind mij in een weinig benijdenswaardige positie,' zei hij. 'Ik weet niet hoe ik het moet zeggen.'

Sajjid Ahmed zei om hem aan te moedigen: 'Ik ga al langer met jou om dan met mijn eigen familie. Je kunt me dus alles toevertrouwen.'

'Die omgang is juist wat me zwaar valt, jongeheer Sajjid.'

De omgang? Dat was nooit in hem opgekomen.

'Wil je... Werkelijk?'

Terneergeslagen zei al-Hamzawi: 'De tijd is gekomen waar-

* Premier van Egypte van 1930-1933; leidde een dictatoriaal regime.

op ik me moet terugtrekken. God draagt de mens slechts op wat hij aankan.'

Het hart van sajjid Ahmed kromp ineen. Als al-Hamzawi zich uit de zaak terugtrok, was dat een voorbode voor zijn eigen terugtreden. Hoe zou hij tegen het werken in de winkel opgewassen zijn nu hij zo oud en ziek was? Hij keek onthutst naar zijn employé. Deze vervolgde aangedaan: 'Het spijt me erg. Maar ik kan het werk niet meer aan. Die tijd is voorbij. Maar ik heb ervoor gezorgd dat ik u niet alleen achterlaat. Ik zal worden vervangen door iemand die tot meer in staat is dan ik.'

Zijn vertrouwen in de eerlijkheid van al-Hamzawi had de helft van zijn zorgen van zijn schouders genomen. Hoe kon hij, nu hij drieënzestig was, de winkel onder zijn hoede nemen van het krieken van de dag tot zonsondergang?

'Maar ophouden met werken en thuis blijven zitten, daarvan gaat een mens snel achteruit,' zei hij. 'Dat zie je toch aan gepensioneerde ambtenaren?'

Gamiel al-Hamzawi zei met een glimlach: 'Ik ga al achteruit voordat ik ben opgehouden.'

Sajjid Ahmed lachte plotseling, alsof hij de verlegenheid die hij voelde wilde verhullen, alvorens te zeggen: 'Sluwe oude vos, je verlaat me op aandringen van je zoon Foeaad...'

Al-Hamzawi riep geëmotioneerd uit: 'God verhoede het. Mijn gezondheidstoestand blijft voor niemand verborgen. Die is de eerste en de laatste reden.'

Wie weet? Foeaad was officier van justitie, en zo iemand zou het niet prettig vinden dat zijn vader een eenvoudig winkelemployé was, ook al was het de eigenaar van de winkel geweest die het hem mogelijk had gemaakt om naar zijn huidige positie op te klimmen. Maar hij besefte dat zijn suggestie zijn goedhartige employé had gekwetst. Hij bond in en vroeg beminnelijk: 'Wanneer wordt Foeaad naar Caïro overgeplaatst?'

'In de zomer van dit jaar of op zijn hoogst volgend jaar.'

Er ging enige tijd in beschroomd stilzwijgen voorbij, totdat al-Hamzawi, de beminnelijke toon van sajjid Ahmed overnemend, zei: 'Als hij bij mij in Caïro komt wonen, moet ik over een huwelijk voor hem gaan nadenken, nietwaar, jongeheer Sajjid? Hij is mijn enige zoon tussen zeven dochters. Hij moet beslist trouwen. Telkens als ik daaraan denk komt uw kleindochter, die welopgevoede juffrouw, me voor de geest.'

Hij wierp een onderzoekende blik op sajjid Ahmed en mompelde toen: 'We zijn niet van dezelfde stand, natuurlijk...'

Sajjid Ahmed kon slechts antwoorden: 'God vergeve je, *amm* Gamiel. We zijn broeders sinds mensenheugenis.'

Had Foeaad hem aangespoord hem te polsen? Plaatsvervangend officier van justitie was heel wat, en het belangrijkste was dat hij een telg was van een fatsoenlijke familie. Maar was dit het moment om over een huwelijk te praten?

'Vertel me eerst eens, of je vastbesloten bent met werken op te houden.'

Hij hoorde iemand in de deur van de winkel zeggen: 'Duizendmaal goedemorgen...'

Sajjid Ahmed glimlachte uit hoffelijkheid, hoewel het hem ergerde dat hij onderbroken werd, en zei: 'Kom binnen.'

Hij wees naar de stoel waarvan al-Hamzawi was opgestaan en zei: 'Ga zitten.'

Zoebaida ging zitten met haar vette lichaam. Haar gezicht was overdekt met poeder. Van de sieraden aan haar hals, oren en polsen was geen spoor meer te bekennen, noch van haar vroegere schoonheid. Sajjid Ahmed verwelkomde haar zoals hij met elke bezoeker deed, niets meer dan dat. Het bezoek verontrustte hem, want zij kwam alleen om hem met verzoeken lastig te vallen. Hij vroeg hoe het met haar ging en ze zei onverschillig: 'Uitstekend.'

Na een poosje stilzwijgen zei hij tegen haar: 'Welkom, welkom.'

Ze glimlachte dankbaar, maar het leek alsof zij de verborgen koelheid in zijn hoffelijkheid bemerkte. Ze lachte, zonder acht te slaan op de sfeer om zich heen. De tijd had haar onverschilligheid geleerd.

'Ik houd er niet van je tijd te verspillen als je het druk hebt,' zei ze. 'Maar je bent de nobelste mens die ik ken in mijn leven. Of je helpt me aan nog een lening, of je vindt een koper voor mijn huis. En ik zou niets liever zien dan dat jij het zelf koopt.'

Ahmed Abd al-Gawwaad zei zuchtend: 'Ik? Kon ik dat maar. De tijden zijn veranderd, Soeltana. Ik heb je zo vaak gezegd hoe het ervoor staat. Maar je schijnt het niet te geloven, Soeltana.'

Ze lachte om haar teleurstelling te verbergen en zei: 'De Soeltana is bankroet. Wat moet ik doen?'

'De vorige keer heb ik je gegeven wat ik kon. Maar de omstandigheden laten niet toe dat ik het nog een keer doe.'

Ongerust vroeg ze: 'Is het niet mogelijk dat je een koper voor mijn huis vindt?'

'Ik zal een koper voor je zoeken. Dat beloof ik je.'

Met erkentelijkheid in haar stem zei ze: 'Dat was van jou te verwachten, je bent de hulpvaardigheid zelve.'

Ze vervolgde op droevige toon: 'Niet alleen de wereld is veranderd, de mensen zijn nog meer veranderd. God zij de mensen barmhartig. In de grote dagen van weleer wedijverden ze om mijn schoenen te kussen. En nu... Als ze me op straat zien lopen steken ze over naar de andere kant.'

Er is altijd iets, of meer dan één ding, dat de mens ontvalt, gezondheid, jeugd, of de mensen. En de grote dagen van weleer, de dagen van muziek en liefde, waar zijn die gebleven?

'Overigens, Soeltana, heb je geen rekening gehouden met het verstrijken van de tijd.'

Ze zuchtte verdrietig en zei: 'Inderdaad, ik ben niet zoals je zuster Galiela, die de deugdzaamheid van anderen verhandelt en geld en huizen bezit. Afgezien daarvan heeft God me met schurken opgescheept, zoals Hassan Anbar, die me, toen de cocaïne schaars was op de markt, een snuifje verkocht voor een pond.'

'Een vloek Gods.'

'Hassan Anbar? Die is duizendmaal vervloekt.'

'Nee, de cocaïne.'

'Bij God, cocaïne is barmhartiger dan de mens.'

'Nee, nee. Het is waarlijk triest dat je eraan verslaafd bent geraakt.'

Op berustende, van hoop verstoken toon zei ze: 'Ik ben mijn krachten en mijn geld erdoor kwijtgeraakt. Wat kunnen we eraan doen? Wanneer heb je een koper voor me?'

'Zo snel mogelijk.'

Terwijl ze opstond zei ze misprijzend: 'Luister, als ik je de volgende keer kom bezoeken, glimlach dan vanuit je hart. Geen enkele belediging doet me iets, behalve als hij van jou komt. Ik weet dat ik je lastig val met mijn verzoeken, maar alleen God weet hoe erg het met mij gesteld is. En voor mij ben jij de meest nobele der mensen.'

'Haal je niet iets in je hoofd dat er niet is,' zei hij verontschuldigend. 'Toen je binnenkwam was ik juist met een belangrijke kwestie bezig. Aan de zorgen van een koopman komt nooit een einde, zoals je weet.'

'Moge God je zorgen wegnemen.'

Hij boog dankbaar zijn hoofd, terwijl hij haar naar de deur begeleidde. Hij nam afscheid met de woorden: 'Je bent altijd van harte welkom.'

Hij bespeurde in haar ogen een uitgedoofde, van droefheid overlopende blik, die hem vertederde. Bedrukt liep hij terug naar zijn stoel. Hij wendde zich naar Gamiel al-Hamzawi en zei: 'Zo is de wereld.'

'Moge het kwaad u bespaard blijven en het goede u toevallen.'

De toon van al-Hamzawi werd echter strenger toen hij eraan toevoegde: 'Maar het is de rechtvaardige straf voor een veile vrouw.'

Ahmed Abd al-Gawwaad maakte een snelle beweging met zijn hoofd, alsof hij zwijgend tegen deze harde reprimande protesteerde. Toen vroeg hij op dezelfde beminnelijke toon waarop hij had gesproken voordat Zoebaida's komst hem had onderbroken: 'Ben je nog steeds vastbesloten om ons in de steek te laten?'

'Het is niet in de steek laten,' zei de man verlegen. 'Het is met pensioen gaan, en met spijt in het hart.'

'Woorden, net als die van Zoebaida een minuut geleden.'

'God vergeve me. Ik spreek uit mijn hart. Ziet u niet, Sidi, dat ik bijna niets meer kan van ouderdom?'

Er kwam een klant de winkel binnen en al-Hamzawi liep naar hem toe. Opeens klonk er bij de deur een oude stem, die op galante toon zei: 'Wie zit daar achter het bureau, zo mooi als de maan?'

Daar was sjeik Mitwalli Abd as-Samad, in een versleten, kleurloze *gilbaab* van ruwe stof, met gebarsten pantoffels en een kameelharen doek om zijn hoofd gewonden, steunend op een stok. Hij knipperde met zijn rode ogen, zijn blik op de muur naast het bureau van sajjid Ahmed gericht, denkend dat hij ze op hem richtte. Ondanks zijn bezorgdheid glimlachte sajjid Ahmed.

'Kom binnen, sjeik Mitwalli,' zei hij. 'Hoe gaat het met u?'

De man opende zijn mond, waarin niet één tand meer te

zien was, en riep: 'Hoge bloeddruk, ga heen, gezondheid, keer terug naar de heer der mensen.'

Sajjid Ahmed stond op en liep naar hem toe, zodat hij de blik van de sjeik trok. Maar tegelijkertijd deinsde deze terug, alsof hij wilde vluchten. Hij begon in de rondte te draaien en riep, terwijl hij in de vier richtingen wees: 'Hier is een uitweg, en hier, en hier, en hier...'

Vervolgens schoot hij de straat op en zei: 'Vandaag niet... Morgen, of overmorgen. Of liever: God alleen weet wanneer.'

En hij liep weg met grote, krachtige stappen die niet in overeenstemming waren met zijn fragiele uiterlijk.

Op vrijdag kwamen de zijtakken terug naar de hoofdstroom en was het oude huis gevuld met kinderen en kleinkinderen. Het was een gelukkige gewoonte die niet werd verbroken. Amiena was niet meer de 'koningin' van de vrijdag, zoals vroeger, want Oemm Hanafi had de voornaamste plaats in de keuken ingenomen. Toch liet Amiena niet af de mensen erop te wijzen dat Oemm Hanafi haar leerlinge was, want haar behoefte aan complimenten manifesteerde zich vooral wanneer ze besefte hoe weinig ze ze verdiende. Maar Khadiega verzuimde niet, hoewel ze gaste was, haar diensten aan te bieden. Kort voordat sajjid Ahmed naar de winkel ging, verzamelden de gasten zich om hem heen, Ibrahiem Sjaukat, met zijn zoons Abd al-Moen'im en Ahmed, en Jasien met zijn kinderen Ridwaan en Kariema. Ze waren door een eerbied bevangen die hun gelach in een glimlach en hun gepraat in gefluister veranderde. Sajjid Ahmed putte uit hun aanwezigheid een voldoening waaraan hij met het vorderen der jaren steeds meer gehecht raakte. Hij berispte Jasien, omdat die hem niet meer in de winkel bezocht en volstond met het vrijdagbezoek. Wilde die muilezel dan niet begrijpen dat hij er altijd naar verlangde hem te zien? Zijn zoon Ridwaan, wiens knappe gezicht, met de donkere ogen en de roze huid, allerlei soorten schoonheid weerspiegelde, die hem nu eens aan Jasien, dan weer aan Haniyya, de moeder van Jasien, en dan weer aan zijn dierbare vriend Mohammed Iffat deden denken, was de kleinzoon die hem het meest na aan het hart lag. En Kariema, zijn zusje, een meisje van acht jaar, zou op wonderbaarlijke wijze ontluiken, daarvan getuigden haar zwarte ogen – de ogen van haar moeder

Zannoeba –, die zijn gemoed vol schroom en herinneringen toelachten. En Abd al-Moen'im en Ahmed, het was voldoende dat hij in hun gezicht een kleinere uitvoering van zijn grote neus zag en de kleine ogen van Khadiega. Zij spraken hem brutaler aan dan de anderen. Alle kleinkinderen vorderden zodanig met hun studie dat hij er trots op kon zijn. Maar ze schenen het te druk te hebben voor hun grootvader, want hoewel hij enerzijds troost vond in de gedachte dat zijn leven werd voortgezet en zich zou blijven voortzetten, herinnerden ze hem er anderzijds aan dat zijn persoon geleidelijk uit het middelpunt van de aandacht, dat hij vroeger had opgeëist, verdween. Dat bedroefde hem echter niet, want ouderdom bracht evenzeer wijsheid als zwakte en kwalen met zich mee. Hij liet zijn stroom aan herinneringen hierdoor echter niet verstoren, herinneringen aan de tijd waarin hij zelf jong was, het jaar 1890, toen hij een beetje studeerde en zich veel vermaakte in de uitspanningen en kroegen van al-Gamaliyya en al-Azbakiyya, in het gezelschap van Mohammed Iffat, Ali Abd ar-Rahiem en Ibrahiem al-Faar. Zijn vader, die zich geheel aan de winkel wijdde, snauwde zijn enige zoon af en toe af, maar koesterde grote genegenheid voor hem. Het leven was toen een dichtgevouwen bladzij zinderend van hoop. Toen kwam Haniyya. Maar niet te snel... Hij mocht zich niet door zijn herinneringen laten meeslepen.

Hij stond op om het middaggebed te verrichten, dat zijn vertrek aankondigde. Daarna kleedde hij zich aan en liep naar de winkel.

De anderen kwamen rond de stoof van de grootmoeder bijeen voor het koffieuur en converseerden gezellig. Op de middelste canapé zaten Amiena, Aisja en Na'iema. Op de rechtercanapé namen Jasien, Zannoeba en Kariema plaats, en op de linker Ibrahiem Sjaukat, Khadiega en Kamaal, terwijl Ridwaan, Abd al-Moen'im en Ahmed op de stoelen gingen zitten die in het midden van de salon onder de elektrische lamp stonden.

Getrouw aan zijn gewoonte, die niet door de tijd was veranderd, prees Ibrahiem Sjaukat de gerechten die hem aanstonden, al richtte hij zijn loftuitingen de laatste jaren tot de voortreffelijke lerares van een uitmuntende leerlinge. Zannoeba herhaalde de complimenten als een echo, want ze liet zich geen gelegenheid ontglippen een van de familieleden van haar echtgenoot voor zich in te nemen. Sinds de deuren van de familie van haar echtgenoot voor haar waren geopend en het haar was toegestaan met hen om te gaan, probeerde ze met buitengewone tact de banden met hen aan te halen, omdat ze er een erkenning van haar positie in zag, nadat ze jaren in afzondering had geleefd als een verstotene. De werkelijke aanleiding voor hun eerste bezoek aan Jasiens huis was dat ze hem wilden condoleren met de dood van een zoon. Toen had zij hen voor het eerst sinds haar huwelijk de hand geschud. Daar had ze moed uit geput en ze had de Suikersteeg een bezoek gebracht, en daarna Tussen Twee Paleizen, toen sajjid Ahmed ernstig ziek was. Ze had hem zelfs in zijn kamer bezocht en ze hadden elkaar als twee nieuwe mensen, zonder gemeenschappelijke voorgeschiedenis, ontmoet. Op deze manier was Zannoeba zozeer een deel van de familie van sajjid Ahmed geworden dat ze Amiena aansprak met 'tante' en Khadiega met 'zuster'. Ze was altijd een toonbeeld van kuisheid, en, in tegenstelling tot de andere vrouwen van de familie, kleedde ze zich ingetogen als ze uitging. Mede doordat haar schoonheid voortijdig was verwelkt, zag ze er dan ook ouder uit dan ze was, en Khadiega weigerde te geloven dat ze zesendertig jaar was. Toch was ze erin geslaagd een brevet van goed gedrag te krijgen van iedereen, en Amiena had zelfs eens over haar gezegd: 'Ze is ongetwijfeld van goede afkomst, waarschijnlijk van lang geleden, maar dat geeft niet. Ze is een net meisje en ze is de enige die een gezin heeft kunnen stichten met Jasien.'

Met haar dikke lijf zag Khadiega er zelfs nog omvangrijker uit dan Jasien en ze ontkende niet dat dat haar genoegen deed, zoals ook Abd al-Moen'im, Ahmed en haar in het algemeen geslaagde huwelijk haar gelukkig maakten. Toch hield ze niet op te klagen uit voorzorg tegen het boze oog. De manier waarop ze met Aisja omging was volstrekt veranderd en acht jaar lang was haar niet één spottend of grof woord ontvallen, zelfs niet bij wijze van scherts. Ze zorgde ervoor dat ze altijd beminnelijk en vriendelijk tegen haar was, uit eerbied voor haar tegenspoed en uit angst voor het lot, dat haar zo wreed had bejegend. En uit vrees dat de rouwende vrouw hun beider geluk zou vergelijken. Ze had zich ruimhartig getoond toen ze van Ibrahiem Sjaukat had geëist dat hij van zijn wettige aandeel in de erfenis van zijn overleden broer zou afzien ten gunste van Na'iema, zodat de hele erfenis, zonder deelgenoot, aan Aisja en haar dochter was toegevallen. Khadiega had gehoopt dat Aisja zich haar weldaad later zou herinneren, maar zij was in een zodanige toestand van lethargie geraakt dat ze de gulheid van haar zuster was vergeten. Dat verhinderde Khadiega niet haar te overstelpen met medelijden, tederheid en mildheid, alsof ze een tweede moeder voor haar was geworden. Het enige dat ze beoogde was haar tevredenheid en genegenheid, zodat ze er gerust op kon zijn dat God haar geluk zou schenken.

Ibrahiem Sjaukat haalde zijn doosje sigaretten te voorschijn en bood het aan Aisja aan. Deze nam een sigaret en bedankte hem. Hij nam er zelf ook een en ze begonnen te roken. Het overdadige roken en koffiedrinken van Aisja lokte vaak opmerkingen uit, maar daarvoor haalde ze gewoonlijk haar schouders op. Haar moeder volstond ermee op de toon van een gebed te zeggen: 'Onze Heer schenke haar volharding.' Jasien ging het verst in zijn adviezen aan haar, alsof het verlies van zijn zoon hem daartoe bevoegd had gemaakt. Maar Aisja vond dat zijn ongeluk niet zo groot was als het hare en gunde hem, omdat zijn zoon was gestorven voordat hij een jaar was, in tegenstelling tot Oethmaan en Ahmed, geen vooraanstaande plaats in het rijk der beproefden. Overigens, gesprekken over rampspoed leken vaak haar grootste liefhebberij, alsof ze trots was op haar eminente rang in de wereld van het leed.

Kamaal luisterde naar Ridwaan, Abd al-Moen'im en Ahmed, die over de toekomst spraken, en spitste glimlachend zijn oren.

'We volgen alle drie de letterenafdeling,' zei Ridwaan. 'Dus is de rechtenfaculteit de enige die in aanmerking komt.'

Met zijn krachtige stem, die vol zelfvertrouwen klonk, en schuddend met zijn grote hoofd dat hem van de jongens het meest op Kamaal deed lijken, zei Abd al-Moen'im: 'Natuurlijk, natuurlijk. Maar hij wil het niet snappen.'

Bij deze laatste woorden wees hij naar zijn broer Ahmed, op wiens lippen zich een spottende glimlach aftekende. Ibrahiem Sjaukat nam de gelegenheid te baat om, eveneens op Ahmed wijzend, te zeggen: 'Hij mag zich voor de letterenfaculteit inschrijven als hij dat wil, als hij mij tenminste van het nut daarvan kan overtuigen. Ik begrijp wel iets van rechten, maar ik begrijp niets van letteren.'

Kamaal sloeg, schijnbaar bedroefd, zijn ogen neer, omdat hem een gesprek over rechten en de lerarenopleiding, lang geleden, weer voor de geest kwam. Hij leefde nog steeds met de hoop van vroeger, hoewel het leven hem elke dag zware slagen toebracht. Een officier van justitie, bijvoorbeeld, had geen behoefte aan rechtvaardiging, maar de schrijver van artikelen voor het tijdschrift *al-Fikr* wel, misschien wel meer dan er in de duistere artikelen zelf stond.

Ahmed liet hem niet lang mijmeren. Hij keek hem met zijn uitpuilende oogjes aan en zei: 'Ik laat oom Kamaal antwoord geven.'

Ibrahiem Sjaukat glimlachte om zijn verlegenheid te verbergen. Kamaal zei zonder geestdrift: 'Je moet gaan studeren wat volgens jou in overeenstemming is met je aanleg.'

Er verscheen een triomfantelijke uitdrukking op Ahmeds gezicht. Zijn ranke hoofd bewoog van zijn broer naar zijn vader. Maar Kamaal voegde eraan toe: 'Maar je moet beseffen dat de rechtenstudie uitmuntende beroepsperspectieven biedt. Daartoe is de letterenstudie niet in staat. Als je letteren kiest, zal je een leven in het onderwijs te wachten staan, een zwaar beroep zonder status.'

'Nee, ik ga me op de journalistiek richten.'

'De journalistiek?' riep Ibrahiem Sjaukat. 'Hij weet niet wat hij zegt.'

Ahmed zei tegen Kamaal: 'In ons gezin is er geen verschil tussen het verrichten van intellectuele arbeid en het werken als ezelmenner.'

Ridwaan, de zoon van Jasien, zei met een glimlach: 'De grootste intellectuelen in ons land hebben rechten gestudeerd.'

'De intellectuele arbeid waar ik op doel is iets anders,' zei Ahmed hooghartig. Abd al-Moen'im zei met gefronst voorhoofd: 'En het is angstaanjagend en subversief. Ik weet helaas maar al te goed waar je op doelt.'

Terwijl hij naar de anderen keek alsof hij ze als getuigen wilde aanroepen, zei Ibrahiem Sjaukat: 'Bezin eer je begint. Je bent pas in het vierde jaar. Je erfenis bedraagt niet meer dan honderd pond per jaar. Vrienden van mij klagen erover dat hun zoons die van de universiteit komen geen werk kunnen vinden of voor onbeduidende salarissen als klerken worden aangesteld. Denk eerst na, daarna ben je vrij om zelf te kiezen.'

Jasien mengde zich in de discussie.

'Laten we eens horen wat Khadiega ervan vindt,' opperde hij. 'Zij is de eerste onderwijzeres van Ahmed. Zij is van ons het beste in staat te kiezen tussen rechten en letteren.'

Er verscheen een glimlach op de gezichten. Ook Amiena glimlachte, terwijl ze over de koffiepot gebogen zat, en zelfs Aisja. Door de glimlach van Aisja vatte Khadiega moed. Ze zei: 'Ik zal jullie een leuk verhaal vertellen. Gisteren, vlak voor de avond – het wordt vroeg donker in de winter, zoals jullie weten –, liep ik door de Darb al-Ahmar terug naar de Suikersteeg. Ik merkte dat ik door een man werd gevolgd. Opeens haalt hij me in onder de Mitwallipoort en zegt: "Waar ga je heen, schoonheid?" Ik kijk hem aan en zeg: "Naar huis, jongeheer Jasien."'

De salon daverde van het gelach. Zannoeba keek hem aan met een blik waarin verwijt en moedeloosheid lagen. Maar Jasien bracht de lachenden met een handgebaar tot zwijgen en zei: 'Zo blind ben ik toch niet?'

'Pas op,' riep Ibrahiem Sjaukat.

Kariema pakte haar vaders hand en lachte, alsof ze, ondanks haar acht jaren, begreep wat het verhaal van haar tante betekende. Zannoeba merkte meteen op: 'Het is altijd het ergste waarom gelachen wordt.'

Jasien keek Khadiega met boze blik aan en zei: 'Je hebt me te pakken, schurk.'

Khadiega zei: 'Als iemand in dit gezelschap het nodig heeft "geletterd" te worden ben jij het, niet Ahmed, mijn dwaze zoon.'

Zannoeba beaamde dit, maar Ridwaan verdedigde zijn vader en zei dat hij valselijk beschuldigd werd. Ahmed bleef Kamaal aankijken, alsof die zijn hoop vertegenwoordigde, terwijl Abd al-Moen'im tersluiks naar Na'iema keek, die als een witte bloem tegen haar moeder aangedrukt zat. Telkens als ze zijn kleine ogen op zich gericht voelde, bloosde ze.

Ibrahiem nam de draad van het gesprek weer op en zei tegen Ahmed: 'Zie eens hoe de rechtenstudie van de zoon van al-Hamzawi een gewichtig officier van justitie heeft gemaakt...'

Kamaal had het gevoel dat deze woorden als een bitter verwijt tegen hem gericht waren. Aisja sprak voor het eerst: 'Hij wil de hand van Na'iema vragen.'

In de stilte waarmee het nieuws werd ontvangen, zei Amiena: 'Zijn vader heeft er gisteren met haar grootvader over gesproken.'

'En geeft vader zijn goedkeuring?'

'Het is nog te vroeg.'

Terwijl hij behoedzaam naar Aisja keek, vroeg Ibrahiem Sjaukat: 'En wat vindt Aisja *hanoem* ervan?'

'Ik weet het niet...' zei Aisja zonder iemand aan te kijken.

Terwijl ze haar indringend aankeek, zei Khadiega: 'Maar jij moet beslissen...'

Kamaal wilde een goed woordje voor zijn vriend doen: 'Foeaad is een waarlijk uitmuntende jongeman.'

Behoedzaam vroeg Ibrahiem Sjaukat: 'Maar zijn familie is toch van het gewone volk?'

'Ja,' zei Abd al-Moen'im met zijn luide stem. 'Een van zijn ooms is ezeldrijver, een andere oom bakker en een derde oom klerk bij een advocaat.'

Op zachte toon, alsof hij zich wilde corrigeren, voegde hij eraan toe: 'Maar dat doet niets af aan de waarde van een mens. Een mens is wie hij is, niet wie zijn familie is.'

Kamaal begreep dat zijn neef twee feiten vaststelde waarin hij geloofde, hoewel ze met elkaar in strijd waren: de lage afkomst van Foeaad en het feit dat een lage afkomst niets afdeed aan de waarde van een persoon. Meer dan dat, hij begreep dat hij met het eerste Foeaad wilde aanvallen en met het tweede van zijn onrechtvaardige aanval verschoond wilde worden om tegemoet te komen aan zijn sterke religieuze overtuiging. Het was wonderlijk dat het constateren van die twee feiten hem opluchtte en hem de moeite bespaarde ze zelf onder woorden te brengen. Net als zijn neef geloofde hij niet in klasseverschillen, en net als hij was hij geneigd Foeaad te bekritiseren en zijn status te kleineren, hoewel hij inzag hoe gewichtig hij was en hoe onbeduidend hijzelf was vergeleken met hem.

Amiena was zichtbaar verontrust door deze kritiek.

'Zijn vader is een goed man,' zei ze. 'Hij heeft zijn hele leven trouw en toegewijd voor ons gewerkt.'

Khadiega raapte haar moed bijeen en zei: 'Maar misschien

moet Na'iema, als het huwelijk zou plaatsvinden, met mensen omgaan die niet passend voor haar zijn. Afkomst is alles...'

Er kwam steun van een onverwachte kant, want Zannoeba zei: 'Je hebt gelijk. Afkomst is alles.'

Geschrokken wierp Jasien een tersluikse blik op Khadiega, terwijl hij zich afvroeg hoe zij de woorden van zijn echtgenote zou opvatten, wat ze bij zichzelf dacht en of de wereld van zangeressen en het orkest haar voor de geest zou komen. Hij vervloekte Zannoeba in stilte om haar snoeverij en was genoodzaakt te spreken om de woorden van zijn echtgenote weg te wissen. Hij zei: 'Vergeet niet dat jullie over een officier van justitie spreken.'

Aangemoedigd doordat Aisja zweeg, zei Khadiega: 'Het is mijn vader die daarvoor gezorgd heeft. Ons geld heeft hem tot plaatsvervangend officier van justitie gemaakt.'

Met een spottende blik in zijn uitpuilende ogen, die aan de overleden Khaliel Sjaukat deden denken, zei Ahmed: 'Wij zijn zijn vader meer verschuldigd dan zijn vader ons.'

Khadiega wees met haar wijsvinger naar hem en zei op een toon vol verwijt: 'Jij komt altijd met onbegrijpelijke uitspraken aanzetten.'

Op de toon van iemand die de discussie wil beëindigen, zei Jasien: 'Maak je niet druk. Het is papa die het laatste woord heeft.'

Amiena deelde de kopjes rond. De ogen van de jongens richtten zich op de plaats waar Na'iema tegen haar moeder aangedrukt zat. Ridwaan zei in zichzelf: Een lief en mooi meisje... Kon ik maar haar vriend en kameraad worden. Als wij samen op straat zouden lopen, zouden de mannen niet weten wie van ons de mooiste is. Ahmed zei in zichzelf: Ze is heel mooi, maar het lijkt wel of ze aan tante vastgeplakt zit. En ze heeft geen ontwikkeling. En Abd al-Moen'im dacht: Ze is mooi, een vrouw des huizes, en zeer vroom. Haar broosheid is haar enige tekortkoming. Maar zelfs haar broosheid is mooi. Het zou zonde zijn haar aan Foeaad te geven. Hij vroeg haar hardop: 'En jij, Na'iema, zeg eens wat jouw mening is?'

Het bleke gezicht liep rood aan. Ze fronste eerst haar voorhoofd en glimlachte toen. Ze raakte in beide verstrikt, maar om zich van allebei in één keer te bevrijden, zei ze bedeesd en onderdanig: 'Ik heb geen mening. Laat me met rust.'

Ahmed zei spottend: 'Valse bescheidenheid...'
Aisja viel hem in de rede: 'Hoezo vals?'
'Bescheidenheid is uit de mode,' verbeterde hij zich. 'Je moet spreken, anders gaat het leven aan je voorbij.'
'Dat soort taal kennen we niet.'
Zonder op de waarschuwende blik van zijn moeder te letten, zei Ahmed klaaglijk: 'Ik wed dat ons gezin vier eeuwen achterloopt op de moderne tijd.'
'Waarom vier?' vroeg Abd al-Moen'im spottend.
Onverschillig antwoordde hij: 'Omdat ik mild ben.'
Khadiega richtte zich tot Kamaal.
'En jij?' vroeg ze. 'Wanneer ga jij trouwen?'
De vraag verraste Kamaal en hij zei ontwijkend: 'Dat gesprek hebben we al zo vaak gevoerd.'
'Maar het is nog steeds actueel. We laten je pas met rust als God je met een fatsoenlijk meisje verbindt.'
Amiena volgde dit laatste gesprek met verdubbelde aandacht, want een huwelijk van Kamaal was haar dierbaarste wens. Ze hoopte vurig dat haar wens in vervulling zou gaan en ze een kleinzoon van haar enige zoon zou kunnen aanschouwen. Ze zei: 'Zijn vader heeft hem bruiden uit de beste families voorgesteld, maar hij komt steeds met een of andere verontschuldiging.'
'Zwakke verontschuldigingen. Hoe oud ben je nu, si Kamaal?' vroeg Ibrahiem Sjaukat lachend.
'Achtentwintig. Het is al te laat.'
Amiena hoorde dit getal verbaasd aan, alsof ze het niet wilde geloven. Khadiega zei geërgerd: 'Je bent er verzot op je ouder voor te doen dan je bent.'
Ja, want hij was de jongste broer. Door het onthullen van zijn leeftijd werd indirect haar leeftijd onthuld. Hoewel haar man al zestig was, wilde ze er niet graag aan herinnerd worden dat zij achtendertig was. Kamaal wist niet wat hij moest zeggen. Voor hem was dit geen onderwerp dat met een enkel woord kon worden afgedaan. Hij had altijd het gevoel dat hij zijn standpunt moest uitleggen en zei op verontschuldigende toon: 'Overdag ben ik druk op school, en 's avonds in mijn studeerkamer.'
'Een prachtig leven, oom,' zei Ahmed enthousiast. 'Maar een mens moet niettemin trouwen.'

Jasien, die van allen Kamaal het beste kende, zei: 'Jij laat je bij het zoeken naar de "waarheid" niet door beslommeringen storen, maar de waarheid schuilt juist in die beslommeringen. In de bibliotheek zul je het leven niet leren kennen. De waarheid bevindt zich in huis en op straat.'

In een poging te ontsnappen, zei Kamaal: 'Ik ben gewend mijn loon tot de laatste milliem* uit te geven. Ik heb niets gespaard. Hoe kan ik dan trouwen?'

Khadiega liet hem niet ontsnappen en zei: 'Als je eenmaal wilt trouwen weet je wel hoe je het moet regelen.'

Jasien zei lachend: 'Jij besteedt je loon tot de laatste milliem om niet te hoeven trouwen...'

Als twee handen op een buik... Maar waarom trouwde hij niet, hoewel de omstandigheden gunstig waren en zijn ouders het wensten? Ooit was hij in de ban van de liefde geweest en was het huwelijk iets zonder betekenis. Er was een periode gevolgd waarin de plaats van de liefde was ingenomen door de filosofie, en die had zijn leven gretig verslonden. Het was zijn grootste vreugde als hij een mooi boek vond of erin slaagde een artikel te publiceren. Hij hield zichzelf voor dat een denker niet trouwde en niet behoorde te trouwen. Hij keek naar boven en dacht dat het huwelijk hem zou dwingen naar beneden te kijken. Hij vond het – nog steeds – heerlijk om een bespiegelend toeschouwer te zijn, en het stond hem tegen zich in te laten met het mechaniek van het leven. Hij was even zuinig op zijn vrijheid als een gierigaard op zijn geld. Bovendien betekenden vrouwen voor hem niet meer dan een lust die moest worden bevredigd. Trouwens, zijn jeugd ging niet in rook op zolang als hij geen week liet verstrijken zonder geestelijke en lichamelijke genoegens. Hij was een twijfelaar, voor wie niets zeker was, en het huwelijk was een soort geloof. Hij zei: 'Wees gerust, ik zal trouwen wanneer ik er behoefte toe voel.'

Zannoeba glimlachte op een manier die haar tien jaar jonger maakte.

'Waarom heb je er nu geen behoefte aan te trouwen?'

Enigszins geprikkeld zei Kamaal: 'Het huwelijk is als een muis, en jullie maken er een olifant van...'

In zijn hart geloofde hij echter dat het huwelijk een olifant

* Benaming voor munt van geringe waarde.

was, geen muis. Het vreemde gevoel bekroop hem dat hij er geweest zou zijn zodra hij toegaf aan het huwelijk. De stem van Ahmed bevrijdde hem uit zijn netelige situatie: 'Het is tijd om naar boven naar de bibliotheek te gaan.'

Hij was blij met dit voorstel en stond op. Met Abd al-Moen'im, Ahmed en Ridwaan achter zich aan liep hij de kamer uit naar de studeerkamer om hun, zoals altijd wanneer ze op bezoek kwamen, een paar boeken te lenen.

Het bureau van Kamaal stond midden in het vertrek onder de elektrische lamp, tussen twee boekenkasten. Hij ging zitten, terwijl de jongens de titels van de boeken op de schappen bekeken. Abd al-Moen'im koos een boek met voordrachten over de geschiedenis van de islam, en Ahmed nam het boek *Grondslagen van de filosofie*. Ze gingen rond het bureau staan, terwijl hij van de een naar de ander keek. Uiteindelijk zei Ahmed mismoedig: 'Ik zal pas kunnen lezen wat ik wil als ik tenminste één buitenlandse taal goed beheers.'

Abd al-Moen'im bladerde in zijn boek en mompelde: 'Niemand kent de ware islam.'

Ahmed zei spottend: 'Mijn broer leert de ware islam van een schooier in Khaan al-Khalieli.'

'Houd je mond, afvallige,' riep Abd al-Moen'im. Kamaal keek naar Ridwaan en vroeg: 'En jij, neem jij geen boek?'

'Hij heeft het te druk met het lezen van wafdistische kranten,' antwoordde Abd al-Moen'im in zijn plaats. Ridwaan knikte naar Kamaal en zei: 'Wat dat betreft zijn mijn oom en ik het eens.'

Zijn oom gelooft in niets en toch is hij wafdist. Het is alsof hij aan de werkelijkheid in haar geheel twijfelt en desondanks met mensen en de realiteit omgaat. Terwijl hij zijn ogen van Abd al-Moen'im naar Ahmed liet gaan, vroeg hij: 'Wat is daar zo vreemd aan? Jullie zijn toch ook wafdist? Elke patriot is wafdist, of niet soms?'

Met zijn zelfverzekerde stem zei Abd al-Moen'im: 'De Wafd is ongetwijfeld de beste partij, ook al is zij op zichzelf niet helemaal bevredigend.'

'Wat dat betreft ben ik het met mijn broer eens,' zei Ahmed lachend. 'Of liever gezegd, dat is het enige waarover wij het eens zijn. Maar waarschijnlijk zijn we het niet eens over de mate waarin de Wafd bevredigend is. Afgezien daarvan, moet het nationalisme zelf ter discussie worden gesteld. De onafhankelijkheid kan niet worden betwist, maar het nationalisme, daarna, moet zich ontwikkelen tot een meer omvattend en verhevener begrip. Het is niet onmogelijk dat we in de toekomst de martelaren voor het nationalisme zien zoals we nu de slachtoffers zien van de domme strijd tussen stammen en families.'

Domme strijd... Je bent zelf een domoor. Fahmi is niet omgekomen in een domme strijd. Maar hoe kon hij daar zeker van zijn? Ondanks zijn twijfels zei hij heftig: 'Iedereen die sterft ter wille van iets hogers dan zichzelf is een martelaar. Hoe de normen der dingen ook veranderen, de zienswijze van de mensen verandert niet.'

Terwijl ze de studeerkamer verlieten zei Ridwaan tegen Abd al-Moen'im als antwoord op zijn opmerking: 'Politiek is de belangrijkste maatschappelijke carrière.'

Toen ze terugkwamen in de salon zei Ibrahiem Sjaukat juist tegen Jasien: 'Wij voeden hen op, geven raad en leiding maar allebei storten ze zich op de bibliotheek. Dat is een wereld waarmee wij niets te maken hebben, waarin vreemden van wie we niets weten met ons wedijveren. Wat kunnen we eraan doen?'

2

De tram was zo vol dat er zelfs geen plaats meer was om te staan. Kamaal stond tussen de mensen in gedrongen en torende met zijn lange gestalte boven hen uit. Het scheen hem toe dat ze allemaal, net als hij, op weg waren naar de viering van de nationale feestdag, dertien november, en hij liet zijn ogen nieuwsgierig en welwillend langs de gezichten gaan. Hoewel hij ervan overtuigd was dat hij in niets geloofde, nam hij aan deze feesten deel als een fervent nationalist. Mensen die elkaar niet kenden spraken over de toestand, louter vanwege hun gemeenschappelijke doel en de wafdistische band die hun harten verbond. Een van hen zei: 'Het feest van de Strijd is dit jaar zijn naam waardig. Dat zou althans zo moeten zijn...'

Een ander zei: 'Hoare moet een antwoord krijgen op zijn verdomde verklaring.'

Bij het horen van de naam Hoare, de Britse minister van Buitenlandse Zaken, viel een derde uit: 'De hondezoon heeft gezegd: "Ons advies is dat de grondwet van 1923 niet wordt hersteld, noch de grondwet van 1930." Wat heeft hij met onze grondwet te maken?'

Een vierde zei: 'Vergeet niet dat hij daarvoor had gezegd: "Aangezien men ons om advies heeft gevraagd..."'

'Ja, wie hebben hem om advies gevraagd?'

'Vraag het die klootzakkenregering.'

'Of Taufiek Nasiem.* Zijn jullie hem vergeten? Maar waarom heeft de Wafd een wapenstilstand met hem gesloten?'

'Aan alles komt een eind. Wacht de toespraak van vandaag maar af.'

Kamaal luisterde naar hen en nam deel aan het gesprek. Nog verwonderlijker was het dat hij hun enthousiasme deelde. Dit was de achtste keer dat hij het feest van de Strijd meemaakte. Net als de anderen was hij met bitterheid vervuld over de politieke verwikkelingen van de afgelopen jaren. Hij zei tegen zichzelf: Ik heb de tijd van Mohammed Mahmoed meegemaakt,

* Premier van een overgangskabinet na Sidki.

die de grondwet buiten werking stelde gedurende drie 'vernieuwingsjaren' en de vrijheid van het volk confisqueerde in ruil voor de belofte dat de moerassen zouden worden drooggelegd. Ik heb de jaren van terreur en politieke hoererij beleefd die Isma'iel Sidki het land heeft opgelegd. Het volk had vertrouwen in deze lieden en wilde hen als heersers, maar het kreeg steeds die gehate beulen boven zich die werden beschermd door de knuppels en de kogels van de Engelse *constables*. In alle talen zeiden ze: 'Jullie zijn een minderjarig volk en wij zijn de voogden.' En het volk wierp zich onverwijld in de strijd en kwam er steeds buiten adem uit te voorschijn, totdat het uiteindelijk een passieve houding aannam met het devies 'lijdzaamheid en spot'. Het strijdperk was leeg, afgezien van de Wafd aan de ene kant en de tirannen aan de andere kant. Het volk stelde zich tevreden met een plaats als toeschouwer en begon zijn mannen geestdriftig aan te moedigen zonder een hand uit te steken.

Zijn hart kon het leven van het volk niet negeren. Het leefde met het volk mee, hoewel zijn verstand in een mist van onzekerheid doolde. Bij de Saad Zaghloelstraat stapte hij uit de tram. In een ongeordende rij liep hij naar het feestpaviljoen dat naast het Huis van de Natie* was opgericht. Om de tien meter kwam hij langs een groepje soldaten onder aanvoering van een Engelse *constable*, met strenge, domme gezichten. Vlak bij het paviljoen kwam hij Abd al-Moen'im, Ahmed en Ridwaan tegen, die in het gezelschap van een jongeman die hij niet kende stonden te praten. Ze kwamen naar hem toe om hem te groeten en bleven even bij hem staan. Sinds ongeveer een maand waren Ridwaan en Abd al-Moen'im student aan de rechtenfaculteit, terwijl Ahmed naar het laatste jaar van de middelbare school was overgegaan. Op straat bejegende hij hen als 'mannen', hoewel hij hen thuis nog als de kinderen van zijn broer en zuster zag. Wat was Ridwaan knap, net als zijn metgezel, die hij had voorgesteld als Hilmi Izzat. Het gezegde 'soort zoekt soort' werd bevestigd. Ahmed beviel hem, van hem kon je altijd een opmerkelijke, vermakelijke uitspraak of een niet minder opmerkelijke handeling verwachten. Hij

* Benaming voor het huis van de voormalige nationalistische leider Saad Zaghloel.

voelde zich met hem geestelijk het meest verwant. Afgezien van zijn korte, gezette postuur leek Abd al-Moen'im het meest op hemzelf en alleen daarom hield hij al van hem. Maar zijn zelfverzekerdheid en fanatisme stonden hem tegen.

Hij naderde het grote paviljoen en liet zijn blik over de samengestroomde menigte gaan, verheugd dat er zoveel mensen waren. Hij keek even naar het podium, waar weldra de stem des volks zou opklinken, en ging toen zitten. Zijn aanwezigheid te midden van een menigte wekte in zijn diepste innerlijk, dat in eenzaamheid gedompeld was, een nieuwe persoon, die gonsde van leven en enthousiasme. Hier werd het verstand tijdelijk opgesloten in een fles en kwamen de onderdrukte krachten van de ziel vrij, die haakten naar een leven vol emoties en gevoelens en opriepen tot strijd en hoop. Dan vernieuwde zijn leven zich, zijn instincten ontwaakten, zijn eenzaamheid smolt weg; er ontstond een band tussen hem en de mensen, want hij deelde in hun leven en omhelsde hun hoop en pijn. Met zijn karakter zou hij het niet kunnen verdragen dit leven tot het zijne te maken, maar van tijd tot tijd was het onontkoombaar, opdat de band tussen hem en het dagelijkse leven, het leven van de mensen, niet zou worden verbroken. Dan moesten de problemen van geest en materie en de aard van het bovennatuurlijke maar even worden uitgesteld, zodat hij zijn aandacht kon wijden aan datgene wat die mensen liefhadden en haatten, aan de grondwet, de economische crisis, de politieke toestand, de nationale zaak... Daarom hoefde het geen bevreemding te wekken dat hij, nadat hij een nacht had doorgebracht met bespiegelingen over de zinloosheid van het bestaan en het vangen van wind, de volgende dag uitriep: 'De Wafd is de ideologie van het volk.' Het verstand bood hem geen rust, want het was gehecht aan de waarheid, hield van oprechtheid, streefde naar verdraagzaamheid, stuitte op twijfel en leed onder zijn eeuwige strijd met zijn instincten en emoties. Dus was het onvermijdelijk dat hij een uur lang uitgeput zijn toevlucht in de schoot van de menigte zocht om zijn bloed te verfrissen en warmte en jeugd op te doen. In de bibliotheek had hij een paar weergaloze vrienden, zoals Darwin, Bergson en Russell, maar in dit paviljoen had hij duizenden vrienden, schijnbaar zonder verstand, maar in hun massaliteit lagen eer en een instinctief bewustzijn verscholen. Uiteindelijk waren zij niet minder dan eerstgenoemden de scheppers van gebeurtenissen en van de geschiedenis. In dit politieke leven uitte hij zijn liefde en afkeer, zijn instemming en woede, hoewel alles zonder waarde leek. Telkens als hij met deze tegenstelling in zijn leven werd geconfronteerd, werd hij door ongerustheid bevangen. Maar niets in zijn leven was vrij van tegenstellingen en, dientengevolge, van ongerustheid. Daarom verlangde hij er zozeer naar een harmonische eenheid te verwezenlijken gekenmerkt door volmaaktheid en geluk. Maar waar school die eenheid? Hij had het gevoel dat het intellectuele leven onontkoombaar was zo lang als hij een verstand had dat nadacht. Toch hield dat hem er niet van af het andere leven te zoeken, gedreven door al zijn onderdrukte krachten. Het was zijn rots in de branding. Misschien ontleende deze samenkomst daaraan haar pracht en werd ze prachtiger naarmate de menigte toenam. Hij wachtte met even grote spanning op het verschijnen van de leiders.

Abd al-Moen'im en Ahmed waren naast elkaar gaan zitten, terwijl Ridwaan en zijn kameraad Hilmi Izzat in het gangpad liepen dat het paviljoen doorsneed. Ze liepen op en neer of bleven staan praten met enkele organisatoren van de viering, want het waren jongemannen met invloed. Het gefluister van de menigte vermengde zich tot een algemeen geroezemoes en in de hoeken waar de jongelui zaten klonk lawaai afgewisseld met kreten. Vervolgens was er buiten geroep te horen, zodat de hoofden zich naar de achteringang van het paviljoen wendden. Ze gingen staan en een oorverdovend geschreeuw klonk op. Daar verscheen Moestafa an-Nahhaas op het podium. Hij groette de duizenden met een onbevangen glimlach en twee krachtige handen.

Kamaal keek naar hem met een blik waaruit de twijfel tijdelijk verdwenen was. Hij vroeg zich af hoe hij in deze man kon geloven nadat hij het geloof in alles verloren had. Kwam het doordat hij het symbool was van de onafhankelijkheid en de democratie? Hoe het ook zij, de warme wisselwerking tussen de man en het volk was een opmerkenswaardig verschijnsel, dat ongetwijfeld een belangwekkende kracht vormde die een historische rol speelde in de ontwikkeling van het Egyptische nationalisme.

De atmosfeer was vervuld van warmte en geestdrift en

slechts met moeite slaagden de organisatoren erin de zaal tot stilte te manen, zodat de mensen de koranrecitator konden horen die enkele verzen uit de koran voordroeg, waarbij hij steeds afsloot met de woorden: 'O Profeet, wek de gelovigen op tot de strijd'.* De mensen wachtten deze oproep af en barstten in geroep en applaus los, wat aan enkele scherpslijpers protesten ontlokte en verzoeken om stilte uit respect voor het boek Gods. Dit riep in hem herinneringen op aan de tijd waarin hij zelf als een van die scherpslijpers werd beschouwd en er verscheen een glimlach op zijn lippen. Terstond werd hij er zich van bewust hoezeer zijn innerlijke wereld op een leegte leek, door de talloze tegenstrijdigheden die elkaar bestreden.

De leider stond op en begon zijn toespraak. Twee uur lang sprak hij met sonore, heldere en doordringende stem en hij besloot met een krachtige oproep tot revolutie. Het enthousiasme van de menigte bereikte een hoogtepunt. Ze gingen op hun stoel staan en begonnen met waanzinnige geestdrift te schreeuwen. Hijzelf deed hierin niet voor de anderen onder. Hij vergat dat hij een onderwijzer was die zich waardig moest gedragen en waande zich terug in de glorieuze dagen waarvan hij had gehoord en waaraan hij, vanwege zijn leeftijd, niet had kunnen deelnemen. Hadden de toespraken destijds ook zo'n overtuigingskracht? Hoorden de mensen ze met even veel enthousiasme aan? Kwam het daardoor dat men de dood gering achtte? Ongetwijfeld was Fahmi in een dergelijke situatie begonnen, waarna hij naar de dood was voortgestuwd. Naar de eeuwigheid of naar de ondergang? Zou iemand die twijfelde, zoals hij, een martelaar kunnen worden? Misschien is het nationalisme, net als de liefde, een macht waaraan we onderworpen zijn ook al geloven we er niet in.

Het enthousiasme laait hoog op, het geschreeuw klinkt fel en dreigend, de stoelen schudden onder de voeten... Wat is de volgende stap?

Voordat hij het besefte kwam de meute in beweging, naar buiten toe. Hij verliet zijn plaats en keek rond op zoek naar de jongemannen van zijn familie, maar hij zag geen spoor van hen. Hij liep door een zijuitgang het paviljoen uit en begaf zich met snelle passen, om de menigte voor te blijven, naar de

* Koran, soera 8, vers 65.

Kasr al-Aini straat. Hij kwam langs het Huis van de Natie. Zoals altijd kon hij zijn ogen niet afhouden van het historische balkon en het plein dat de meest roemrijke nationale gebeurtenissen had aanschouwd. Dit gebouw had een betoverende uitwerking op hem. Hier had Saad gestaan, hier hadden Fahmi en zijn kornuiten gestaan en op deze weg waarop hij nu liep waren de kogels afgevuurd die zich in de borst van de martelaren hadden genesteld. Het volk had voortdurend behoefte aan revolutie om zich tegen de golven van repressie te verzetten die in hinderlaag lagen langs de weg van zijn wederopstanding. Het had behoefte aan periodieke revoluties vergelijkbaar met een injectie tegen kwaadaardige ziekten. Despotisme was als een endemische ziekte.

Zo voelde hij zich door zijn deelname aan het nationale feest als een herboren mens, want het enige dat hem op dat moment interesseerde was dat Egypte de verklaring van Hoare ondubbelzinnig beantwoordde, als met een vernietigende vuistslag. Toen hij langs de Amerikaanse Universiteit kwam en gewichtige zaken en grote daden overdacht, liep hij rechtop met zijn lange, magere gestalte, zijn grote hoofd geheven en met vaste tred. Zelfs een onderwijzer moest af en toe met zijn leerlingen in opstand komen. Hij glimlachte enigszins bedroefd. Een onderwijzer met een groot hoofd, ertoe veroordeeld de beginselen van de Engelse taal te onderwijzen, alleen de beginselen, hoewel die taal zoveel geheimen voor hem had ontsluierd. Op de druk bevolkte aarde nam zijn lichaam een onbeduidende plaats in, maar zijn fantasie werd dooreengeschud in de draaikolk die alle raadselen van de natuur omvatte. 's Ochtends vroeg hij zich af wat de betekenis van een woord was, wat de spelling van een ander woord was, en 's avonds vroeg hij zich af wat de betekenis van zijn leven was, dat raadsel dat tussen twee raadsels in stond. 's Ochtends vlamde zijn hart voor de revolutie tegen de Engelsen, en 's avonds riep de universele, gekwelde broederschap – zijn broederschap met alle mensen –, hem op tot eendracht tegenover het raadsel van het lot.

Hij schudde heftig zijn hoofd, alsof hij deze gedachten wilde verjagen. Hij had het geroep gehoord toen hij het Isma'iliyyaplein naderde en hij maakte eruit op dat de demonstranten de Kasr al-Aini straat hadden bereikt. De strijdlust die in zijn hart was opgeweld deed hem stilstaan. Misschien moest hij toch op de een of andere manier deelnemen aan de demonstratie van dertien november. Het vaderland had al zolang lijdzaam de slagen ondergaan. Vandaag Tawfiek Nasiem, gisteren Isma'iel Sidki en vóór hem Mohammed Mahmoed, die onheilspellende keten van tirannen die terugging tot de prehistorie. Allemaal honden die zich door hun macht laten misleiden en ons voorhouden dat zij de uitverkoren voogd zijn en dat het volk onmondig is.

Wacht... Daar was de kolkende, golvende demonstratie. Maar wat was dat? Verschrikt draaide Kamaal zich om. Hij hoorde een geluid dat hem schokte. Hij luisterde scherp en hoorde het geluid opnieuw. Schoten... Hij zag van een afstand de demonstranten in een gevaarlijke beroering raken, waarvan hij de oorzaak niet kon zien. Groepjes renden naar het plein, anderen renden de zijstraten in. Een grote hoeveelheid Engelse *constables* te paard die voortsnelden... Er klonk geschreeuw, dat zich vermengde met woedekreten. Er werd steeds meer geschoten. Zijn hart bonsde en hij vroeg zich af waar Abd al-Moen'im, Ahmed en Ridwaan waren. Hij werd gegrepen door paniek en woede, keek links en rechts om zich heen en zag op een hoek niet ver van hem vandaan een koffiehuis met de ingang half gesloten. Terwijl hij er naar toe rende moest hij denken aan de snoepwinkel in al-Hoessein waar hij voor het eerst geweerschoten had gehoord. Overal verspreidde zich paniek. De kogels werden in angstaanjagende hoeveelheid afgevuurd, daarna met grotere tussenpozen. Hij hoorde het geluid van brekend glas en het gehinnik van paarden. Er klonk een storm van stemmen die duidde op woedende groepjes die zich bliksemsnel verplaatsten. Er kwam een oude man het koffiehuis binnen die, voordat iemand hem iets kon vragen, zei: 'De kogels van de *constables* zijn op de studenten neergeregend. Alleen God weet hoeveel slachtoffers er zijn.' Toen ging hij hijgend zitten en vervolgde met trillende stem: 'Ze hebben onschuldigen verraden. Als ze de demonstratie hadden willen verspreiden, hadden ze op een afstand in de lucht geschoten. Maar ze hebben de demonstratie met huichelachtige kalmte gevolgd en stelden zich toen verspreid op de hoeken van de straten op. Plotseling haalden ze hun revolvers te voorschijn en begonnen te schieten. Ze schoten zonder mededogen op iedereen. Jonge kinderen vielen neer en baadden in hun bloed. De Engelsen zijn beesten, maar de Egyptische soldaten niet minder. Het was een georganiseerd bloedbad, ik zweer het.'

Uit een hoek van het koffiehuis klonk een andere stem: 'Ik had al een voorgevoel dat het vandaag niet goed zou aflopen.'

Een ander voegde eraan toe: 'Het zijn de voorboden van onheil. Sinds Hoare zijn verklaring heeft uitgesproken verwachtten de mensen ernstige incidenten. Dit is een veldslag, er zullen er meer volgen, dat verzeker ik jullie.'

'De slachtoffers zijn helaas altijd studenten, de kostbaarste zonen van de natie.'

'Maar het schieten is opgehouden... Luister...'

'De kern van de demonstratie bevindt zich bij het Huis van de Natie. Daar zal het schieten nog uren doorgaan.'

Op het plein heerste echter stilte. Er ging enige tijd in loodzware spanning voorbij. Het begon donker te worden en de lichten van het koffiehuis werden ontstoken. Toen was er niets meer te horen, alsof de dood heerste over het plein en de omringende straten. Hij deed de deur van het koffiehuis open en daar verscheen het plein zonder een voetganger of wagen. Er kwam een colonne bereden politie met stalen helmen voorbij, die het plein rondging, voorgegaan door Engelse officieren. Kamaal vroeg zich steeds weer af wat zijn neven was overkomen. Toen het plein weer tot leven kwam, verliet hij gehaast het koffiehuis, maar hij keerde pas naar huis terug nadat hij langs de Suikersteeg en Tussen Twee Paleizen was gegaan en zich ervan had vergewist dat Abd al-Moen'im, Ahmed en Ridwaan ongedeerd waren.

Hij trok zich bedroefd en woedend in zijn studeerkamer terug. Hij las niets en schreef niets. Zijn verstand bleef rond het Huis van de Natie dwalen. Hij dacht aan Hoare, de opruiende toespraak, de nationalistische leuzen, het gefluit van de kogels en het geschreeuw van de slachtoffers. Onwillekeurig probeerde hij zich de naam te herinneren van de eigenaar van de snoepwinkel waar hij destijds had geschuild, maar zijn geheugen liet hem in de steek.

De aanblik van het huis van Mohammed Iffat in al-Gamaliyya was Ahmed Abd al-Gawwaad vertrouwd en dierbaar. De houten poort, die er van buiten uitzag als de toegang tot een oude karavanserai, de hoge muur die alles erachter aan het oog onttrok, behalve de hoge boomtoppen... De tuin, overhuifd door moerbeibomen en sycomoren en omzoomd met hennaplanten, limoenstruiken, anjers en jasmijn, was wonderbaarlijk mooi, evenals de vijver in het midden en de houten veranda die zich over de hele breedte van de tuin uitstrekte. Mohammed Iffat stond op de treden van de veranda op de bezoeker te wachten, terwijl hij zijn kamerjas dichtknoopte. Ali Abd ar-Rahiem en Ibrahiem al-Faar zaten op twee stoelen naast elkaar. Ahmed groette zijn broeders en volgde Mohammed Iffat naar de canapé, die in het midden van de veranda stond en waarop ze beiden plaatsnamen. Ze hadden allemaal hun gezetheid verloren, behalve Mohammed Iffat, die er vadsig uitzag met zijn rood aangelopen gezicht. Ali Abd ar-Rahiem was kaal geworden en de hoofden van de anderen waren glanzend grijs. Op hun gezicht lagen rimpels. Ogenschijnlijk waren Ali Abd ar-Rahiem en Ibrahiem al-Faar het meest door ouderdom aangetast, maar het rode gezicht van Mohammed Iffat leek op congestie te duiden. Hoewel hij vermagerd was en grijs, was Ahmed knap gebleven en zag hij er nog goed uit.

Ahmed was zeer gesteld op deze bijeenkomst, zoals hij ook van de aanblik van de tuin hield, die reikte tot de hoge muur aan de kant van al-Gamaliyya. Hij neeg zijn hoofd iets naar achteren alsof hij zijn enorme neus in de gelegenheid wilde stellen zich aan de geur van de anjers, de jasmijn en de henna te goed te doen. Soms sloot hij zijn ogen om het getsjilp van de vogeltjes die op de moerbei en sycomoretakken speelden tot zijn gehoor te laten doordringen. Maar wat zijn hart het meest beroerde op dat moment was het gevoel van broederschap en vriendschap dat hij voor deze mannen koesterde. Hij keek met zijn grote blauwe ogen naar hun dierbare gezichten, die door de ouderdom waren vervormd, en zijn hart liep over van melancholie en genegenheid, voor hen en voor zichzelf. Hij was van hen het meest gehecht aan het verleden en de herinneringen. Alles wat hem aan de schoonheid van de jeugd, de heftige emoties en de romantische avonturen herinnerde, bekoorde hem.

Ibrahiem al-Faar liep naar een tafeltje dat vlak bij hem stond, pakte de triktrakkist die erop lag en vroeg: 'Wie speelt er tegen me?'

Ahmed, die zelden meedeed met hun spelletjes, antwoordde

misprijzend: 'Wacht nog even met spelen. Laat het spel ons niet meteen al van onszelf afleiden.'

Al-Faar zette de kist terug. Er verscheen een Nubische bediende met een blad waarop drie glaasjes thee en een glas whisky met spuitwater stonden. Mohammed Iffat nam glimlachend het glas en de andere drie pakten de glaasjes thee. Ze hadden vaak gelachen om deze verdeling, die zich elke avond herhaalde. Dan zei Mohammed Iffat terwijl hij met het glas in zijn hand naar de theeglaasjes in hun hand wees: 'God vergeve jullie de jaren die jullie manieren hebben bijgebracht.'

En Ahmed Abd al-Gawwaad antwoordde: 'Ze hebben ons allemaal manieren bijgebracht, jou als eerste, maar je bent te onbehouwen.'

Ze hadden allen kort na elkaar in hetzelfde jaar het medische voorschrift gekregen zich van alcohol te onthouden, maar de arts van Mohammed Iffat stond hem een glas per dag toe. Omdat Ahmed dacht dat de arts van zijn vriend zich buigzaam had getoond waar de zijne te streng was, had hij zich onverwijld tot hem gewend, maar de arts had hem ernstig en met stelligheid gewaarschuwd: 'Uw gezondheidstoestand is niet hetzelfde als die van uw vriend.' Toen was uitgekomen dat hij naar de arts van Mohammed Iffat was gegaan, was dat langdurig het onderwerp van scherts en commentaar geweest.

Ahmed zei lachend: 'Je hebt je arts ongetwijfeld flink wat geld toegestopt, zodat hij je dit ene glas zou toestaan.'

Al-Faar zei met een zucht, terwijl hij naar het glas in Mohammed Iffats hand keek: 'Mijn God, ik ben al bijna vergeten hoe het is om dronken te zijn.'

'Met die woorden maak je je inkeer ongeldig, zuiplap,' zei Ali Abd ar-Rahiem schertsend. Al-Faar vroeg zijn Heer om vergeving en mompelde gelaten: 'God zij geprezen.'

'We zijn al zover dat we jaloers zijn op een enkel glas. Waar zijn de dagen van dronkenschap gebleven?'

Ahmed Abd al-Gawwaad zei lachend: 'Als jullie spijt willen hebben, heb dan spijt om de slechte dingen, niet om de goede, stelletje honden.'

'Jij bent net zo'n zedepreker als de rest. Ze hebben hun tong in deze wereld en hun hart in een andere.'

Opeens zei Ali Abd ar-Rahiem met een stemverheffing die een verandering in de loop van het gesprek aankondigde:

'Mannen, wat vinden jullie van Moestafa an-Nahhaas? De man die zich niet liet vermurwen door de tranen van de oude, zieke koning en die weigerde zijn verheven doel ook maar één seconde te vergeten: de grondwet van 1923.'

Mohammed Iffat knakte met zijn vingers en zei opgetogen: 'Bravo, bravo! Hij is taaier dan Saad Zaghloel zelf. Hij zag dat de tirannieke koning ziek was en huilde, maar hij bleef onverzettelijk met zijn zeldzame moed en herhaalde met de vaste stem van de natie waaraan hij zijn gezag ontleende: "Eerst de grondwet van 1923." Zo is de grondwet weer in werking gesteld. Wie had dat gedacht?'

Terwijl hij vol bewondering knikte, zei Ibrahiem al-Faar: 'Stel je dat tafereel eens voor. Koning Foeaad, gebroken door ziekte en ouderdom, legt zijn hand vol affectie op de schouder van Moestafa an-Nahhaas en verzoekt hem vervolgens een coalitieregering te vormen. Maar an-Nahhaas laat zich door dat alles niet van de wijs brengen en vergeet zijn plicht als trouw leider niet. Hij verliest geen moment de grondwet uit het oog die de koninklijke tranen bijna hebben weggespoeld. Hij laat zich er niet door beïnvloeden en zegt dapper en standvastig: "Eerst de grondwet van 1923, majesteit."'

Ali Abd ar-Rahiem nam dezelfde toon over: 'Of eerst opspietsen, majesteit.'

Lachend zei Ahmed Abd al-Gawwaad: 'Bij degene die ons zover heeft gekregen dat wij de whisky onder ons zien maar ervan afblijven. Dat is nog eens wat moois.'

Mohammed Iffat dronk het laatste restje uit zijn glas en zei: 'We leven in het jaar 1935, er is acht jaar verstreken sinds de dood van Saad en vijftien jaar sinds de revolutie. De Engelsen zitten nog steeds overal, in de kazernes, de politiebureaus, in het leger en in allerlei ministeries. De capitulaties die van elke hond een respectabel heer maken zijn nog steeds van kracht. Het wordt tijd dat er een eind komt aan die treurige toestand.'

'Vergeet de beulen niet, zoals Isma'iel Sidki, Mohammed Mahmoed en al-Ibrasji.'

'Als de Engelsen weggaan, hebben die lui afgedaan. Dan behoren de coups tot het verleden.'

'Ja, en als de koning het in zijn hoofd haalt de zaak te bedriegen, zal er niemand zijn die hem steunt.'

Mohammed Iffat zei: 'Dan zal de koning voor de keuze staan: of de grondwet respecteren of wegwezen.'

Schijnbaar sceptisch vroeg Ibrahiem al-Faar: 'Zouden de Engelsen hem aan zijn lot overlaten als hij hun om hulp zou vragen?'

'Als de Engelsen erin toestemmen te vertrekken, waarom zouden ze de koning dan helpen?'

'Berusten de Engelsen er werkelijk in te vertrekken?' vroeg Ibrahiem al-Faar. Mohammed Iffat zei met de zelfverzekerdheid van iemand die trots is op zijn inzicht in de politiek: 'Ze hebben ons verrast met de verklaring van Hoare, en er volgden demonstraties. God zij de slachtoffers genadig. Vervolgens kwamen het verzoek tot de vorming van een coalitie en het herstel van de grondwet van 1923. Ik verzeker jullie dat de Engelsen nu willen onderhandelen. Het is waar dat niemand kan zeggen hoe deze impasse kan worden weggenomen, hoe de Engelsen zouden kunnen vertrekken en hoe er een einde kan worden gemaakt aan de buitenlandse invloed. Maar ons vertrouwen in Moestafa an-Nahhaas is onbegrensd.'

'Kan drieënvijftig jaar bezetting worden beëindigd met eventjes kletsen rond de tafel?'

'Aan dat kletsen is bloedvergieten voorafgegaan.'

'Dan nog...'

Mohammed Iffat knipperde met zijn ogen en zei: 'Ze zullen zich in een netelige positie bevinden, te midden van een gevaarlijke internationale situatie.'

'Ze kunnen altijd wel iemand vinden die hun rugdekking geeft. Isma'iel Sidki is niet dood.'

Op de toon van een kenner zei Mohammed Iffat: 'Ik heb met veel goed geïnformeerde mensen gesproken en ze zijn optimistisch. Ze zeggen dat de wereld bedreigd wordt door een vernietigende oorlog. En Egypte ligt in de loop van het kanon. Een eervolle overeenkomst is in het belang van beide partijen.'

Nadat hij zelfverzekerd en vol vertrouwen over zijn buik had gestreken, hernam hij: 'Ik zal jullie belangrijk nieuws vertellen. Men heeft mij beloofd dat ik bij de komende verkiezingen kandidaat gesteld zal worden in al-Gamaliyya. An-Noekrasji heeft het me zelf beloofd.'

De gezichten van de vrienden begonnen te stralen van blijdschap. Daarna kwam het commentaar los en Ali Abd ar-Rahiem zei met geveinsde ernst: 'Het enige dat op de Wafd is aan te merken is dat ze soms beesten kandidaat stellen als afgevaardigden.'

Alsof hij de Wafd wilde rechtvaardigen, zei Ahmed Abd al-Gawwaad: 'Wat moet de Wafd anders doen? Ze willen de hele natie vertegenwoordigen. En de natie bestaat uit nette mensen en uitschot. Wie kunnen het uitschot beter vertegenwoordigen dan beesten?'

Mohammed Iffat stootte hem in zijn zij en zei: 'Je bent knap brutaal voor je leeftijd. Jij en Galiela, van hetzelfde laken een pak. Allebei even oud en brutaal.'

'Ik zou ermee hebben ingestemd als ze Galiela kandidaat zouden stellen. Als het nodig is kan ze de koning zelf in de sluier wikkelen.'

Op dat moment zei Ali Abd ar-Rahiem glimlachend: 'Ik kwam haar gisteren voor haar steeg tegen. Ze is nog steeds als een *mahmal*,* maar de ouderdom heeft haar aangevreten en ondergepist.'

'Ze is een groot patronne geworden,' zei al-Faar. 'In haar huis is het dag en nacht druk. "De fluitspeler sterft, maar zijn vingers blijven bewegen." '

Ali Abd ar-Rahiem lachte langdurig en zei toen: 'Toen ik een keer langs haar huis liep, zag ik een man naar binnen sluipen, terwijl hij dacht dat niemand hem kon zien. Wie denken jullie dat het was?'

Met een knipoog naar Ahmed Abd al-Gawwaad antwoordde hij: 'Zoonlief Kamaal efendi, onderwijzer aan de Silahdaar-school.'

Mohammed Iffat en al-Faar bulderden van het lachen. Ahmed Abd al-Gawwaad sperde zijn ogen wijd open van verbazing en ontsteltenis.

'Mijn zoon Kamaal?' vroeg hij verbluft.

'Jazeker. Hij had zijn regenjas aan en zijn vergulde bril op, en hij had zijn snor. Hij liep deftig, met een waardigheid en plechtigheid alsof hij niet de zoon van "de meester van de lach" was, en hij schreed naar het huis alsof hij de moskee in

* Ceremoniële versierde draagstoel die als pronkstuk op een kameel werd meegevoerd in de pelgrimskaravaan naar Mekka.

Mekka binnenging. Ik zei in mezelf tegen hem: "Loop eens wat losser, ooievaar."'

Gelach steeg op. Ahmed Abd al-Gawwaad was nog niet van zijn verbazing bekomen, maar hij kwam er enigszins overheen door mee te lachen. Op een veelzeggende toon zei Mohammed Iffat, terwijl hij Ahmed aankeek: 'Wat is daar zo verwonderlijk aan? Hij is toch de zoon van Uedele?'

Ahmed Abd al-Gawwaad schudde verbaasd zijn hoofd en zei: 'Ik heb hem altijd gekend als een fatsoenlijk, welgemanierd iemand met een rustig karakter. Hij zit altijd in zijn studeerkamer te lezen of te schrijven, zodat ik medelijden met hem kreeg omdat hij zich zo afzonderde en zo opging in nutteloos werk...'

'Misschien bevindt zich in het huis van Galiela een filiaal van de Nationale Bibliotheek,' zei Ibrahiem al-Faar plagend. Ali Abd ar-Rahiem zei: 'Of misschien zondert hij zich in zijn studeerkamer af om schunnige boeken, zoals *De terugkeer van de sjeik*, te bestuderen. Wat verwacht je anders van een man die zijn leven begonnen is met de overtuiging dat de mens van de aap afstamt?'

Ze lachten en Ahmed Abd al-Gawwaad lachte mee. Hij wist met zijn ervaring dat hij een gemakkelijk doelwit van spot en scherts zou worden als hij in een situatie als deze ernstig zou blijven. Uiteindelijk zei hij: 'Daarom denkt die schurk er niet over te gaan trouwen. Ik vond het al verdacht.'

'Hoe oud is de engel nu?'

'Negenentwintig.'

'Alle mensen! Hij moet trouwen. Waarom wil hij niet trouwen?'

Mohammed Iffat liet een boer, wreef zich over zijn buik en zei: 'Het is de mode, meer niet. Maar de meisjes van tegenwoordig lopen overal op straat. Niemand heeft er meer vertrouwen in. Hebben jullie sjeik Hasanain horen zingen: "Alles om ons heen wordt gekker, de bey en de hanoem zitten samen bij de kapper"?'

'En vergeet de economische crisis niet, en de onzekere toekomst voor de jeugd. Iemand die aan de universiteit is afgestudeerd krijgt tien pond, als hij al een baan kan vinden.'

Zichtbaar ongerust zei Ahmed Abd al-Gawwaad: 'Ik ben

bang dat hij te weten komt dat Galiela vroeger mijn minnares was, of dat zij te weten komt dat hij mijn zoon is.'

'Denk je soms dat ze de klanten ondervraagt?' vroeg Ali Abd ar-Rahiem lachend. Mohammed Iffat zei met een knipoog: 'Als die hoer te weten komt wie hij is, vertelt ze hem het verhaal van zijn vader van a tot z.'

Ahmed Abd al-Gawwaad riep met een zucht uit: 'God verhoede het.'

'Denk je dat iemand die in staat is erachter te komen dat zijn eerste voorvader een aap was, niet in staat is erachter te komen dat zijn vader een schuinsmarcheerder was?'

Mohammed Iffat lachte zo luid dat hij moest hoesten. Hij zweeg even en zei toen: 'Kamaals uiterlijk is bedrieglijk. Hij lijkt eerbiedwaardig, kalm en ernstig, een echte schoolmeester.'

Ali Abd ar-Rahiem zei op voldane toon: 'God bescherme hem en schenke hem een lang leven. Wie op zijn vader lijkt valt niets te verwijten.'

Mohammed Iffat vroeg: 'Het gaat om de vraag of hij een Don Juan is, net als zijn vader. Ik bedoel: kan hij goed met vrouwen overweg en kan hij ze de baas?'

'Dat denk ik niet,' zei Ali Abd ar-Rahiem. 'Het lijkt me dat hij deftig en waardig blijft lopen totdat de deur achter hem en de uitverkorene dichtslaat. Dan trekt hij met dezelfde waardigheid en deftigheid zijn kleren uit en vlijt zich uiterst ernstig en plechtig bij haar neer. Na afloop kleedt hij zich weer aan en gaat even ernstig en waardig weg als wanneer hij een belangrijke les geeft.'

'De Don Juan heeft een sukkel voortgebracht.'

Ahmed Abd al-Gawwaad vroeg zich enigszins geërgerd af waarom dit alles hem zo vreemd voorkwam en hij besloot de zaak te negeren. Toen hij al-Faar zag opstaan om de triktrakkist te pakken, zei hij zonder aarzelen dat het tijd was om een spel te doen. Het nieuws bleef echter in zijn hoofd ronddraaien. Om zich te troosten zei hij in zichzelf dat hij hem had opgevoed en hem de beste opleiding had gegeven, zodat hij zijn hogeschooldiploma had gehaald en een respectabel onderwijzer was geworden. Verder kon hij doen wat hij wilde. Misschien was het een geluk dat hij zich wist te vermaken, ondanks zijn lange postuur en zijn grote hoofd en neus. Als het lot rechtvaardig was geweest, was Kamaal al jaren geleden getrouwd en was Jasien nooit getrouwd. Maar wie kan erop bogen dat hij deze raadsels doorgrondt?

Opeens vroeg al-Faar hem: 'Wanneer heb je Zoebaida voor het laatst gezien?'

Ahmed tastte zijn geheugen af en zei toen: 'Afgelopen januari, bijna een jaar geleden. Toen ze bij mij in de winkel kwam om te vragen of ik een koper voor haar huis wilde zoeken.'

'Galiela heeft haar huis gekocht,' zei Ibrahiem al-Faar. 'Toen is ze stapelverliefd geworden op de voerman van een ezelkar, die haar in de kou liet staan. Nu woont ze op een kamer op het dak van het huis van Sausan, de zangeres, en kwijnt op een deerniswekkende manier weg.'

Ahmed Abd al-Gawwaad schudde somber zijn hoofd en zei zacht: 'De Soeltana op een kamer op het dak... Gezegend zij de Eeuwige.'

'Een droevig eind,' zei Ali Abd ar-Rahiem. 'Maar het was te verwachten...'

Er ontsnapte Mohammed Iffat een treurige lach. Hij zei: 'God sta degene bij die vertrouwen heeft in de wereld.'

Al-Faar vroeg wie er tegen hem wilde spelen en Mohammed Iffat nam de uitdaging aan. Weldra zaten ze rond de triktrakkist. Ahmed Abd al-Gawwaad zei: 'Eens zien wie net zoveel geluk heeft als Galiela en wie zoveel pech als Zoebaida.'

Kamaal en Isma'iel Latief zaten in een van de alkoven van het koffiehuis van Ahmed Abdoeh. Het was dezelfde ruimte waarin Kamaal toen hij jong was altijd met Foeaad al-Hamzawi had gezeten. Ondanks de decemberkou was het warm in het koffiehuis, omdat met het sluiten van de deur de enige toegang, van plafond tot vloer, was gedicht. Vanzelfsprekend werd het daardoor warm, ook al was de vochtigheid binnen voelbaar. Isma'iel Latief stemde er alleen mee in om in het koffiehuis van Ahmed Abdoeh te zitten om Kamaal een plezier te doen. Hij was de enige vriend van vroeger die zijn banden met Kamaal niet had verbroken, hoewel hij, nadat hij was afgestudeerd aan de Handelsschool, voor zijn werk als boekhouder naar Tanta had moeten verhuizen. Als hij in de vakantie in Caïro terugkwam, belde hij hem altijd op de Silahdaar-school op en maakte hij een afspraak in deze oude uitspanning.

Kamaal nam zijn oude vriend op, zoals hij daar zat met zijn robuuste uiterlijk en zijn scherpe gelaatstrekken. Hij verwonderde zich over de waardigheid, beleefdheid en oprechtheid die hij zich had aangemeten, waardoor hij een toonbeeld was van een goede huisvader en echtgenoot, terwijl hij ooit een zeldzaam toonbeeld van brutaliteit, liederlijkheid en onbehouwenheid was geweest. Kamaal schonk de groene thee in het glas van zijn vriend en vervolgens in zijn eigen glas, terwijl hij met een glimlach zei: 'Bevalt het koffiehuis van Ahmed Abdoeh je niet?'

Isma'iel strekte zijn nek op zijn vertrouwde manier en zei: 'Het is hier erg bijzonder, maar waarom kiezen we niet een plek boven de grond?'

'Hoe dan ook, het is een zeer geschikte plek voor nette mensen als jij.'

Isma'iel lachte, terwijl hij vol berusting met zijn hoofd knikte, alsof hij wilde bevestigen dat hij inderdaad deze kwalificatie waardig was, hij die vroeger zo anders was geweest. Op dat moment vroeg Kamaal: 'Hoe gaat het in Tanta?'

'Uitstekend. Ik werk de hele dag op het kantoor, en de avond breng ik door met mijn vrouw en kinderen.'

'Hoe gaat het met de nakomelingen?'

'Goed. Hun rust gaat altijd ten koste van de onze, maar we moeten Hem hoe dan ook danken.'

Gedreven door nieuwsgierigheid die gesprekken over het gezin in het algemeen in hem opriepen, vroeg Kamaal: 'En vind je dat ze echt het ware geluk brengen, zoals kenners zeggen?'

'Ja, dat is zo.'

'Ondanks de beslommeringen?'

'Ondanks alles.'

Kamaal nam zijn vriend met nog groter nieuwsgierigheid op. Dit was een nieuw persoon die maar nauwelijks te herleiden was tot de Isma'iel Latief die met hem bevriend was geweest in de jaren 1921 tot 1927, die buitengewone periode in zijn leven, die hij met heel zijn wezen had doorleefd. Er was destijds geen minuut verstreken zonder diep geluk of intense pijn. Het was het tijdperk van de ware vriendschap, belichaamd door Hoessein Sjaddaad, het tijdperk van de echte liefde, verpersoonlijkt door Ajida, en het tijdperk van de onstuimige geestdrift die was ontleend aan de fakkel van de roemrijke Egyptische revolutie. Ten slotte was het het tijdperk van de heftige ervaringen, die hem in twijfel, losbandigheid en aardse geneugten hadden gestort. En deze Isma'iel Latief was van dit tijdperk het symbool geweest, de belangrijkste gids. Wat was hij veel veranderd.

Isma'iel Latief zei enigszins gemelijk: 'Toch zijn er voortdurend zaken waarover we ons zorgen maken, zoals de nieuwe kaderregeling op het werk en het blokkeren van promoties en salarisverhogingen. Je weet dat ik een comfortabel leven gewend was onder de hoede van mijn vader, maar mijn vader heeft geen erfenis nagelaten en mijn moeder maakt haar hele toelage op. Daarom heb ik er genoegen mee genomen voor mijn levensonderhoud in Tanta te werken. Zou vroeger iemand als ik daarmee genoegen hebben genomen?'

Kamaal zei lachend: 'Iemand als jij nam nooit met iets genoegen.'

Isma'iel glimlachte ogenschijnlijk trots, prat op zijn rijke verleden dat hij uit vrije wil had achtergelaten. Kamaal vroeg: 'Voel je er nooit voor iets uit het verleden opnieuw te beleven?'

'Nee, ik heb er genoeg van. Ik kan zeggen dat ik nooit ontevreden ben geweest met mijn nieuwe leven. Het enige dat ik hoef te doen is af en toe enige handigheid aanwenden om wat geld van mijn moeder te bemachtigen, en hetzelfde geldt voor mijn vrouw, die hetzelfde doet met haar vader. Want ik ben nog steeds erg gehecht aan een comfortabel leven.'

Kamaal kon zich niet inhouden en zei lachend: 'Je hebt ons onderwezen en daarna in de steek gelaten...'

Isma'iel lachte luid, waardoor zijn ernstige gezicht veel van de ondeugende trekken uit het verleden herkreeg.

'Heb je daar spijt van?' vroeg hij. 'Vast niet. Je hebt dit leven lief met een verbazende toewijding, hoewel je een gematigd man bent. Ik heb in die paar jaar meer gedaan dan iemand als jij in een heel leven zult doen.'

Hij voegde er op ernstige toon aan toe: 'Trouw, en verander je leven.'

Op gekscherende toon zei Kamaal: 'Dat is het overwegen waard.'

Tussen 1924 en 1935 was er een nieuwe Isma'iel Latief geboren bij wie de liefhebbers van wonderen op bedevaart konden gaan. Hoe dan ook, hij was de enig overgebleven vriend van vroeger. Hoessein Sjaddaad was door Frankrijk uit zijn vaderland ontvoerd, en ook Hassan Saliems leven speelde zich in het buitenland af. Helaas was hij in zijn hart niet meer met hen verbonden. Isma'iel Latief is nooit een geestverwant geweest, maar hij is een levende herinnering aan een wonderbaarlijk verleden. Daarom behoor ik trots op hem te zijn. Ik ben ook trots vanwege zijn trouw. Er schuilt geen geestelijk genoegen in zijn gezelschap, maar hij is het levende bewijs dat het verleden geen hersenschim is geweest, dat verleden waarvan ik de echtheid wil vaststellen met een gretigheid alsof het het leven zelf betreft. Wat zou Ajida op dit moment doen? Waar op de wereld bevindt zij zich? Hoe kan het hart genezen van de ziekte van de liefde voor haar? Dat zijn allemaal wonderen.

'Ik heb bewondering voor je, sajjid Isma'iel. Je verdient het te zullen slagen.'

Isma'iel wierp een blik om zich heen waarin hij het plafond, de lantaarns, de alkoven opnam, en de gezichten van de bezoekers, die dromerig voor zich uit keken of druk aan het praten of spelen waren. Hij vroeg: 'Waarom houd je zo van dit koffiehuis?'

Kamaal gaf geen antwoord, maar zei op mistroostige toon: 'Heb je het niet gehoord? Ze gaan het binnenkort slopen om op deze plaats een nieuw gebouw neer te zetten. Dit monument zal voor altijd verdwijnen.'

'Ze gaan hun gang maar. Deze hele begraafplaats kan wat mij betreft verdwijnen, zodat er een nieuwe beschaving op gebouwd kan worden.'

Had hij gelijk? Misschien, maar het hart had nu eenmaal zijn voorkeur. Dierbaar koffiehuis, je bent een stukje van mijn ziel, hier heb ik vaak gedroomd en nagedacht. Hier heeft Jasien jaren gewoond, hier hield Fahmi bijeenkomsten met de revolutionairen om te discussiëren en aan een betere wereld te werken. Bovendien houd ik van je omdat je van hetzelfde materiaal als dromen gemaakt bent. Maar wat heeft het voor zin? Wat is de waarde van nostalgie? Het verleden blijft waarschijnlijk altijd de opium voor mensen met een hart. En het ergste dat je kan overkomen is dat je een nostalgisch hart en een sceptische geest bezit: Laten we dus maar iets zeggen, we geloven er toch niet in.

‘Daar heb je gelijk in. Ik stel voor de piramiden te slopen, als ze in de toekomst de stenen goed kunnen gebruiken.’

‘De piramiden! Wat hebben de piramiden met het koffiehuis van Ahmed Abdoeh te maken?’

‘Ik heb het over monumenten. Ik bedoel dat we alles moeten slopen ten behoeve van het heden en de toekomst.’

Isma’iel Latief lachte en strekte zijn hals, zoals hij vroeger altijd deed als iemand hem uitdaagde. Toen zei hij: ‘Soms schrijf je een artikel dat met die woorden in tegenspraak is. Zoals je weet lees ik af en toe het tijdschrift *al-Fikr* uit eerbied voor jou. Ik heb je al eens eerlijk mijn mening gezegd. Ja, je artikelen zijn moeilijk, het hele tijdschrift is gortdroog, God beware me. Ik kon het niet blijven aanschaffen, omdat mijn vrouw er niets leesbaars in vond. Neem het me niet kwalijk, het zijn haar woorden. Ik zei dat wat je schrijft in mijn ogen soms weerspreekt wat je nu zegt. Ik beweer niet dat ik veel begrijp van wat je schrijft, en, onder ons gezegd, eigenlijk begrijp ik er niets van. Trouwens, zou het niet beter zijn als je zo zou schrijven als de populaire schrijvers? Als je dat zou doen zou je een groot publiek krijgen en zou je een hoop geld verdienen.’

Vroeger zou hij een dergelijke mening koppig en opstandig hebben geminacht. Nu voelde hij er nog steeds minachting voor, maar zonder opstandigheid. Hij twijfelde echter aan die minachting, niet omdat hij veronderstelde dat zij misplaatst was, maar omdat hij soms zelf twijfelde aan de waarde van wat hij schreef. Hij twijfelde zelfs aan zijn twijfel en weldra moest hij tegenover zichzelf erkennen dat hij genoeg had van alles en dat de wereld hem soms niet meer dan een oud woord toescheen waarvan de betekenis in vergetelheid was geraakt.

‘Je hebt nooit ingestemd met wat ik denk.’

Isma’iel barstte in lachen uit en zei: ‘Weet je nog? Dat waren nog eens tijden.’

Tijden die waren voorbijgegaan. Hun vuur brandde niet meer, maar ze waren veilig weggeborgen als een dierbare dode, of als het pakje bonbons dat op een vaste plaats lag sinds Ajida’s bruiloft.

‘Heb je niets meer gehoord van Hoessein Sjaddaad of Hassan Saliem?’

Isma’iel trok zijn dikke wenkbrauwen op en zei: ‘Dat is waar ook... Er zijn vorig jaar, toen ik weg uit Caïro was, dingen gebeurd...'

Hij vervolgde met overdreven ernst: 'Zodra ik terugkwam uit Tanta wist ik dat het gedaan was met de familie Sjaddaad.'

Er ontstak een onbedwingbare belangstelling in Kamaals hart en het kostte hem moeite om zich te beheersen en niets te laten merken. Hij vroeg: 'Wat bedoel je?'

'Mijn moeder vertelde me dat Sjaddaad bey failliet is gegaan. De beurs heeft de laatste milliem die hij bezat opgeslokt. Het was gedaan met Sjaddaad. Hij kon de slag niet verwerken en pleegde zelfmoord.'

'Wat een nieuws! Wanneer is dat gebeurd?'

'Een paar maanden geleden. De grote villa is verdwenen, met alle andere bezittingen. Die villa, met die tuin waarin we een onvergetelijke tijd hebben doorgebracht.'

Welke tijd, welke villa, welke tuin? Welke herinneringen, welke vergeten pijn, welke pijnlijke vergetelheid? Een hooggeplaatste familie, een groot man, een grote droom... Is deze emotie niet intenser dan de situatie vereist? Dit bonzen, dat het hart voortbrengt, is het niet krachtiger dan de herinneringen, die door vergetelheid zijn geheeld, verdienen?

Kamaal zei triest: 'De bey heeft zelfmoord gepleegd... De villa weg... Maar wat is er van zijn gezin geworden?'

Isma'iel zei bitter: 'De moeder van onze vriend heeft niet meer dan vijftien pond in de maand uit de opbrengst van een stichting. Ze is naar een bescheiden appartement in al-Abbasiyya verhuisd. Mijn moeder heeft haar een bezoek gebracht en heeft haar toestand in tranen beschreven, die vrouw die zich wentelde in een onvoorstelbare weelde, weet je nog?'

Natuurlijk herinnerde hij het zich, of dacht hij dat hij het vergeten was? Hij herinnerde zich de tuin, het prieel en de weelde die de wind bezong. Hij herinnerde zich het geluk en de droefheid. Hij was op dat moment zelfs werkelijk triest. De tranen drongen aan achter zijn ogen. Na dit moment mocht hij niet meer treuren over het koffiehuis van Ahmed Abdoeh dat met de ondergang werd bedreigd, want alles zou uiteindelijk ondersteboven worden gegooid.

'Dat is triest. Wat het nog triester maakt is dat wij onze condoléanceplicht niet hebben vervuld. Zou Hoessein niet zijn teruggekomen uit Frankrijk?'

'Hij is vast en zeker vlak na het voorval teruggekomen, evenals Hassan Saliem en Ajida. Maar nu is niemand van hen in Egypte.'

'Hoe heeft Hoessein zijn familie in die toestand kunnen achterlaten? En waar leeft hij van sinds zijn vader failliet is?'

'Ik heb gehoord dat hij daarginds getrouwd is. Waarschijnlijk heeft hij werk gevonden, hij is al zo lang in Frankrijk. Ik weet er niets van. Ik heb hem niet meer gezien sinds we samen afscheid van hem hebben genomen. Hoe lang is dat geleden? Tien jaar ongeveer toch? Het is verre geschiedenis. Maar toch heeft het me aangegrepen.'

Maar toch... Wat hem betrof, de tranen drongen nog steeds aan achter zijn ogen, die niet meer waren opengegaan sinds die tijd en die overdekt waren met roest. Zijn hart scheidde smart af, waardoor hij zich dat hart van destijds herinnerde, dat van smart een lijfspreuk had gemaakt. Het nieuws had hem zo diep geschokt dat het het heden bijna had weggerukt en de mens die hij vroeger was geweest had onthuld, de mens die puur uit liefde en verdriet bestond. Was dit het eind van de droom van vroeger? Faillissement en zelfmoord... Het was alsof hij ertoe veroordeeld was dat deze familie hem zelfs de levenswijze van gevallen goden leerde kennen. Faillissement en zelfmoord... Zelfs als Ajida nog in welstand leefde dankzij de positie van haar echtgenoot, was er dan nog iets over van haar engelachtige trots? Hadden de gebeurtenissen haar kleine zusje...

'Hoessein had een klein zusje... Hoe heette ze ook al weer? Soms herinner ik me haar naam, maar meestal kan ik er niet opkomen.'

'Boedoer. Ze woont bij haar moeder en deelt de ellende van het nieuwe leven met haar.'

Stel je voor, de familie Sjaddaad leidt een bescheiden leven, net als het leven van deze mensen om ons heen. Zou Boedoer soms met gestopte kousen lopen? Zou ze ooit de tram nemen? Of zal ze trouwen met een ambtenaar van een of andere overheidsinstelling? Maar wat kon hem dat schelen? Ach... bedrieg jezelf niet, want vandaag ben je triest en wat je verstand je ook ingeeft over standsverschillen, tegenover deze omwenteling voel je je angstwekkend geschokt. Het valt je zwaar te horen dat je idolen in het stof rollen. Hoe dan ook, gefeliciteerd dat er niets is overgebleven van de liefde. Ja, wat is er over van de vroegere liefde? Terwijl hij 'niets' zei, bonsde zijn hart met wonderlijke tederheid bij het horen van een van de melodieën uit die tijd, hoezeer de woorden, de betekenissen en geluiden ook versleten waren. Wat betekende dat? Rustig aan... Het was de herinnering aan de liefde, niet de liefde zelf. We houden van de liefde in alle gevallen, vooral als er geen liefde is. Op dit ogenblik voel ik me als een drenkeling in de zee van hartstocht. Dat komt doordat de verborgen ziekte haar gif afscheidt in een moment van plotselinge zwakte. Wat is daartegen te doen, wanneer de twijfel die alle waarheden omverhaalt behoedzaam voor de liefde blijft staan, niet omdat zij boven twijfel verheven is, maar uit eerbied voor de droefheid, om vast te houden aan de waarheid van het verleden.

Isma'iel kwam op het drama terug met een stroom van details, totdat hij er blijkbaar niet meer tegen kon en op een toon van iemand die van alles af wil zijn zei: 'Alleen God is eeuwig. Het is werkelijk triest, maar genoeg triestheid voor vandaag.'

Kamaal probeerde hem niet over te halen door te gaan. Hij had voldoende gezegd, en bovendien had hij behoefte aan stilte en overpeinzing. Hij huilde in stilte met onzichtbare tranen die uit zijn hart opwelden. Dat verbaasde hem, want hij was een zieke die al lang geleden van zijn ziekte was hersteld. Verwonderd zei hij tegen zichzelf: Negen of tien jaar. Wat lang en tegelijkertijd kort. Hoe zou Ajida er nu uitzien? Hij zou graag lang genoeg naar haar gekeken hebben om het geheim van dat raadselachtige verleden te doorgronden, of zelfs om het geheim van zichzelf te ontdekken. Hij zag haar nu slechts vluchtig in een teruggekeerde oude melodie, of op een bord met een zeepreclame, of wanneer hij wakker schrok en fluisterde: 'Dat is ze...,' terwijl het in werkelijkheid ging om een flits van een filmster of een ongemerkt ingeslopen herinnering. Dan werd hij wakker en drong de werkelijkheid weer tot hem door.

Hij was niet meer in staat te blijven zitten. Hij hunkerde ernaar een reis te wagen in de wereld van het onzichtbare. Hij zei tegen Isma'iel: 'Ik nodig je uit voor een paar glazen op een aangename, keurige plaats.'

Isma'iel barstte in lachen uit en zei: 'Mijn vrouw wacht op me. We gaan bij haar tante op bezoek.'

Het deerde hem niet dat Isma'iel zijn uitnodiging afsloeg. Hij was zo vaak zelf zijn enige gezelschap. Ze liepen pratend naar buiten, pratend over niets in het bijzonder, terwijl Kamaal in zichzelf zei: De liefde bedrukt ons soms wanneer zij er is, maar wat missen we haar als ze er niet is...

Het is aangenaam hier te zitten, ook al kun je weinig doen. Van deze verwarmde plaats kun je iedereen zien die komt en gaat in de Faroekstraat, al-Moeski en al-Ataba. Als het in januari niet zo snerpend koud was geweest, zou je je niet vol verlangen achter het raam van een koffiehuis hoeven te verstoppen en tegen je zin het prachtige hoekje van het koffiehuis op het trottoir aan de overkant verlaten. Maar ooit zal de lente komen... Ja, de lente zal komen, maar je kunt weinig doen. Zestien jaar of langer zit je klem in schaal zeven. De winkel in al-Hamzawi is voor een nietig prijsje verkocht. Het huis in al-Ghoeriyya brengt, hoe groot het ook is, niet meer dan een paar pond op. En het huis in Paleis van Verlangen is mijn woning en mijn toevluchtsoord. Ridwaan heeft een rijke grootvader, maar Kariema heeft alleen mij voor haar levensonderhoud. Vader van een gezin en rokkenjager... Helaas kan ik weinig doen...

Plotseling vielen Jasiens dwalende ogen op een lange, magere jongeman met een getrimde snor en een vergulde bril, die in zijn zwarte regenjas uit al-Moeski in de richting van al-Ataba paradeerde. Hij glimlachte en verhief zijn bovenlichaam alsof hij wilde opstaan, maar hij week niet van zijn plaats. Als de jongeman niet zo snel had gelopen, was hij naar hem toegegaan om hem te vragen bij hem te komen zitten. Kamaal is de beste gespreksgenoot wanneer je je verveelt. Hij denkt er niet aan te trouwen, hoewel hij al bijna dertig is. Waarom heb ik zo'n haast gehad om te trouwen? En waarom ben ik er nog een keer ingetrapt terwijl ik nog niet eens van de eerste klap was bekomen? Maar wie klaagt er eigenlijk niet, of hij nu vrijgezel is of getrouwd? Al-Azbakiyya was ooit een oord van vertier en vermaak. Maar nu is het verloederd en is het een hol voor uitschot en geteisem. Het enige dat voor je is overgebleven van de wereld der genoegens is het turen naar dit kruispunt, en vervolgens een goedkope prooi. De beste goedkope prooi is een Egyptisch dienstmeisje dat bij een buitenlandse familie werkt, want die zien er meestal netjes en schoon uit. Maar hun meegaandheid is onbetwistbaar hun grootste verdienste. Die vind je vooral op de groentemarkt op het Azhaarplein.

Hij had zijn koffie opgedronken en zat voor het gesloten raam naar het kruispunt te kijken. Hij volgde elke mooie vrouw, zodat de beelden van de vrouwen, in sluier of regenjas, zich op zijn netvlies prentten. Hij bekeek sommigen helemaal en bij anderen bepaalde delen, met een onvermoeibare volharding. Soms bleef hij tot tien uur zitten. Op andere keren bleef hij alleen zitten totdat hij zijn koffie had opgedronken en stond dan haastig op om een prooi te achtervolgen waarvan hij vermoedde dat ze gewillig en goedkoop zou zijn, als een voddenkoopman. Maar over het algemeen beperkte hij zich tot toekijken, en soms tot het volgen van schoonheden zonder serieus oogmerk. Hij ging pas echt tot de aanval over als hij een aan lager wal geraakt dienstmeisje of een weduwe van boven de veertig achtervolgde. Dat gebeurde van tijd tot tijd en hij deed het met enorme gretigheid. Want hij was niet meer de man die hij was geweest, niet alleen omdat zijn inkomsten achterbleven bij zijn kosten, maar ook omdat hij veertig was, een leeftijd die bij hem had aangeklopt als een ongenode gast. Wat een afgrijselijke realiteit.

Ik heb de kapper zo vaak opgedragen iets te doen aan die ene grijze haar op mijn slaap. De kapper zei dat één haar niet erg is, maar voordat je het weet ben je helemaal grijs. Ze kunnen allebei naar de maan lopen, de kapper en de grijze haren. De man heeft me een effectieve haarverf voorgeschreven, maar die heb ik nog niet geprobeerd. Mijn vader is vijftig geworden zonder een grijze haar. Maar wie ben ik vergeleken met mijn vader? En niet alleen wat grijze haren betreft. Met veertig was hij nog een jongeman, zelfs met vijftig nog. Maar ik... Mijn Heer, ik ben me niet meer te buiten gegaan dan hij. Maar laat je hoofd rusten en je hart werken. Zou het leven van Haroen ar-Rasjied* werkelijk zo zijn geweest als de vertellers zeggen? Wat is Zannoeba daarmee vergeleken? In één opzicht is het huwelijk een verdomde leugen, maar de kracht schuilt erin dat

* Beroemde kalief (12e eeuw), onder meer bekend uit de *Vertellingen van Duizend-en-een-Nacht*.

je de leugen je hele leven lang koestert. Dynastieën komen en gaan, de tijden veranderen, maar het lot zal altijd vrouwen voortbrengen die rondstappen met een man die haar wanhopig probeert te volgen. De jeugd is een vloek, en de ouderdom nog meer. Wanneer krijgt het hart ooit rust? En het ellendigste dat er op de wereld kan gebeuren, is dat je je op een dag verbijsterd afvraagt: Waar ben ik?

Hij verliet het koffiehuis om halftien, stak het Atabaplein over en liep langzaam naar de Mohammed Alistraat. Vervolgens ging hij de taveerne 'de Ster' in. Hij groette Khalo, die in zijn gebruikelijke houding achter de bar stond. De man beantwoordde zijn groet met een brede glimlach, waardoor zijn gele tanden zichtbaar werden, waarvan er een paar ontbraken. Hij wenkte met zijn kin naar het binnenkamertje, alsof hij wilde aangeven dat zijn vrienden daar op hem wachtten. Tegenover de bar was een gang die uitkwam op drie aangrenzende kamers waaruit een liederlijke herrie klonk. Hij liep naar de laatste kamer, die slechts één venster had, met ijzeren tralies, dat uitkeek op de Mawardisteeg. Er stonden drie tafeltjes in de hoeken, waarvan er twee onbezet waren. Rond de derde zaten zijn vrienden, die hem met gejuich verwelkomden, zoals elke avond. Ondanks zijn jammerklacht was hij de jongste van het gezelschap. De oudste was een gepensioneerde vrijgezel, daarna kwamen een hoofdklerk van het ministerie van Religieuze Stichtingen, een personeelschef van de universiteit en een advocaat die geen werk had maar rentenierde. Hun drankzucht was te zien aan de troebele blik en hun rode of uiterst bleke gezicht. Ze kwamen tussen acht en negen uur naar de taveerne en gingen pas diep in de nacht weer weg. Ze dronken de slechtste, sterkste en goedkoopste soorten drank. Jasien hield hen niet van het begin tot het eind gezelschap, of hoogst zelden. Meestal bracht hij twee of drie uur met hen door, zoals het uitkwam.

Zoals gewoonlijk verwelkomde de oude vrijgezel hem: 'Welkom Hagg Jasien.'

Hij stond erop hem met 'Hagg' aan te spreken uit eerbied voor zijn gezegende naam.* De advocaat, die van hen het meest aan drank verslaafd was, zei: 'Je bent laat, kerel. We

* De naam Jasien verwijst naar de twee letters waarmee soera 36 van de koran begint.

dachten al dat je tegen een vrouw was aangelopen en dat we het de hele avond zonder je gezelschap moesten stellen.'

De oude vrijgezel merkte naar aanleiding van de woorden van de advocaat filosofisch op: 'Het enige dat twee mannen kan scheiden is een vrouw.'

Plagend zei Jasien tegen hem, nadat hij tussen hem en de hoofdklerk was gaan zitten: 'Daar hoeven we wat jou betreft niet bang voor te zijn.'

Terwijl hij het glas naar zijn mond hief, zei de oude man: 'Afgezien van een enkel duivels ogenblik, wanneer een meisje van veertien me in de verleiding brengt...'

'Het woord komt in *toeba* en de daad in *amsjier*,'* zei de hoofdklerk.

'Ik begrijp niet wat je bedoelt met die geheimtaal.'

'Ik ook niet.'

Khalo kwam binnen met een glas en lupinepitten. Terwijl hij het glas opnam, zei Jasien: 'Moet je eens zien wat januari dit jaar heeft gebracht...'

'Gods schepping bestaat uit van alles,' zei de personeelschef. 'Januari heeft kou gebracht, maar heeft Taufiek Nasiem voorgoed meegenomen.'

'Houd op over politiek,' riep de advocaat. 'We zijn nog aan het drinken. Als we de politiek als hapje erbij nemen doodt dat de geest. Zoek maar een ander onderwerp.'

De personeelschef zei: 'Ons hele leven is eigenlijk politiek en niets anders.'

'Jij bent personeelschef van de derde rang, wat heb jij met de politiek te maken?'

De personeelschef zei boos: 'Vroeger zat ik in de zesde rang, alsjeblieft, in de tijd van Saad.'

'Mijn zesde rang dateert uit de tijd van Moestafa Kamil,'** zei de oude vrijgezel. 'Daarom heb ik hem ingeruild voor een pensioen, uit eerbied voor de herinnering aan hem. Luister, doen we er niet beter aan te drinken en te zingen?'

Jasien, die bijna zijn glas geleegd had, zei: 'Laten we eerst drinken, vadertje.'

* Namen van resp. de vijfde en de zesde maand van de koptische kalender.

** Een van de eerste Egyptische nationalistische leiders; stichter van de Nationale Partij (1874-1908).

Jasien had nooit in zijn leven de zegen van innige vriendschap gekend, maar overal waar hij kwam, in het koffiehuis of in de taveerne, had hij vrienden. Hij stond snel met anderen op goede voet en anderen nog sneller met hem. Sinds hij deze taveerne, vanwege zijn financiële omstandigheden, als favoriete plaats had gekozen om de avond door te brengen, had hij dit groepje leren kennen. Er had zich een hechte conversatieband ontwikkeld, hoewel hij buiten nooit iemand van hen tegenkwam en daar ook geen behoefte aan had. De drank en de redelijke prijzen brachten hen tot elkaar. De personeelschef had van hen de hoogste positie, maar hij had veel kinderen. De advocaat kwam naar deze taveerne omdat de drank hier als de sterkste bekendstond, omdat de zuivere dranksoorten nog maar nauwelijks uitwerking op hem hadden. Daardoor was hij hier gewend geraakt.

Jasien begon te drinken en te keuvelen. Hij stortte zich in de herrie die in het vertrek kolkte en tegen de muren botste. Van de leden van de groep was hij het meest op de oude vrijgezel gesteld. Hij hield ervan hem te plagen, vooral met seksuele toespelingen, zodat de man hem waarschuwde niet te ver te gaan en hem wees op zijn verantwoordelijkheid voor zijn gezin. Vol geringschatting pochte Jasien: 'Onze familie is daarvoor geschapen, mijn vader is zo en vóór hem mijn grootvader ook.' Hij herhaalde dit tijdens dit gesprek en de advocaat vroeg schertsend: 'En je moeder? Was die ook zo?'

Ze lachten langdurig, ook Jasien, hoewel zijn hart pijnlijk wegzonk in zijn borst. Hij dronk buitensporig. Ondanks zijn dronkenschap besefte hij dat hij inzakte: deze plaats, de drank en deze dag stonden hem tegen. Overal drijven ze de spot met me. Wat ben ik vergeleken met mijn vader? Er is niets ellendiger dan dat je leeftijd toeneemt terwijl je geld vermindert. Maar de drank is onmetelijk genadig. Ze overstelpt je met gezelligheid, een tedere gezelligheid en een troost waarbij alle tegenspoed in het niet valt. Zeg dus: 'Wat ben ik blij...' De bezittingen die verdwenen zijn komen niet terug, evenmin als de jeugd die is voorbijgegaan. Maar de drank is de beste kameraad voor het leven. Je bent ermee gezoogd als opgroeiende jongen, nu je een man bent houdt ze je nog steeds gezelschap, en later zal ze je grijze hoofd doen gonzen van plezier. Daarom verheugt mijn hart zich ondanks de zorgen. Straks, als Ridwaan een man is en

Kariema door een bruidegom is meegenomen, hef ik het glas nog op het geluk in al-Ataba. Wat ben ik blij...

De groep begon opeens, in een luidruchtige stemming en met dikke tong, 'De gevangene van de liefde, wat heeft hij zich verlaagd' te zingen, en daarna 'O meisje in de vallei'. Het gezang werd beantwoord door lieden in de andere kamers en op de gang. Toen viel er een zware stilte. De personeelschef begon te praten over het ontslag van Taufiek Nasiem en hij vroeg zich af wat de betekenis was van het verdrag dat ten doel had Egypte te beschermen tegen het Italiaanse gevaar, die lastige buurman die zich in Libië genesteld had. Als enige antwoord barstte de groep als met één stem los: 'Doe het gordijn dicht, dan hebben we rust... De beste buurman kan ons kwaad doen...' Hoewel de oude man had meegedaan met het buitensporige drinken en lallen, protesteerde hij tegen deze schaamteloze reactie en verweet hij hen dat zij onzin kletsten waar ernst geboden was. Ze antwoordden hem door als uit één mond te zingen: 'Ben je echt boos of maak je maar een grapje?', zodat de oude man zijn lachen niet kon inhouden en weer ongeremd met hen meedeed.

Tegen middernacht verliet Jasien de taveerne. Rond één uur 's ochtends kwam hij bij zijn huis in Paleis van Verlangen aan. Zoals elke nacht ging hij de kamers van het appartement langs alsof hij een inspectieronde uitvoerde. Ridwaan zat in zijn kamer te studeren. De jongen keek op uit het wetboek om een glimlach met zijn vader uit te wisselen. Er bestond een innige liefde tussen hen, en ook respect, ook al wist Ridwaan dat zijn vader altijd dronken was als hij om deze tijd thuiskwam. Jasien had grote bewondering voor het knappe uiterlijk van zijn zoon, evenals voor zijn intelligentie en ijver. Hij zag in hem een toekomstig officier van justitie die zijn status zou verhogen, op wie hij trots zou kunnen zijn en die hem voor veel zaken troost zou schenken. Hij vroeg hem: 'Gaat het?'

Hij wees naar zichzelf, alsof hij zeggen wilde: 'Ik sta tot je beschikking.' Ridwaan glimlachte, en met hem de donkere ogen van zijn grootmoeder Haniyya. Zijn vader vroeg: 'Stoort het je als ik een grammofoonplaat opzet?'

'Mij niet. Maar de buren slapen om deze tijd.'

Terwijl hij zich van de kamer verwijderde, zei hij spottend: 'Laat ze maar lekker doorslapen.'

Hij kwam langs de slaapkamer van de kinderen, en zag dat Kariema in slaap was gedompeld in haar kleine bed, terwijl het bed van Ridwaan aan de andere kant leeg was en wachtte tot hij klaar zou zijn met studeren. Een ogenblik overwoog hij haar wakker te maken om haar te plagen, maar hij bedacht hoeveel ergernis hij zou veroorzaken als hij haar op dit uur wekte en zag van het idee af. Hij liep naar zijn eigen kamer. De mooiste nacht in dit huis was de donderdagnacht, voor de gewijde vrije dag. Als hij donderdagavond thuiskwam, aarzelde hij niet, ongeacht de tijd, Ridwaan uit te nodigen hem in de salon gezelschap te houden, Kariema en Zannoeba te wekken, grammofoonplaten te spelen en tot diep in de nacht met hen te babbelen en grapjes te maken. Hij hield zielsveel van zijn gezin, vooral van Ridwaan, ook al ging hij er – uit tijdgebrek – niet toe over hen bij te staan met zijn zorg en wijze raad. Dat liet hij over aan de zorgzaamheid van Zannoeba en hun aangeboren wijsheid. Hoe het ook zij, hij kon zich er geen seconde toe brengen tegenover hen de strengheid te betrachten die hijzelf van zijn vader had ondervonden. Diep in zijn hart stond het hem tegen het gevoel van ontzag en angst in Ridwaans hart te wekken dat hij voor zijn vader koesterde. In werkelijkheid zou het hem ook niet gelukt zijn, zelfs als hij het had gewild. Wanneer hij hen na middernacht om zich heen verzameld had, toonde hij zijn genegenheid zonder terughoudendheid, terwijl hij in een roes van drank en liefde verkeerde. Hij gekscheerde met hen en praatte, vertelde hun soms een verhaal over de dronkemannen die hij in de taveerne had ontmoet, waarbij hij zich geen zorgen maakte over de invloed daarvan op hun onschuldige ziel en de protesten van Zannoeba, die stiekem naar hem wenkte, negeerde. Het leek alsof hij dan zichzelf vergat en zich onbekommerd door zijn natuur liet meevoeren.

In zijn kamer trof hij Zannoeba half slapend aan, zoals gewoonlijk. Zo was ze altijd. Voordat hij binnenging hoorde hij haar gesnurk, maar zodra hij midden in de kamer stond bewoog ze, opende haar ogen en zei op spottende toon: 'God zij dank dat je behouden thuisgekomen bent.' Dan stond ze op om hem te helpen zijn kleren uit te trekken en op te vouwen. Nu haar gezicht niet opgemaakt was zag ze er ouder uit dan ze was, en vaak dacht hij dat ze even oud was als hij. Maar ze was zijn levensgezellin geworden en haar wortels waren met de zijne verstrengeld. Die vroegere lichte vrouw was erin geslaagd met hem samen te leven, wat tot dan toe geen enkele 'dame' gelukt was. Ze had zijn echtelijk leven in een hecht fundament verankerd. Hun leven had weliswaar in het begin strijd gekend en ze had weleens gekrijst, maar ze leek altijd zeer gehecht aan hun echtelijke leven. Na verloop van tijd was ze moeder geworden. Nadat ze haar kind verloren had, was slechts Kariema voor haar overgebleven, waardoor ze zich alleen maar meer aan haar echtelijke leven had vastgeklampt, vooral toen de dreigende voorboden van verwelking en een voortijdige ouderdom verschenen. Vervolgens had de tijd haar geleerd geduld en verzoeningsgezindheid te betrachten en haar rol als 'dame' te vervullen in de volle betekenis van het woord. Ze ging daarin zo ver dat ze zich eenvoudig kleedde als ze het huis uitging, zodat ze uiteindelijk het respect van Tussen Twee Paleizen won en zelfs tot op zekere hoogte van de Suikersteeg. Ze was zo verstandig om zich ertoe te zetten Ridwaan en Kariema met dezelfde tederheid en genegenheid te behandelen, hoewel ze geen liefde voor Ridwaan koesterde, vooral nadat ze haar enige zoon die ze Jasien schonk had verloren. Hoewel ze veranderd was besteedde ze er toch veel zorg aan dat ze er netjes, schoon en goed gekleed uitzag. Jasien had eens glimlachend toegekeken hoe ze haar haar voor de spiegel in orde bracht, en hoewel hij zich soms hevig aan haar ergerde, besefte hij ook dat ze iets kostbaars in zijn leven was geworden waar hij niet buiten zou kunnen.

Ze pakte een sjaal en sloeg die om zich heen, terwijl ze bibberde van de kou. Op klaaglijke toon zei ze: 'Wat is het koud. Kun je jezelf je uitgaansavondjes niet besparen in de winter?'

'De drank verandert de jaargetijden, zoals je weet,' zei hij schertsend. 'Je hoeft niet op te staan en je te vermoeien.'

'Wat jij uitvreet vermoeit me, en je praatjes.'

In zijn *gilbaab* zag hij eruit als een luchtballon. Hij wreef over zijn buik en keek tevreden naar de vrouw. Zijn zwarte ogen glinsterden. Toen begon hij plotseling te lachen en zei: 'Je had moeten zien hoe ik de soldaten groette. De soldaten die ik midden in de nacht tegenkom zijn mijn beste vrienden geworden.'

Zuchtend mompelde ze: 'Wat doet me dat een plezier...'

3

Wanneer Ridwaan door al-Ghoeriyya liep, met zijn trage tred, was dat iets dat werkelijk alle blikken trok. Hij was zeventien jaar, middelgroot van postuur, enigszins neigend naar gezetheid, elegant, bijna ijdel gekleed, en had zwarte ogen en een roze huid die de familie Iffat eigen was. Hij straalde en zijn bewegingen verrieden de trots van iemand die zich van zijn knappe uiterlijk bewust is. Toen hij langs de Suikersteeg kwam, wendde hij zijn hoofd ernaar toe met een flauwe glimlach. Hij moest denken aan zijn tante Khadiega en haar twee zoons, Abd al-Moen'im en Ahmed, die in hem niet meer dan een gevoel van onverschilligheid opriepen. Er was niets in hem dat hem ooit had aangespoord een van zijn neven tot vriend te nemen, in de volle betekenis van het woord.

Zodra hij de Mitwallipoort door was, sloeg hij de Darb al-Ahmar in. Nadat hij bij een oud huis was aangekomen, klopte hij op de deur en wachtte. De deur ging open en het gezicht van Hilmi Izzat verscheen, de vriend uit zijn kindertijd en medestudent aan de rechtenfaculteit, en zijn evenknie, zo te zien, wat schoonheid betrof. Het gezicht van Hilmi klaarde op toen hij hem zag. Ze omhelsden elkaar en gaven elkaar een kus, zoals altijd wanneer zij elkaar ontmoetten. Samen liepen ze de trap op, terwijl Hilmi zijn vriend een compliment gaf om zijn das, die fraai kleurde bij zijn overhemd en sokken. Ze waren beiden een toonbeeld van elegantie en goede smaak. Hun belangstelling voor kleding en mode deed overigens niet onder voor hun interesse voor de politiek en de rechtenstudie. Ze gingen een grote kamer met een hoog plafond binnen. De aanwezigheid van een bed en een bureau wees erop dat hij als slaapkamer en als studeerkamer dienst deed. Ze hadden hier vaak tot 's avonds laat zitten studeren, waarna ze zij aan zij gingen slapen op het grote bed met de zwarte spijlen en het muskietennet. Het was niets nieuws dat Ridwaan buitenshuis sliep. Hij was er vanaf zijn kindertijd aan gewend dat hij nu eens in het ene, dan weer in het andere huis voor een paar dagen werd uitgenodigd, in het huis van zijn grootvader,

Mohammed Iffat, in al-Gamaliyya, of in al-Moeniera, bij zijn moeder, die na hem geen kind meer had gekregen, hoewel ze was hertrouwd met Mohammed Hassan. Daarom, en omdat zijn vader van nature onverschillig was en zijn stiefmoeder het heimelijk prettig vond wanneer hij, al was het tijdelijk, uit haar huis verdween, was er geen bezwaar tegen dat hij in de examentijd bij zijn vriend sliep. Op den duur was het iets normaals geworden waar niemand enige aandacht aan schonk.

Hilmi Izzat was in een zelfde sfeer van onverschilligheid opgegroeid. Zijn vader, die politiecommissaris was geweest, was tien jaar geleden overleden. In de jaren daarna waren zijn zes zusters getrouwd en hij leefde alleen bij zijn oude moeder. De vrouw had er moeite mee gehad hem onder de duim te houden, en al snel was hij de baas in huis geworden. Zij leefde van een klein pensioen van haar man en de huur van de eerste verdieping van haar oude huis, zodat het gezin sinds het overlijden van de vader geen luxueus leven had gekend. Maar Hilmi was er toch in geslaagd zijn studie voort te zetten en aan de rechtenfaculteit te geraken zonder de uiterlijke tekenen van respectabiliteit te verliezen die zijn leven vereiste. Zijn blijdschap bij het zien van zijn vriend werd door niets geëvenaard. Hij vond alleen genoegen in de uren studie of vrije tijd als Ridwaan erbij was. Dan ontleende hij ijver en enthousiasme aan zijn aanwezigheid.

Hij liet hem plaatsnemen op de canapé bij de deur van de *masjrabiyya*, ging naast hem zitten en begon na te denken over een onderwerp – er waren zoveel onderwerpen om over te praten. Maar er lag een sombere blik in Ridwaans ogen, die zijn enthousiasme deed verflauwen. Hij keek hem vragend aan, giste toen wat er aan de hand was en zei zacht: 'Ben je bij je moeder op bezoek geweest? Ik wed dat je daar vandaan komt.'

Ridwaan besefte dat de juistheid van het vermoeden van zijn vriend op zijn gezicht te lezen stond, en er verscheen bezorgdheid in zijn ogen. Hij knikte bevestigend zonder iets te zeggen.

'Hoe gaat het met haar?' vroeg Hilmi.

'Uitstekend.'

Hij vervolgde met een zucht: 'Maar die Mohammed Hassan... Je weet niet wat het betekent als je moeder een echtgenoot heeft die niet je vader is.'

Hilmi zei om hem te troosten: 'Dat komt vaak voor. Het is geen schande. Het is trouwens iets van lang geleden.'

Ridwaan riep verbitterd uit: 'Nee, nee... Hij is altijd thuis. Hij gaat alleen uit voor zijn werk op het ministerie. Ik zou haar weleens willen bezoeken als ze alleen is. En hij schept er behagen in de rol van vader en raadgever te spelen. Hij kan naar de duivel lopen. Bij elke gelegenheid herinnert hij mij eraan dat hij op de archiefafdeling de chef van mijn vader is. Hij schrikt er niet voor terug zijn gedrag op zijn werk te bekritiseren, maar ik, van mijn kant, dien hem van repliek...'

Hij zweeg even totdat hij tot bedaren was gekomen en vervolgde toen: 'Het was dom van mijn moeder dat ze ermee ingestemd heeft met deze man te trouwen. Was het niet beter geweest als ze bij mijn vader was teruggekomen?'

Hilmi, die veel wist van Jasiens roemruchte leefwijze, zei met een glimlach: '"Wat heb ik geleden door de liefde..."'

Ridwaan gebaarde koppig met zijn hand en zei: 'Zelfs dan nog... De smaak van vrouwen is een angstaanjagend geheim, en het ergste is dat ze blijkbaar tevreden is.'

'Je moet niet najagen wat je gemoedsrust verstoort.'

Op verdrietige toon zei Ridwaan: 'Hoe is het mogelijk. Een groot deel van mijn leven brengt alleen maar ellende voort. Ik heb een hekel aan de man van mijn moeder en ik houd niet van de vrouw van mijn vader. Een atmosfeer geladen met haat. Mijn vader kan, net als mijn moeder, niet goed kiezen. Maar wat kan ik doen? De vrouw van mijn vader behandelt me goed, maar ik heb niet de indruk dat ze van me houdt. Wat een armzalig leven.'

De oude dienstbode bracht de thee. Ridwaan, die op straat last had gehad van de bijtende februariwind, had er trek in. Er viel een stilte, terwijl ze suiker in hun thee deden. De uitdrukking op Ridwaans gezicht veranderde en kondigde aan dat het trieste relaas was beëindigd. Dat verheugde Hilmi, die opgelucht zei: 'Ik ben eraan gewend samen met jou te studeren. Ik weet niet meer hoe ik alleen moet studeren.'

Ridwaan glimlachte in antwoord op deze fijngevoelige opmerking. Maar plotseling vroeg hij: 'Heb je het laatste decreet gezien over de samenstelling van de onderhandelingsdelegatie?'

'Ja, maar veel mensen maken misbaar omdat ze pessimistisch

zijn over de sfeer die de onderhandelingen omgeeft. Blijkbaar is Italië, dat onze grenzen bedreigt, de ware spil van de onderhandelingen. En de Engelsen bedreigen ons als er geen overeenstemming wordt bereikt.'

'Het bloed van de martelaren is nog niet opgedroogd. En we hebben nog meer bloed...'

Hilmi knikte en zei: 'Er wordt gezegd dat het vechten tot rust gekomen en het praten begonnen is. Wat denk jij ervan?'

'In elk geval heeft de Wafd een overweldigende meerderheid in de onderhandelingsafvaardiging. Stel je voor, ik vroeg Mohammed Hassan, de man van mijn moeder, zijn mening over de situatie en hij zei spottend tegen me: "Denk je echt dat de Engelsen ooit weggaan uit Egypte?" Dat is de man die mijn moeder als echtgenoot heeft geaccepteerd.'

Hilmi lachte luid en zei: 'Heeft je vader dan een andere mening?'

'Mijn vader haat de Engelsen, dat is voldoende.'

'Haat hij hen uit het diepst van zijn hart?'

'Mijn vader haat of bemint niets vanuit het diepst van zijn hart.'

'Maar nu vraag ik je jouw mening. Ben jij er gerust op?'

'Waarom niet? Hoe lang kan de kwestie nog onopgelost blijven? Vierenvijftig jaar bezetting. Oef... Ik ben niet de enige die het ellendig heeft.'

Hilmi nam de laatste slok uit zijn glas en zei met een glimlach: 'Ik zie dat je met evenveel enthousiasme tegen me praat als toen zijn blik op je viel.'

'Wiens blik?'

Hilmi glimlachte geheimzinnig en zei: 'Telkens wanneer je enthousiast bent loopt je gezicht rood aan, waardoor je schoonheid nog beter uitkomt. Het was ongetwijfeld op een van die gelukkige momenten dat hij je met mij zag praten. Dat was op de dag waarop de studentendelegatie naar het Huis van de Natie ging om tot eenheid op te roepen. Herinner je je die dag niet meer?'

'Jawel, maar wie bedoel je?' vroeg Ridwaan met onverhulde nieuwsgierigheid.

'Abd ar-Rahiem Pasja Iesa.'

Ridwaan dacht even na en zei toen zacht: 'Ik heb hem een keer van een afstand gezien.'

'Hij zag je die dag voor het eerst.'

Er verscheen een vraagteken op Ridwaans gezicht. Hilmi vervolgde: 'Toen hij me tegenkwam, vlak nadat je was weggegaan, vroeg hij naar je. Hij verzocht me je bij de eerstvolgende gelegenheid aan hem voor te stellen.'

Ridwaan glimlachte en zei: 'Vertel op.'

Hilmi streelde de schouder van zijn vriend en zei: 'Hij riep me bij zich en zei met zijn charme – hij is erg charmant: "Wie is die knappe jongen met wie je stond te praten?" Ik antwoordde: "Een medestudent rechten en een oude vriend en hij heet..." enzovoort. Hij vroeg me geïnteresseerd: "Wanneer stel je hem aan me voor?" Ik negeerde zijn bedoeling en vroeg op mijn beurt: "Waarvoor, pasja?" Hij barstte in lachen uit en deed alsof hij boos was, zover gaat zijn humor soms. "Om hem godsdienstles te geven, hond," zei hij. Ik moest zo lachen dat hij zijn hand voor mijn mond hield.'

Er viel even een stilte, waardoor de wind buiten te horen was. Ze hoorden het geluid van een raamluik dat tegen de muur sloeg. Uiteindelijk verhief Ridwaan zijn stem.

'Ik heb veel over hem gehoord. Is hij zoals ze zeggen?'

'Meer dan dat...'

'Maar hij is een oude man...'

Terwijl zijn gezicht aangaf dat hij onhoorbaar lachte, zei Hilmi Izzat: 'Dat is het minst belangrijke. Hij is een gewichtig man, spiritueel en invloedrijk. En misschien is ouderdom wel een voordeel...'

Ridwaan glimlachte weer en vroeg: 'Waar woont hij?'

'In een rustige villa in Helwaan.'

'Ah, het is er vast afgeladen met afgevaardigden van alle sociale klassen.'

'We zullen zijn volgelingen worden. Waarom niet? Hij is een veteraan in de politiek en wij zijn beginners.'

Enigszins behoedzaam vroeg Ridwaan: 'En zijn vrouw en kinderen?'

'Wat ben je een sufferd. Hij is vrijgezel. Hij is nooit getrouwd en houdt er ook niet van. Hij was enig kind en hij leeft alleen met zijn bedienden, als een tak die van de boom gesneden is. Als je hem hebt leren kennen, vergeet je hem nooit meer.'

Ze keken elkaar een poos glimlachend aan, als samenzweerders, totdat Hilmi Izzat met enig ongeduld zei: 'Vraag me alsjeblieft "Wanneer gaan we bij hem op bezoek?"'

Terwijl hij naar de droesem in zijn theeglas keek, zei Ridwaan: 'Wanneer gaan we bij hem op bezoek?'

Het huis van Abd ar-Rahiem Pasja Iesa verscheen aan het eind van de Nadjaatstraat in Helwaan als een toonbeeld van eenvoud en elegantie. Het was een bruine villa bestaande uit één etage, die zich drie meter boven de grond verhief en die omgeven was door een bloementuin. Aan de voorkant was de *salamlik*.* Het huis, de straat en de omgeving waren in een aangename stilte gedompeld. Op een bank bij de deur zaten de conciërge en de chauffeur. De conciërge was een Nubiër met fraaie gelaatstrekken en een slanke gestalte, de chauffeur was een jongen in de bloei van zijn jeugd, met blozende wangen. Terwijl hij in de *salamlik* tuurde, fluisterde Hilmi Izzat Ridwaan in het oor: 'De pasja is zijn belofte nagekomen. Wij zijn vandaag de enige bezoekers.'

Hilmi Izzat was bekend bij de conciërge en de chauffeur. Ze stonden beleefd op om hem te begroeten, en toen hij schertsend iets tegen hen zei, begonnen ze ongedwongen te lachen.

Ondanks de droogte was het bitter koud. Ze gingen de uiterst weelderige ontvangsthal binnen waar achterin een groot portret hing van Saad Zaghloel in ceremonieel kostuum. Hilmi liep naar een spiegel die tot het plafond reikte in het midden van de rechtermuur, en wierp een langdurige, onderzoekende blik op zijn uiterlijk. Ridwaan voegde zich zonder aarzelen bij hem. Hij inspecteerde zijn uiterlijk met een zelfde blik, zodat Hilmi met een glimlach zei: 'Twee volle manen in kostuum en fez. "Wie bekoord is door de schoonheid van de Profeet, bidt voor hem."'

Ze gingen naast elkaar zitten op een goudkleurige canapé waar een prachtige blauwe deken overheen lag. Er gingen enige ogenblikken voorbij, waarna ze gerucht hoorden van achter het gordijn dat voor de grote deur onder het portret van Saad Zaghloel hing. Terwijl zijn hart bonsde van spanning keek Ridwaan in de richting van het geluid. Weldra verscheen de man in een keurig zwart pak. Hij verspreidde een aangename

* Ontvangvertrek voor mannen.

geur. Hij zag er diepbruin uit, glad geschoren, tenger van bouw, tamelijk lang, met fijne gelaatstrekken, die nog dieper waren geworden door zijn leeftijd, en met kleine, fletse ogen. Zijn fez neeg zo ver naar voren dat hij bijna zijn wenkbrauwen raakte. Hij naderde kalm en waardig, met tegelijkertijd kleine en langzame passen, waardoor hij de jongemannen ontzag en vertrouwen inboezemde. Ze stonden op om hem te begroeten. Hij ging zwijgend voor hen staan en nam hen met een onderzoekende, doordringende blik op, die langdurig op Ridwaan bleef rusten, zodat diens oogleden begonnen te trillen. Toen glimlachte hij opeens, waardoor het oude gezicht een hartelijkheid en bekoorlijkheid uitstraalde die de afstand die hen scheidde wegnamen. Hilmi stak zijn hand uit, die de ander vastpakte en een tijdje in de zijne hield. Vervolgens tuitte hij zijn lippen. Hilmi begreep wat hij wilde en hield hem snel zijn wang voor, die hij kuste. Daarna keek hij naar Ridwaan en zei op beminnelijke toon: 'Neem me niet kwalijk, mijn jongen. Dit is mijn manier om te groeten.'

Bedeesd stak Ridwaan zijn hand uit. De man pakte hem vast en vroeg lachend: 'En je wang?'

Ridwaan bloosde. Hilmi riep terwijl hij op zichzelf wees: 'Wend u tot de zaakwaarnemer, excellentie.'

Abd ar-Rahiem Pasja lachte en volstond ermee Ridwaan de hand te schudden. Hij nodigde hen uit te gaan zitten en nam zelf plaats op een grote fauteuil naast hen. Hij zei glimlachend: 'Die zaakwaarnemer van jou is een schurk, Ridwaan. Dat is toch je naam? Welkom... Ik zag je in gezelschap van deze deugniet. Je manier van doen beviel me en ik wilde je graag ontmoeten. En dat genoegen heb je me niet ontzegd.'

'Ik ben verheugd en vereerd met u kennis te mogen maken, excellentie.'

Terwijl hij een grote gouden ring aan de ringvinger van zijn linkerhand ronddraaide, zei de man: 'God vergeve je, mijn jongen, gebruik geen plechtige uitdrukkingen en titels, daar houd ik niet van. Wat me echt interesseert is een beminnelijke, zuivere en oprechte inborst. Wat dat "excellentie" en "mijnheer de bey" betreft, we zijn allemaal afstammelingen van Adam en Eva. Het was je welgemanierdheid die me behaagde, daarom wilde ik je uitnodigen in mijn huis. Welkom, dus. Je bent een medestudent van Hilmi aan de rechtenfaculteit, nietwaar?'

'Inderdaad, efendi. Wij studeren al samen vanaf de Khaliel Agha school.'

De man trok verbaasd zijn wenkbrauwen op en zei: 'Jeugdvrienden...' Hij knikte en vervolgde: 'Mooi, mooi... Kom je misschien ook uit al-Hoessein, net als hij?'

'Ja, sidi, ik ben geboren in het huis van mijn grootvader, sajjid Mohammed Iffat in al-Gamaliyya. Tegenwoordig woon ik in het huis van mijn vader in Paleis van Verlangen.'

De man riep met een blijdschap die aan euforie grensde: 'De oude wijken van Caïro. De aangename plekjes. Stel je voor, ik heb er lange tijd gewoond met mijn overleden vader, in Bir Goewwaan. Ik was de enige zoon van mijn vader. Ik was een duivel, ik verzamelde altijd de jongens en dan gingen we in een optocht van steeg naar steeg om de boel op stelten te zetten. Wee de zielepoot die ons pad kruiste... Mijn vader rende me altijd razend van woede met een stok achterna. Zei je dat Mohammed Iffat je grootvader is, mijn jongen?'

'Ja, sidi,' zei Ridwaan trots. De pasja dacht even na en zei: 'Ik herinner me dat ik hem een keer heb gezien in het huis van de afgevaardigden van al-Gamaliyya. Hij is een nobel en oprecht vaderlandslievend man. Hij was bijna kandidaat gesteld bij de volgende verkiezingen, maar hij heeft zich op het laatste moment teruggetrokken ten gunste van zijn vriend, de vorige afgevaardigde. De nieuwe coalitie vereist dat we ons vriendschappelijk opstellen bij de verkiezingen, zodat onze broeders de Constitutionele Liberalen ook een paar zetels kunnen behalen. Jij bent dus een medestudent van Hilmi... Mooi... Recht is de meester der studies, een studie die een briljante intelligentie vereist. Wat de toekomst betreft, je hoeft alleen maar hard te werken.'

Ridwaan vatte deze laatste woorden op als een belofte en een aanmoediging. Ambitie en geestdrift welden op in zijn hart en hij zei: 'Wij zijn niet één keer voor een examen gezakt tijdens onze opleiding.'

'Bravo, daar gaat het om. Daarna word je officier van justitie en rechter. Er zijn altijd mensen die de deuren openen voor wie hard werkt. Het leven in de magistratuur is fantastisch, en is gebaseerd op een alerte intelligentie en een waakzaam geweten. Ik ben, dankzij de gunst van God, een van de integere beoefenaars geweest. Ik heb de magistratuur verlaten om me met de politiek bezig te houden, want het nationalisme vergt soms van mij dat ik mijn geliefde bezigheden opgeef, maar tot op heden zijn er mensen die mij noemen als toonbeeld van rechtvaardigheid en onpartijdigheid. Houd je blik gericht op hard werken en integriteit, dan ben je vrij in je persoonlijke leven. Vervul je plicht en doe wat je wilt. Als je in je plichten te kort schiet, zien de mensen alleen maar onvolmaaktheden. Je ziet toch dat veel lasteraars niets liever doen dan zeggen: "Deze minister heeft deze tekortkoming, en die dichter heeft die tekortkoming." Goed, maar ministers en dichters zijn niet de enigen die hierdoor getroffen worden. Wees dus in de eerste plaats minister en dichter, en doe daarnaast wat je wilt. Deze les zal niet aan je intelligentie ontgaan, *oestaaz* Ridwaan.'

Op dat moment zei Hilmi Izzat ondeugend: '"Als een man voldoende grootmoedigheid bezit, kunnen zijn gebreken worden geteld." Zo is het toch, excellentie?'

De man neeg zijn hoofd naar rechts en zei: 'Natuurlijk. Gezegend zij de Enige die volmaakt is. De mens is zeer zwak, Ridwaan, maar in andere opzichten moet hij sterk zijn. Begrepen? Als je wilt, zal ik je over de grote staatsmannen vertellen, dan zul je merken dat er niet één vrij is van gebreken. We zullen lang met elkaar spreken en ons de lessen ter harte nemen, opdat wij van een volmaakt en gelukkig leven kunnen genieten.'

Terwijl hij naar Ridwaan keek, zei Hilmi: 'Heb ik je niet gezegd dat de vriendschap van de pasja een onuitputtelijke schat is?'

Abd ar-Rahiem Iesa richtte zich tot Ridwaan, die nauwelijks zijn blik van hem afwendde: 'Ik houd van de wetenschap, ik houd van het leven en ik houd van de mensen. Ik zou de kleine bij de hand willen nemen en hem laten opgroeien. Wat in de wereld is verkieslijker dan de liefde? Als we dus met een juridisch probleem worden geconfronteerd, moeten we het samen oplossen. Als we over de toekomst nadenken, moeten we dat samen doen. Als we behoefte hebben aan ontspanning, doen we dat samen. Ik heb nooit iemand ontmoet die even wijs is als Hassan Bey Imaad. Nu behoort hij tot het selecte gezelschap van de diplomatieke dienst. Hij is weliswaar een van mijn politieke tegenstanders, maar als hij een kwestie aanpakt, is die tot op de bodem afgemaakt, en als hij opgetogen is, danst hij naakt. De wereld is heerlijk, op voorwaarde dat je wijs en ruim van geest bent. Jij bent toch ruim van geest, Ridwaan?'

'Als hij het niet is, zijn wij bereid hem te verruimen,' antwoordde Hilmi Izzat ogenblikkelijk. Er verscheen een stralende, kinderlijke glimlach op het gezicht van de pasja, die zijn onbegrensde hang naar plezier verried. Hij zei: 'Deze jongen is een duivel, Ridwaan. Maar wat kan ik eraan doen? Hij is je jeugdvriend, wat een geluk... En ik ben niet de eerste die zegt: "Soort zoekt soort..." Jij moet ook een duivel zijn. Vertel eens wie je bent, Ridwaan. Ha, je hebt mij laten praten zonder dat ik het merkte, terwijl jij zweeg als een sluw politicus. Zeg eens, Ridwaan, waar houd jij van en waaraan heb je een hekel?'

Op dat ogenblik kwam de huisbediende binnen met een blad. Het was een baardloze knaap, net als de conciërge en de chauffeur. Ze dronken glazen rozenwater.

'Rozenwater is de drank van de bewoners van al-Hoessein,' zei de pasja. 'Nietwaar?'

Met een glimlach zei Ridwaan zacht: 'Ja, sidi.'

Terwijl hij in vervoering zijn hoofd schudde, zei de pasja: 'O volgelingen van al-Hoessein, sta ons bij...'

Ze lachten. Zelfs de huisbediende glimlachte, terwijl hij de hal verliet. De pasja vervolgde: 'Waar houd je van? Waaraan heb je een hekel? Spreek openhartig, Ridwaan. Laat me je helpen. Ben je geïnteresseerd in politiek?'

Hilmi Izzat zei: 'We zijn allebei lid van het studentencomité.'

'Dat is een eerste overeenkomst die ons verbindt. Houd je van literatuur?'

Hilmi Izzat antwoordde: 'Hij is verzot op Sjauki en Hafiz en al-Manfaloeti.*'

De pasja snauwde hem toe: 'Houd jij je mond, ik wil zijn stem horen, jongen.'

Ze lachten. Ridwaan zei glimlachend: 'Ik ben gek op Sjauki en Hafiz en al-Manfaloeti.'

'Daar ben je "gek op"?' zei de pasja verbaasd. 'Wat een uitdrukking, die hoor je alleen in al-Gamaliyya. Heeft die naam iets te maken met schoonheid, Ridwaan? Jij houdt dus van

* Literatoren die tot de vernieuwingsbeweging in de Arabische literatuur worden gerekend (eind 19de, begin 20ste eeuw).

verzen als *Verguld zilver*, en *Diep in de nacht...* en *Wie hij ook is* en *Hij haalt een twijg weg en legt er een andere neer...* Mijn God, dat is nog iets dat ons verbindt, Gamaliyya. Houd je van muziek?'

'Hij houdt van...'

'Houd je mond, jij.'

Ze lachten opnieuw. Ridwaan zei: 'Oemm Kalthoem.'*

'Mooi. Ik ben meer een liefhebber van oudere muziek, maar alles is mooi, "het ernstige en het frivole", zoals Ma'arri** zegt, of "ik ben er gek op", zoals uedele zegt. Heel mooi. Een prachtige avond.'

De telefoon rinkelde. De pasja stond op en liep erheen. Hij hield de hoorn bij zijn oor en zei: 'Hallo...'

'Goedenavond, goedenavond, pasja... Maar dat is toch begrijpelijk. Isma'iel Sidki zit vandaag toch zelf in het onderhandelingscomité, als een van de leiders van het land?... Ik heb de leider eerlijk mijn mening gezegd, en Mahir en an-Noekrasji zijn dezelfde mening toegedaan... Het spijt me, pasja, dat kan ik niet. Ik ben niet vergeten dat het koning Foeaad is geweest die zich ooit tegen mijn promotie heeft verzet. Koning Foeaad is de laatste die over goede manieren mag spreken. Hoe dan ook, ik spreek u morgen op de club. Goedenavond, pasja.'

Met ernstig gezicht kwam de man terug, maar zodra hij Ridwaan zag, keek hij weer zorgeloos en zette hij het gesprek voort.

'Ja, sajjid Ridwaan. We hebben kennis gemaakt, en het was een aangename kennismaking. Ik raad je aan hard te werken. Ik raad je aan je plicht en het hogere ideaal nooit uit het oog te verliezen. Daarna kunnen we het hebben over muziek en het goede leven.'

Op dat moment keek Ridwaan op zijn horloge. De pasja keek geschrokken en zei: 'Doe dat niet... De tijd is de vijand van gezellige bijeenkomsten.'

Ridwaan zei enigszins beschroomd: 'Maar het is al laat, excellentie...'

'Laat! Bedoel je dat het voor mij laat is? Daar vergis je je in, mijn jongen. Ik houd na één uur nog steeds van gezelligheid, schoonheid en muziek. De avond is nog niet eens begonnen.

* Legendarische Egyptische zangeres (gest. 1975).

** Beroemd elfde-eeuws dichter.

We hebben alleen nog maar "In naam van God de barmhartige Erbarmer" gezegd. Geen tegenwerpingen. De auto staat tot de ochtend tot jullie beschikking. Ik heb gehoord dat je de nacht buitenshuis doorbrengt om te studeren. Laten we dus studeren. Waarom niet? Het doet me plezier terug te keren tot de beginselen van het publieke recht en iets van de islamitische wet. Trouwens, wie doceert bij jullie de islamitische wet? Sjeik Ibrahiem Nadiem, God schenke hem een goede avond. Hij is een geschikte kerel. Verbaas je niet. In de loop der tijd zullen we van elke man van deze tijd de geschiedenis vastleggen. Je moet alles begrijpen. Deze avond is voor ons een avond van liefde en vriendschap. Vertel me eens, Hilmi, welk drankje het meest passend is voor een avond als deze?'

Hilmi zei zelfverzekerd: 'Whisky-soda en gegrilld vlees.'

'Is gegrilld vlees soms ook een drankje, deugniet?' zei de pasja lachend.

Op donderdag, na het eten, verzamelde het gezin van Khadiega zich altijd op vrijwel identieke wijze. Abd al-Moen'im en Ahmed kwamen bijeen met hun vader, Ibrahiem Sjaukat, en omdat Khadiega zelden niets te doen had, borduurde ze een tafelkleed terwijl ze bij hen zat. De ouderdom was eindelijk te zien aan Ibrahiem Sjaukat, nadat deze langdurig en heldhaftig weerstand had geboden. Zijn haar was grijs geworden en hij was iets gezetter, maar hij had desondanks een benijdenswaardige gezondheid behouden. Hij rookte een sigaret en nam kalm en bedaard zijn plaats in tussen zijn twee zoons. In zijn ogen lag de gebruikelijke gezapige, onverschillige blik, terwijl de jongens onophoudelijk praatten, soms tegen elkaar, en soms tegen hun vader of hun moeder, die zonder van haar werk op te kijken deelnam aan het gesprek. Ze zag eruit als een enorme homp vlees en vet. Er was niets meer dat Khadiega's humeur kon bederven, aangezien ze nu, na het overlijden van haar schoonmoeder, de onbetwiste meesteres was in haar huis. Ze volbracht haar plichten met onvermoeibare toewijding en ze koesterde haar dikte met uiterste zorg, omdat die de essentie van haar schoonheid vertegenwoordigde. Ze probeerde die zorg ook aan de anderen op te leggen, haar man en haar twee zoons. De eerste had zich eraan onderworpen, terwijl Abd al-Moen'im en Ahmed hun eigen weg gingen en in haar liefde hun toevlucht zochten tegen haar wilskracht. Al enkele jaren had ze haar echtgenoot zover gekregen dat hij de godsdienstige gebruiken naleefde, en de man had zich eraan gewend het gebed te verrichten en de vasten in acht te nemen. Hoewel Abd al-Moen'im en Ahmed daarmee waren opgegroeid, was Ahmed twee jaar geleden opgehouden met het vervullen van de geloofsplichten. Hij gaf ontwijkende antwoorden wanneer zijn moeder hem hierover ondervroeg of verzon een of andere verontschuldiging. Ibrahiem Sjaukat hield zielsveel van zijn zoons. Hij had grote bewondering voor hen en liet geen gelegenheid ongebruikt om naar hun goede prestaties te verwijzen, die Abd al-Moen'im tot de rechtenfaculteit en Ahmed tot de laatste klas van de middelbare school hadden gebracht. Khadiega zei trots: 'Dat is allemaal de vrucht van mijn zorg. Als we het aan jou hadden overgelaten, was er van geen van beiden iets terechtgekomen.'

Uiteindelijk was gebleken dat ze, door gebrek aan oefening, de regels van het lezen en schrijven was vergeten, zodat ze het doelwit van Ibrahiems spot werd, maar haar zoons boden haar aan ze haar weer te leren, uit dankbaarheid voor de hulp waarop ze zich beroemde. Ze werd eerst een beetje boos, maar moest er ook vaak om lachen en vatte de zaak ten slotte als volgt samen: 'Een vrouw heeft er geen behoefte aan te kunnen lezen en schrijven, behalve als ze liefdesbrieven moet schrijven.'

Ze maakte de indruk dat ze gelukkig en tevreden was. Misschien was ze niet zo te spreken over de eetlust van Abd al-Moen'im en Ahmed. Hun magere postuur ergerde haar. Ze zei geprikkeld: 'Ik heb jullie duizend keer gezegd dat jullie kamille bij het ontbijt moeten nemen om jullie eetlust op te wekken. Jullie moeten goed eten, zien jullie niet hoe jullie vader eet?'

De jongens glimlachten dan terwijl ze naar hun vader keken. Deze zei: 'Waarom neem je jezelf niet als voorbeeld? Je eet als een molen.'

'Ze moeten zelf maar oordelen,' zei ze glimlachend. Ibrahiem wierp tegen: 'Jouw oog heeft mij getroffen, sjeikha, daarom heeft de dokter me aangeraden al mijn tanden te laten trekken.'

Er kwam een vertederde blik in haar ogen.

'Maak je niet ongerust. Dan heb je er ook geen last meer van. Je zult nooit meer pijn hebben, als God het wil.'

Op dat moment zei Ahmed tegen haar: 'Onze buurman die op de tweede verdieping woont vroeg me of de huur een maand later kan worden betaald. Ik kwam hem op de trap tegen en toen vroeg hij het me.'

Terwijl ze hem fronsend aankeek, vroeg ze: 'Wat heb je tegen hem gezegd?'

'Ik heb hem beloofd dat ik er met mijn vader over zou spreken.'

'En heb je er met je vader over gesproken?'

'Ik spreek er nu met jou over.'

'Wij delen zijn appartement niet met hem, dus hoeven wij ons geld niet met hem te delen. Als we toegeven, komt straks de huurder van de eerste verdieping. Jij weet niet hoe de mensen zijn, dus bemoei je niet met wat je niet aangaat.'

Ahmed keek zijn vader aan en vroeg: 'Wat denk jij ervan, papa?'

Ibrahiem Sjaukat glimlachte en zei: 'Heb medelijden en bezorg me geen hoofdpijn. Regel het maar met je moeder.'

Ahmed vervolgde tegen zijn moeder: 'Als we toegeven aan een man in geldnood zullen we heus niet verhongeren.'

'Ik heb met zijn echtgenote gesproken,' zei Khadiega op bittere toon. 'Ik heb hem uitstel gegeven, dus maak je maar niet druk. Maar ik heb haar te verstaan gegeven dat de huur van een woning even onontkoombaar is als de kosten van eten en drinken. Is dat soms verkeerd? Mij wordt soms verweten dat ik geen vriendinnen heb onder mijn buurvrouwen, maar wie de mensen kent prijst God dat hij alleen is.'

Ahmed vroeg terwijl hij knipoogde: 'Zijn wij dan beter dan de andere mensen?'

Khadiega fronste haar wenkbrauwen en zei: 'Ja. Of denk jij er soms anders over?'

'Hij denkt dat hij de beste is van alle mensen bij elkaar,' zei Abd al-Moen'im. 'Er bestaat geen andere mening dan de zijne. De wijsheid zit in zijn hoofd opgeborgen.'

Khadiega zei spottend: 'En hij vindt ook dat mensen huizen moeten huren zonder de huur te betalen.'

Lachend zei Abd al-Moen'im: 'Hij is er zelfs niet van overtuigd dat sommige mensen het recht hebben om huizen te bezitten.'

'Het is me wat moois, zulke armzalige ideeën,' zei Khadiega

hoofdschuddend. Ahmed keek zijn broer boos aan. Abd al-Moen'im haalde schamper zijn schouders op en zei: 'Ga eerst bij jezelf te rade voordat je boos wordt.'

'We kunnen beter niet in discussie gaan,' zei Ahmed protesterend.

'Inderdaad, ik wacht wel tot je wat ouder bent.'

'Jij bent maar een jaar ouder dan ik.'

'Iemand die maar een dag ouder is dan jij weet al voor een jaar meer dan jij.'

'Dat is een gezegde waar ik niet in geloof.'

'Luister, er is maar een ding dat me interesseert. Laten we weer samen het gebed verrichten.'

Khadiega schudde vol spijt het hoofd en zei: 'Je broer heeft gelijk. De meeste mensen worden wijzer met de jaren, maar jij, God vergeve je. Zelfs je vader leeft het gebed en de vasten na. Hoe heb je het zo ver kunnen laten komen? Dat vraag ik me dag en nacht af.'

Met zijn luide, zelfverzekerde stem zei Abd al-Moen'im: 'Om eerlijk te zijn, zijn hoofd heeft van binnen een schoonmaakbeurt nodig.'

'Hij...'

'Luister, deze jongen heeft geen geloof. Dat is wat ik inmiddels denk.'

Ahmed gebaarde boos met zijn hand en riep: 'Waar haal jij het recht vandaan om iemands hart te beoordelen?'

'Handelingen verraden geheimen.'

Terwijl hij een glimlach verborg, vervolgde hij: 'Vijand van God!'

Zonder zijn kalmte te verliezen zei Ibrahiem Sjaukat: 'Je mag je broer niet vals beschuldigen.'

Khadiega wees naar Ahmed en zei tegen Abd al-Moen'im: 'Beroof je broer niet van het dierbaarste dat een mens bezit. Hoe zou hij niet gelovig kunnen zijn? De familie van zijn moeder ontbreekt het alleen aan tulbanden, afgezien daarvan zijn het allemaal mannen Gods. Zijn grootvader was een van de meest vooraanstaande. Toen we opgroeiden zagen we om ons heen iedereen het gebed en de geloofsplichten vervullen. Het leek wel alsof we in een moskee woonden.'

'Oom Jasien, bijvoorbeeld,' zei Ahmed spottend. Er ontsnapte een lachje aan Ibrahiem Sjaukat. Khadiega wierp kwaad tegen: 'Wees beleefd als je over je oom spreekt. Wat is er mis met hem? Zijn hart is vervuld van geloof en zijn Heer leidt hem. Kijk maar naar je grootvader en je grootmoeder.'

'En oom Kamaal dan?'

'Oom Kamaal is een beschermeling van al-Hoessein. Jij weet ook niets...'

'Ik ben niet de enige.'

Abd al-Moen'im vroeg hem op uitdagende toon: 'Zelfs als de mensen allemaal nalatig waren in hun geloof, zou dat dan voor jou pleiten?'

'Wees in elk geval gerust,' zei Ahmed bedaard. 'Mijn zonden zullen jou nooit worden aangerekend.'

Op dat moment zei Ibrahiem Sjaukat: 'Genoeg geruzied. Ik zou willen dat jullie net zo waren als jullie neef Ridwaan.'

Khadiega keek hem laatdunkend aan, alsof het haar tegen de borst stuitte dat iemand Ridwaan boven haar zoons stelde. Ibrahiem Sjaukat lichtte zijn woorden toe: 'Die jongen heeft contacten met de belangrijkste politici. Een scherpzinnige jongen... Die heeft een prachtige toekomst voor zich.'

Khadiega zei boos: 'Dat ben ik niet met je eens. Ridwaan is een ongelukkige jongen, zoals iedere jongen die de zorg van zijn moeder moet ontberen. Zannoeba "hanoem" bekommert zich niet om hem. Ik laat me niet misleiden. Ze doet vriendelijk tegen hem, maar dat is politiek, net als de politiek van de Engelsen. Daarom kent de arme jongen geen geborgenheid. Hij slaapt meestal buitenshuis. Wat zijn contacten met hoge politici betreft, die hebben niets te betekenen. Hij is een student, even oud als Abd al-Moen'im. Waarom meng je je er op zo'n zwaarwichtige manier in? Je weet niet hoe je een goed voorbeeld moet kiezen.'

Ibrahiem keek haar aan alsof hij zeggen wilde: 'Je kunt het ook nooit met me eens zijn.' Toen vervolgde hij zijn uitleg: 'De jongens van tegenwoordig zijn niet meer zoals vroeger. De politiek heeft alles veranderd. Elke grote politicus heeft zijn volgelingen. Iemand met ambitie die verder wil komen in het leven moet een beschermheer hebben tot wie hij zich kan wenden. De hoge positie van je vader berust ook op zijn nauwe banden met hooggeplaatste personen.'

Khadiega zei trots: 'De mensen verdringen zich om hem te leren kennen. Hij hoeft niemand na te lopen. Wat de politiek betreft, mijn zoons hebben daar niets mee te maken. Als het hun vergund was geweest hun omgekomen oom te zien, zouden ze zelf begrijpen wat ik daarmee bedoel. Terwijl er "Leve die" en "Weg met die" wordt geroepen, komen de zonen van de mensen om. Als Fahmi nog had geleefd, dan was hij nu de hoogste rechter geweest.'

'Ieder heeft zijn weg,' zei Abd al-Moen'im. 'Wij volgen niemand na. Als we zoals Ridwaan zouden willen zijn, zouden we zo zijn.'

'Goed zo,' zei Khadiega. Zijn vader zei glimlachend tegen hem: 'Jij bent net als je moeder. Jullie zijn precies hetzelfde.'

Er werd op de deur geklopt. De dienstbode verscheen en meldde de komst van de buurvrouw die op de eerste verdieping woonde. Terwijl ze aanstalten maakte om op te staan zei Khadiega: 'Wat zou ze willen? Als het erom gaat uitstel te krijgen voor het betalen van de huur, dan kan alleen nog het politiebureau van al-Gamaliyya de zaak beslechten.'

Het was erg druk in al-Moeski. Bij de bewoners van de wijk, en dat waren er veel, voegden zich die dag nog de mensenmenigten die vanaf al-Ataba toestroomden. De aprilzon straalde helder en warm. Abd al-Moen'im en Ahmed baanden zich met enige moeite een weg. Hun gezicht gutste van het zweet. Terwijl hij zijn broer een arm gaf, zei Ahmed: 'Vertel eens, ben je geëmotioneerd?'

Abd al-Moen'im dacht even na en zei toen: 'Ik weet het niet. De dood is iets afschuwelijks, zeker als het om de dood van een koning gaat. De route van de begrafenisstoet zag zwart van de mensen. Zoiets heb ik nooit eerder gezien. Ik heb de begrafenis van Saad Zaghloel niet gezien, dus kan ik de twee niet vergelijken. Maar ik had de indruk dat de meeste mensen op de een of andere manier aangedaan waren. Sommige vrouwen huilden. Wij Egyptenaren zijn een emotioneel volk.'

'Maar ik vroeg naar jouw emoties.'

Abd al-Moen'im dacht opnieuw na, terwijl hij de mensen probeerde te ontwijken.

'Ik hield niet van hem,' zei hij uiteindelijk. 'Dat gold voor ons allemaal. Ik was dus niet bedroefd. Maar ik was ook niet blij. Ik liep achter de stoet aan als iemand die wel ogen heeft, maar geen hart. Ik was niet voor hem en niet tegen hem. Maar de gedachte aan de machtige figuur in de baar deed me toch iets. Niemand kan aan zo'n tafereel voorbijgaan zonder dat het hem iets doet. Maar God is de enige Koning. Hij is de Levende, de Eeuwige, beseften de mensen dat maar. Trouwens, als de koning was gestorven voordat de politieke toestand was omgeslagen, dan hadden er veel, heel veel mensen vreugdekreten geslaakt. En jij? Wat waren jouw emoties?'

Ahmed zei glimlachend: 'Ik houd niet van dictators, ongeacht de politieke toestand.'

'Natuurlijk, maar de aanblik van de dood?'

'Ik houd niet van morbide romantiek.'

Geprikkeld vroeg Abd al-Moen'im: 'Je was dus blij?'

'Ik zou willen dat ik lang genoeg leef om mee te maken dat de wereld vrij is van tirannen, hoe ze ook heten of tot welke soort ze ook behoren.'

Ze zwegen even, vermoeid. Toen vroeg Ahmed: 'En wat gaat er nu gebeuren?'

Abd al-Moen'im zei op de stellige toon die hem eigen was: 'Faroek is nog een kind. Hij beschikt niet over de geslepenheid van zijn vader, noch zijn wraakzucht. Als alles goed gaat, zullen de onderhandelingen slagen en komt de Wafd opnieuw aan de macht. Dan stabiliseert de toestand zich en is het tijdperk van de intriges verleden tijd. De toekomst ziet er dus goed uit...'

'En de Engelsen?'

'Als de onderhandelingen slagen, zullen de Engelsen onze vrienden worden. Dan zal het huidige bondgenootschap tussen het paleis en de Engelsen tegen het volk worden verbroken. Dan moet de koning de grondwet wel eerbiedigen.'

'De Wafd is beter dan de rest.'

'Zonder twijfel. Ze hebben niet lang genoeg geregeerd om te tonen wat ze kunnen. Binnenkort zal de ervaring leren dat ze over werkelijke mogelijkheden beschikken. Ik geef toe dat ze beter zijn dan de rest, maar onze ambities zullen verder gaan.'

'Vanzelfsprekend. Ik geloof dat de regeringsmacht van de Wafd een goed beginpunt is voor een verderreikende ontwikkeling. Meer niet. Maar zullen we werkelijk overeenstemming met de Engelsen bereiken?'

'Het is òf overeenstemming, òf een terugkeer naar de periode Sidki. Onze natie beschikt over een onuitputtelijke voorraad verraders, van wie de enige taak is de Wafd te kapittelen als ze "nee" zegt tegen de Engelsen. En ze staan klaar, ook al hebben ze zich vandaag bij de rangen van de nationalisten gevoegd. Sidki en Mohammed Mahmoed en anderen staan klaar, dat is het tragische.'

Toen ze bij de Sikka al-Gadieda kwamen, stonden ze plotseling tegenover hun grootvader, Ahmed Abd al-Gawwaad, die op weg was naar as-Sagha. Ze liepen naar hem toe en groetten hem beleefd.

'Waar komen jullie vandaan en waar gaan jullie heen?' vroeg hij met een glimlach. Abd al-Moen'im zei: 'We zijn naar de begrafenisstoet van koning Foeaad gaan kijken.'

Zonder dat de glimlach van zijn lippen week, zei de man: 'Bedankt voor jullie medeleven.'

Vervolgens gaf hij hun een hand en ging ieder zijns weegs. Ahmed keek hem een tijdje na en zei toen: 'Onze grootvader is charmant en galant. Ik heb een heerlijke geur in mijn neus.'

'Mama vertelt vaak staaltjes van zijn strengheid.'

'Ik denk niet dat hij tiranniek is. Dat kan ik niet geloven.'

Abd al-Moen'im zei lachend: 'Zelfs koning Foeaad leek tegen het eind een vriendelijk, goedaardig man.'

Ze lachten allebei, terwijl ze het koffiehuis van Ahmed Abdoeh binnengingen. In de alkoof tegenover de fontein zag Ahmed een oude man zitten met een lange baard en felle ogen, te midden van een groep jongelui, die hem aandachtig aankeken. Ahmed bleef staan en zei tegen zijn broer: 'Je vriend, sjeik Ali al-Minoefi. "De aarde heeft haar lasten te voorschijn gebracht".* Ik kan je hier beter achterlaten.'

'Kom bij ons zitten,' zei Abd al-Moen'im. 'Ik zou graag willen dat je erbij komt zitten en naar hem luistert. Je kunt met hem redetwisten zoveel als je wilt. Er zitten veel studenten aan de universiteit om hem heen.'

Terwijl hij zijn arm losmaakte uit die van zijn broer, zei Ahmed: 'Nee, oompje, ik ben een keer bijna met hem in gevecht geraakt. Ik houd niet van fanaten. Tot ziens.'

Abd al-Moen'im keek hem met afkeurende blik aan en zei toen heftig: 'Tot ziens. God leide je.'

Abd al-Moen'im liep naar het gezelschap van sjeik Ali al-

* Koran, soera 99, vers 2.

Minoefi, de hoofdmeester van de lagere school van al-Hoessein. De man stond op om hem te begroeten, gevolgd door het hele gezelschap om hem heen. Ze omhelsden elkaar, waarna de sjeik, met het hele gezelschap, ging zitten.

'Was je er gisteren niet?' vroeg de sjeik, terwijl hij Abd al-Moen'im onderzoekend opnam met zijn felle ogen.

'De studie...'

'Arbeid is een geldig excuus. Waarom is je broer weggegaan?'

Abd al-Moen'im glimlachte zonder te antwoorden. Sjeik Ali al-Minoefi zei: 'Onze Heer is de Gids. Verbaas je niet over hem. Onze leraar heeft veel van zijn gelijken ontmoet die tegenwoordig tot de trouwste volgelingen van zijn oproep behoren. Want als God rechte leiding wil voor de mensen, dan heeft de satan geen macht over hen. Wij zijn de soldaten van God. Wij verspreiden Zijn licht en bestrijden Zijn vijand. Wij hebben onze ziel niet aan de mensen maar aan Hem geschonken. Wat zijn jullie gelukkig, soldaten van God.'

Een van hen zei: 'Maar het rijk van de duivel is groot.'

Sjeik Ali al-Minoefi zei op misprijzende toon: 'Kijk naar hem die de wereld van de duivel vreest, terwijl God aan zijn zijde staat. Wat zeggen we tegen hem? Wij zijn met God en God is met ons, dus wat zouden wij vrezen? Wie van de soldaten der aarde kan bogen op jullie kracht? Welk wapen is scherper dan jullie wapen? De Engelsen, de Fransen, de Duitsers, de Italianen steunen op de materialistische beschaving. Maar jullie steunen op het ware geloof. Het geloof maakt zwaarden bot. Het geloof is de sterkste macht ter wereld. Vul jullie zuivere harten met het geloof, dan behoort de wereld jullie toe.'

Een ander zei: 'Wij zijn gelovigen, maar we zijn een zwakke gemeenschap.'

De sjeik balde zijn vuist, kneep hem toe en riep: 'Als je je zwak voelt, dan ontbreekt er iets aan jouw geloof zonder dat je het weet. Het geloof is de schepper en herschepper van kracht. Granaten zijn vervaardigd door handen als de onze, ze zijn de vrucht van kracht, niet een van de oorzaken. Hoe heeft de Profeet de inwoners van het Schiereiland overwonnen? Hoe hebben de Arabieren de hele wereld onderworpen?'

Abd al-Moen'im zei geestdriftig: 'Het geloof... het geloof...'

Maar er klonk een vierde stem die vroeg: 'Maar hoe komen

de Engelsen aan die kracht, terwijl ze een ongelovig volk zijn?'

De sjeik glimlachte en woelde met zijn vingers door zijn baard.

'Elke kracht heeft zijn geloof,' zei hij. 'Zij geloven in het vaderland en materiële vooruitgang. Maar het geloof in God staat boven alles. Degenen die in God geloven zullen sterker zijn dan zij die in het aardse leven geloven. Onder onze handen, ons moslims, ligt een schat begraven die we moeten opgraven. De islam moet opnieuw opleven, zoals de eerste keer. Wij zijn moslims in naam, en we moeten moslims zijn in daden. God heeft ons Zijn boek geschonken, maar wij hebben het veronachtzaamd, dus is vernedering over ons gekomen. We moeten terugkeren tot het boek, dat is onze lijfspreuk, de terugkeer tot de koran. Daartoe riep onze leraar op in Ismailiyya. Dan zal Zijn boodschap in de zielen dringen, de dorpen en gehuchten, totdat alle harten ervan vervuld zijn.'

'Maar is het niet wijzer ons van politiek te onthouden?'

'De godsdienst is het dogma, de wet en de politiek. In Zijn barmhartigheid laat God de belangrijkste zaken der mensheid niet zonder leiding en voorschrift. Dat is onze les vanavond.'

De sjeik was bijzonder opgetogen. Het was zijn methode om een stelling te poneren, waarna daarover een discussie volgde, waarbij de leerlingen vragen stelden en de antwoorden van hem kwamen. Het merendeel van de antwoorden bestond uit aanhalingen uit de koran en de traditie. Hij sprak alsof hij preekte, of alsof hij alle bezoekers in het koffiehuis toesprak. Terwijl hij in een hoek groene thee zat te drinken, luisterde Ahmed met een spottende glimlach op zijn lippen. Verbaasd overzag hij de kloof die hem van deze geestdriftige groep scheidde, die woede en minachting in hem opriep. Op een zeker moment kon hij zich niet meer inhouden. Hij maakte aanstalten om de sjeik te verzoeken minder luid te praten, om de rust van de bezoekers van het koffiehuis niet te verstoren. Maar hij zag van zijn voornemen af toen hij bedacht dat zijn broer bij hen zat. Ten slotte zag hij geen andere uitweg dan het koffiehuis te verlaten. Verbitterd stond hij op en ging weg.

Om ongeveer acht uur 's avonds liep Abd al-Moen'im terug naar de Suikersteeg. De hitte was enigszins getemperd en de avond was nu doortrokken van een lenteachtige mildheid. De 'les' galmde nog na in zijn hoofd en zijn hart, maar de inspanning en het nadenken hadden hem uitgeput. Hij stak de binnenplaats van het huis over, die in duisternis gehuld was, en liep naar de trap. Op dat moment ging de deur van de eerste verdieping open. In het licht dat uit het appartement kwam, zag hij het silhouet van iemand naar buiten glippen, die vervolgens de deur achter zich sloot en voor hem uit de trap opliep. Zijn hart bonsde en zijn bloed stroomde warm, als insekten die door de hitte werden voortgedreven. In de duisternis zag hij haar op de eerste overloop staan wachten en naar hem kijken. Hij keek ook naar haar en wendde zijn gezicht niet af. Het verwonderde hem hoe gemakkelijk zij als jongeren de volwassenen voor de gek konden houden. Dit meisje was haar huis uitgegaan met het excuus dat ze bij de buren op bezoek wilde gaan. Ze zou ook bij de buren op bezoek gaan, maar pas na een gevaarlijk avontuur op de in duisternis gehulde overloop van de trap. Zijn hoofd was onmiddellijk leeg. De gedachten die in hem hadden geworsteld waren verdampt en vervlogen en hij was gericht op één wens: het verlangen bevredigen dat zijn zenuwen en zijn lichaam sinds enige tijd niet met rust liet. Het ware geloof leek zich toornig af te wenden, of zich kwaad en grommend diep in hem te nestelen. Maar het geluid ging teloor in het geraas van het opvlammende vuur. Was zij niet zijn meisje? Ja, daarvan waren de galerij van de binnenplaats, het trappenhuis en de hoek van het dakterras, dat over de Suikersteeg uitkeek, getuigen. Ze had ongetwijfeld zijn thuiskomst afgewacht om hem op het juiste moment te treffen. Al die moeite ter wille van hem... Hij liep snel en behoedzaam verder, totdat hij tegenover haar op de overloop stond. Er was nauwelijks enige afstand tussen hen, de geur van haar haar drong in zijn neus en haar adem streelde zijn hals. Hij legde zijn hand zachtjes op haar schouder en fluisterde: 'Laten we naar de andere overloop gaan, daar is het veiliger dan hier.'

Ze ging hem zonder iets te zeggen voor en hij volgde haar voorzichtig. Ze kwamen op de overloop tussen de twee verdiepingen. Ze bleef staan, tegen de muur geleund, en hij ging voor haar staan. Toen sloeg hij zijn armen om haar heen. Ze bood, zoals altijd, een ogenblik weerstand en gaf zich toen over aan zijn omarming.

'Liefje...'

'Ik heb op je gewacht bij het raam. Mama was bezig met de voorbereidingen voor het Sjamm an-Nasiem feest.'*

'Gelukgewenst. Laat me feestvieren op je lippen...'

Hun lippen ontmoetten elkaar in een lange, smachtende kus. Toen vroeg ze: 'Waar ben je geweest?'

In een flits moest hij aan de les over de islam en de politiek denken, maar hij zei: 'Met een paar vrienden in het koffiehuis.'

Op een toon waarin enig protest doorklonk zei ze: 'In het koffiehuis, terwijl je nog maar een maand hebt voor het examen?'

'Maar ik ken mijn plicht. Ik zal je nog een kus geven om je te straffen voor je wantrouwen.'

'Praat niet zo hard. Ben je vergeten waar we zijn?'

'We zijn in ons eigen huis, in onze kamer. Deze overloop is onze kamer.'

'Toen ik vanmiddag naar mijn tante ging, keek ik naar boven of ik je misschien zou zien. Opeens keek je moeder uit over de steeg en onze blikken ontmoetten elkaar. Ik rilde van angst.'

'Waarvoor was je bang?'

'Ik had het gevoel dat ze wist naar wie ik zocht en dat ze mijn geheim had ontdekt.'

'Je bedoelt "ons geheim". Het is iets dat ons bindt. Wij zijn nu toch één?'

Op datzelfde moment drukte hij haar krachtig aan zijn borst in ontoombaar verlangen, alsof hij de zachte stemmen van protest in zijn binnenste wilde ontvluchten, in droeve berusting. Een laaiend vuur verzengde hem met een kracht die in staat was hen beiden in een draaikolk te doen versmelten.

In de stilte klonk een zucht en toen hun zware ademhaling. Ten slotte was hij zich er weer van bewust dat hij en zij twee afzonderlijke silhouetten waren in de duisternis. Hij hoorde haar zacht en schuchter fluisteren: 'Zien we elkaar morgen?'

Met een ergernis die hij zoveel mogelijk trachtte te verhullen zei hij: 'Ja... Ja, je zult het bijtijds weten.'

'Zeg het me nu.'

Terwijl de ergernis zijn hart nog meer bedrukte zei hij: 'Ik weet nog niet of ik morgen tijd heb.'

'Waarom niet?'

* Feest waarmee het aanbreken van de lente wordt gevierd.

'Ga maar, ik hoorde een geluid.'
'Welnee, er is niets te horen.'
'Niemand mag ons hier zien.'
Hij streelde haar schouder, alsof hij een oud vod streelde, maakte zich met gekunstelde tederheid uit haar armen los en liep haastig de trap op. Zijn ouders zaten in de salon naar de radio te luisteren. De deur van de studeerkamer was gesloten, maar het licht dat door de kieren scheen duidde erop dat Ahmed aan het studeren was. Hij groette zijn ouders en liep naar de slaapkamer, waar hij zich uitkleedde. Hij baadde zich, verrichtte de rituele reiniging en ging terug naar zijn kamer. Nadat hij had gebeden ging hij met gekruiste benen op het bidkleedje zitten en verzonk in diep gepeins. Zijn ogen staarden somber in de verte, zijn hart brandde van verdriet en hij voelde aandrang om te huilen. Hij bad tot zijn Heer dat Hij de satan zou verdrijven en dat Hij hem de kracht zou geven om de verleiding te weerstaan, die duivel, waarmee hij geconfronteerd werd in de gedaante van een meisje en die een koppige begeerte in zijn bloed had verspreid. Zijn verstand zei altijd 'nee', maar zijn hart zei 'ja'. Daarna was hij in de greep geraakt van die angstwekkende tweestrijd die eindigde in de nederlaag en berouw. Elke dag was een nieuwe beproeving en elke beproeving was een hel. Wanneer zou die marteling ophouden? Zijn hele geestelijke strijd dreigde te worden vernietigd, alsof hij luchtkastelen had gebouwd. Wie in de modder zwemt zal nooit vaste bodem vinden. Was berouw maar in staat een verstreken uur terug te roepen.

4

Eindelijk kwam Ahmed Sjaukat bij het gebouw van het tijdschrift *De Nieuwe Mens* in Ghamra. Het gebouw, dat precies tussen twee tramhalten in lag, bestond uit twee verdiepingen en een souterrain. Omdat er wasgoed aan het balkon hing, zag hij meteen dat de bovenverdieping een woning was. Aan de straatdeur was een bord bevestigd met de naam van het tijdschrift erop bij de benedenverdieping. In het souterrain was de drukkerij gehuisvest, waarvan hij de machines door de getraliede vensters kon zien. Hij liep vier trappen op naar de benedenverdieping en vroeg aan de eerste persoon die hij tegenkwam – een arbeider die drukproeven in zijn hand had –, naar *oestaaz* Adli Kariem, de hoofdredacteur van het tijdschrift. De man wees naar een gesloten deur aan het eind van een hal waarin geen meubels stonden. Op de deur hing een bordje 'hoofdredacteur'. Hij liep erheen en keek rond op zoek naar een receptionist, maar weldra stond hij al voor de deur. Hij aarzelde even en klopte toen zachtjes aan, totdat hij een stem binnen hoorde zeggen: 'Kom binnen.' Hij deed de deur open en ging naar binnen. Zijn blik ontmoette, achter in het vertrek, twee grote ogen die hem vragend aankeken vanonder dikke grijze wenkbrauwen. Hij deed de deur achter zich dicht en zei op verontschuldigende toon: 'Neem me niet kwalijk... Een minuutje...'

'Gaat uw gang,' zei de man vriendelijk.

Ahmed liep naar het bureau, waarop stapels boeken en papieren lagen. Hij groette de *oestaaz*, die was opgestaan, en ging zitten nadat deze weer had plaatsgenomen. Hij voelde zich verheugd en trots, nu hij de grote *oestaaz* zag van wie hij de afgelopen drie jaar verlichting en kennis had ontvangen, zowel door zijn eigen boeken, als door zijn tijdschrift. Hij gaf zijn ogen de kost aan het bleke gezicht met de grijze haren, dat getekend was door de ouderdom. De enige overgebleven sporen van jeugd waren de priemende, glinsterende ogen. Dit was zijn *oestaaz*, of zijn geestelijke vader, zoals hij hem noemde. En nu bevond hij zich bij de bron waaruit al die inspiratie voortsproot, een vertrek waarvan de muren tot aan het plafond achter schappen met boeken schuilgingen.

'Welkom,' zei de *oestaaz* op vragende toon. Ahmed zei slim: 'Ik ben gekomen om mijn abonnement te betalen.'

Toen hij zag dat zijn woorden de juiste uitwerking hadden, vervolgde hij: 'En om te vragen wat er met het artikel is gebeurd dat ik twee weken geleden naar het tijdschrift heb gestuurd.'

Oestaaz Adli Kariem vroeg glimlachend: 'Wat is uw naam?'

'Ahmed Ibrahiem Sjaukat.'

De *oestaaz* fronste nadenkend zijn wenkbrauwen en zei toen: 'Ik herinner me u. U was de eerste die op mijn tijdschrift geabonneerd was. Ja... En u heeft drie abonnees aangebracht, nietwaar? Ik herinner me de naam Sjaukat. Ik meen dat ik u een dankbrief namens het tijdschrift heb gestuurd...'

Opgelucht en dankbaar voor deze welwillende herinnering, zei Ahmed: 'Ik heb een brief van u ontvangen waarin u me "de eerste vriend van het tijdschrift" noemt.'

'Dat klopt. Het tijdschrift *De Nieuwe Mens* heeft een principiële grondslag. Daarom kan het niet zonder trouwe vrienden om zijn weg te banen tussen de vele geïllustreerde en belangentijdschriften. U bent een vriend van het tijdschrift, welkom. Maar heeft u ons nooit eerder met een bezoek vereerd?'

'Nee. Ik heb pas deze maand mijn baccalaureaat gehaald.'

Oestaaz Adli Kariem zei lachend: 'Denkt u dat alleen mensen met een baccalaureaat het tijdschrift mogen bezoeken?'

Ahmed glimlachte verlegen en zei: 'Nee, natuurlijk. Ik bedoel dat ik nog te jong was.'

'Bij een lezer van *De Nieuwe Mens* wordt de leeftijd niet in jaren gerekend,' zei de *oestaaz* ernstig. 'In ons land zijn er oude mannen van over de zestig die nog jong van geest zijn. En er zijn jongemannen in de lente van hun leven maar die geestelijk duizend jaar of ouder zijn. Dat is de kwaal van het Oosten.'

Hij voegde er op vriendelijker toon aan toe: 'Heeft u eerder artikelen gestuurd?'

'Drie artikelen die niet werden geplaatst. Toen een laatste artikel waarvan ik graag zou willen dat het gepubliceerd werd.'

'Waarover? Vergeef me, maar ik ontvang tientallen artikelen per dag.'

'Over de ideeën van Le Bon over het onderwijs, met commentaar.'

'U kunt het in elk geval vinden in het secretariaat, de kamer hiernaast. Dan weet u wat ermee is gebeurd.'

Ahmed maakte aanstalten om op te staan, maar *oestaaz* Adli beduidde hem met een handgebaar te blijven zitten.

'Het is vandaag min of meer een vrije dag op het tijdschrift,' zei hij. 'Ik verzoek u om even met me te blijven praten.'

Met diepe vreugde zei Ahmed zacht: 'Met alle genoegen, efendi.'

'U zei dat u dit jaar het baccalaureaat hebt gehaald. Hoe oud bent u?'

'Zestien jaar.'

'Dat is jong. Goed. Wordt het tijdschrift verspreid op de middelbare scholen?'

'Helaas niet.'

'Dat dacht ik al. Het merendeel van onze lezers is student aan de universiteit. Lezen is in Egypte een goedkoop tijdverdrijf. We zullen ons pas ontwikkelen wanneer we ervan overtuigd raken dat lezen een levensbehoefte is.'

Nadat hij even had gezwegen vervolgde hij: 'En hoe staat het met de leerlingen?'

Ahmed keek hem vragend aan alsof hij hem om meer uitleg vroeg. De man zei: 'Ik bedoel hun politieke voorkeur, omdat die het meest uitgesproken is.'

'De overweldigende meerderheid van de leerlingen is wafdist.'

'Maar er is sprake van nieuwe bewegingen...'

'"Jong Egypte"? Die hebben niets te betekenen. Hun aanhang is op de vingers van één hand te tellen. De andere partijen hebben alleen de verwanten van de leiders als aanhang. En er is een minderheid die zich in het geheel niet voor partijen interesseert. Anderen, en daar hoor ik bij, geven de voorkeur aan de Wafd, maar we streven naar iets beters.'

'Dat is wat ik wilde weten,' zei de man tevreden. 'De Wafd is de partij van het volk, een gewichtige en tegelijkertijd natuurlijke stap in onze ontwikkeling. De Nationale Partij was een Turkse, religieuze en reactionaire partij. De Wafd is de belichaming van het Egyptische nationalisme en heeft het van smetten gezuiverd. Bovendien is zij een leerschool voor nationalisme en democratie. Waar het om gaat is dat het vaderland geen genoegen neemt met deze leerschool en dat behoort het ook niet te doen. We hebben een nieuwe ontwikkelingsfase voor ogen. We hebben een socialistische leerschool voor ogen, want de onafhankelijkheid is geen doel op zichzelf, maar een middel om de grondwettelijke, economische en humanitaire rechten te verwerven.'

Ahmed riep enthousiast: 'Wat mooi gezegd.'

'Maar de Wafd moet het beginpunt zijn. "Jong Egypte" is een fascistische, reactionaire, misdadige beweging, minstens even gevaarlijk als het religieuze conservatisme. Ze is niets meer dan de echo van het Duitse en Italiaanse militarisme, dat geweld vereert en berust op absolutisme, en dat de menselijke waarden en waardigheid veracht. Reactionaire bewegingen zijn een endemische ziekte in het Oosten, zoals cholera en tyfus. Die moeten we uitroeien...'

Opnieuw zei Ahmed geestdriftig: 'De groep rond *De Nieuwe Mens* is daar volledig van overtuigd.'

De man schudde mistroostig zijn grote hoofd en zei: 'Daarom is het tijdschrift het doelwit van aanvallen van de kant van reactionairen van welke overtuiging dan ook. Ze beschuldigen mij ervan de jeugd te bederven.'

'Daar werd Socrates ooit ook van beschuldigd.'

Oestaaz Adli Kariem glimlachte tevreden.

'Wat is jouw richting?' vroeg hij. 'Ik bedoel, welke faculteit ga je kiezen?'

'Letteren.'

De *oestaaz* ging rechtop zitten en zei: 'De literatuur is een van de belangrijkste middelen tot bevrijding, maar kan ook een middel voor reactionairen zijn. Je moet dus weten wat je doet. De Azhar* en de Daar al-Oeloem** brengen ziekelijke literatuur voort die generaties tot geestelijke verstarring heeft gebracht en de geest heeft gebroken. Hoe het ook zij – en verbaas je er niet over dat je dit te horen krijgt van een man die tot de literatoren wordt gerekend –, de wetenschap is het fundament

* Gezaghebbende islamitische universiteit en moskee, gesticht in de 10de eeuw.

* Opleidingsinstituut voor leraren, gesticht aan het einde van de 19de eeuw.

van het moderne leven. We moeten de wetenschappen bestuderen en ons laten doordringen van de wetenschappelijke mentaliteit. Wie niets van de wetenschap weet behoort niet tot de twintigste eeuw, ook al is hij een genie. Letterkundigen moeten er ook hun deel van bemachtigen. De wetenschap is niet meer voorbehouden aan de wetenschappers. Zeker, zij moeten zich bekwamen, de kennis verdiepen en onderzoek en ontdekkingen doen, maar elke intellectueel moet zich erdoor laten verlichten, de grondslagen en doelstellingen overnemen en zich de methoden eigen maken. De wetenschap moet de plaats innemen van de openbaring en de godsdienst in de oude wereld.'

Om de woorden van zijn leermeester te beamen zei Ahmed: 'Daarom was het de boodschap van *De Nieuwe Mens* om de maatschappij op wetenschappelijke basis te ontwikkelen.'

'Ja,' zei Adli Kariem ernstig. 'We moeten allemaal onze plicht vervullen, ook al staan we alleen in het strijdperk.'

Ahmed knikte instemmend. De ander vervolgde: 'Ga letteren studeren, zoals je je hebt voorgenomen. Maar bekommer je meer om je geestelijke vorming dan om het uit je hoofd leren van oude ideeën. En verlies de moderne wetenschap niet uit het oog. Op je bureau moeten, naast Shakespeare en Schopenhauer, ook Comte, Darwin, Freud, Marx en Engels liggen. Wees even enthousiast als de mannen van de godsdienst, maar bedenk dat elke tijd zijn profeten heeft en dat de wetenschappers de profeten van deze tijd zijn.'

De *oestaaz* glimlachte op een manier die aangaf dat hij het gesprek wilde afsluiten. Ahmed stond op, gaf hem een hand en verliet het vertrek, vervuld van levenslust en geluk. In de hal schoten hem het abonnement en het artikel weer te binnen en hij liep naar de aangrenzende kamer. Hij klopte op de deur. Er stonden drie bureaus in het vertrek, waarvan er twee onbezet waren. Aan het derde zat een meisje. Dat had hij niet verwacht en hij keek haar verbaasd en weifelend aan. Ze was in de twintig en had een bruine huid, zwarte ogen en zwart haar. Er school wilskracht in haar scherpe neus, haar puntige kin en haar fijne mond, zonder dat daarmee aan haar schoonheid afbreuk werd gedaan. Terwijl ze hem onderzoekend opnam, vroeg ze: 'Wat wenst u?'

Om zijn aanwezigheid te verklaren zei hij: 'Mijn abonnementsgeld...'

Hij betaalde het bedrag en nam het bonnetje in ontvangst. Onderwijl had hij zijn verlegenheid overwonnen. Hij zei: 'Ik heb een artikel naar het tijdschrift gestuurd. *Oestaaz* Adli Kariem zei me dat het bij het secretariaat zou liggen.'

Ze vroeg hem te gaan zitten op de stoel tegenover het bureau. Toen hij had plaatsgenomen vroeg ze: 'Wat is de titel van het artikel, alstublieft?'

Hij voelde zich niet op zijn gemak in deze situatie, tegenover een meisje.

'Het onderwijs volgens Le Bon,' zei hij. Ze opende een map, sloeg een paar bladen om en haalde het artikel te voorschijn. Ahmed herkende zijn handschrift en zijn hart begon te bonzen. Hij probeerde vanaf zijn plaats het bijschrift in rode inkt te lezen, maar hij kon zich de moeite besparen, want zij zei: 'Er staat bij: "Inkorten en plaatsen bij de lezersbrieven."'

Teleurstelling bekroop hem. Hij keek haar enige ogenblikken zonder iets te zeggen aan, en zei toen: 'In welk nummer?'

'In het volgende nummer.'

Na enige aarzeling vroeg hij: 'En wie kort het in?'

'Ik.'

Geprikkeld vroeg hij: 'En wordt het met mijn naam ondertekend?'

'Natuurlijk,' zei ze lachend. 'Gewoonlijk publiceren wij het voorafgegaan door: "Er heeft ons een brief bereikt van de schrijver (ze keek naar de ondertekening) Ahmed Ibrahiem Sjaukat," en dan geven wij de inhoud in het kort getrouw aan uw gedachten weer.'

Hij aarzelde even en zei: 'Ik had liever gehad dat het in zijn geheel zou worden gepubliceerd.'

'De volgende keer misschien,' zei ze met een glimlach. Hij keek haar even zwijgend aan en vroeg: 'Bent u hier medewerkster?'

'Zoals u ziet.'

Hij had de neiging om haar naar haar kwalificaties te vragen, maar op het laatste moment liet zijn moed hem in de steek. Hij vroeg: 'Wat is uw naam? Dan kan ik u aan de telefoon vragen als het nodig mocht zijn.'

'Sausan Hammaad.'

'Dank u zeer.'

Hij stond op en groette haar met zijn hand. Voordat hij het

kantoor verliet draaide hij zich om en zei: 'Ik hoop dat u het zorgvuldig inkort.'

Zonder naar hem te kijken zei ze: 'Ik ken mijn werk.'

Terwijl hij naar buiten liep had hij spijt van zijn laatste opmerking.

Kamaal zat in zijn studeerkamer, toen Oemm Hanafi binnenkwam om tegen hem te zeggen: 'Si Foeaad al-Hamzawi is bij de oude Sidi...'

Kamaal stond op in zijn wijde *galabiyya** en liep haastig de kamer uit naar beneden.

Foeaad was dus, na een jaar afwezigheid, teruggekeerd naar Caïro. De eerbiedwaardige officier van justitie van Qena was terug. Gevoelens van vriendschap en genegenheid welden op in zijn borst, maar ze waren vermengd met een zweem van ongerustheid, want zijn vriendschap met Foeaad was nog steeds niet vrij van strijd, de strijd tussen liefde en antipathie, tussen sympathie en jaloezie. Hoe hij ook streefde naar geestelijke verhevenheid, zijn instinct deed hem steeds tegen zijn wil afglijden naar aardse trivialiteiten. Terwijl hij de trap afliep twijfelde hij er niet aan dat dit bezoek gelukkige herinneringen in hem zou oproepen, maar tegelijkertijd zou het wonden openrijten die bijna geheeld waren. Toen hij de salon inliep, waar zijn moeder, Aisja en Na'iema voor het koffieuur bijeen waren, hoorde hij zijn moeder fluisterend zeggen: 'Hij zal om Na'iema's hand vragen...'

Ze merkte zijn aanwezigheid op en wendde zich tot hem.

'Je vriend is binnen,' zei ze. 'Wat is hij vriendelijk. Hij wilde mijn hand kussen, maar ik hield hem tegen.'

Hij zag zijn vader op de canapé zitten met Foeaad op een stoel tegenover hem. De twee oude vrienden gaven elkaar een hand. Kamaal zei: 'God zij dank voor je behouden terugkeer. Welkom... Heb je vakantie?'

Sajjid Ahmed gaf glimlachend in zijn plaats antwoord: 'Nee, hij is overgeplaatst naar Caïro. Eindelijk is hij overgeplaatst, na een lange ballingschap in Opper Egypte.'

Terwijl hij op de canapé ging zitten zei Kamaal: 'Gefeliciteerd. Van nu af aan hopen we je af en toe te zien...'

* Eenvoudig lang gewaad.

'Natuurlijk,' zei Foeaad. 'Vanaf de eerste van de komende maand wonen we in al-Abbasiyya. We hebben een appartement gehuurd naast het politiebureau van al-Wajili.'

Uiterlijk was Foeaad niet veel veranderd, maar zijn gezondheid was zichtbaar vooruitgegaan. Hij was gevulder en had een blozend gezicht. In zijn ogen lag nog steeds die intelligente flonkering.

Sajjid Ahmed vroeg aan de jongeman: 'Hoe gaat het met je vader? Ik heb hem al een week niet meer gezien.'

'Zijn gezondheid laat te wensen over. Het doet hem nog steeds verdriet dat hij zich uit de winkel heeft teruggetrokken. Maar hopelijk is zijn opvolger tegen zijn taak opgewassen...'

Sajjid Ahmed zei lachend: 'Ik moet tegenwoordig voortdurend opletten. Vroeger zorgde je vader voor alles. God geve hem gezondheid.'

Foeaad ging rechtop zitten en sloeg zijn benen over elkaar. Deze beweging trok Kamaals aandacht en ergerde hem enigszins. Zijn vader had het zo te zien niet opgemerkt. Was alles zozeer veranderd? Hij was weliswaar officier van justitie, een gewichtig man, maar was hij vergeten wie er tegenover hem zat? En het bleef hier niet bij, want hij haalde een pakje sigaretten te voorschijn en hield het sajjid Ahmed voor, die beleefd afsloeg. Het was begrijpelijk dat zijn positie hem zijn manieren deed vergeten, maar het was betreurenswaardig dat die vergeetachtigheid zelfs zijn weldoener trof, wiens verdiensten blijkbaar in rook waren opgegaan, net als die luxe-sigaret. De bewegingen van Foeaad waren op geen enkele manier gekunsteld, hij was een heer die met zijn status vertrouwd was. Sajjid Ahmed zei tegen Kamaal: 'En feliciteer hem nogmaals, want hij is van assistent tot hoofdofficier gepromoveerd.'

'Gefeliciteerd, gefeliciteerd,' zei Kamaal met een glimlach. 'Ik hoop je binnenkort weer te kunnen feliciteren als je rechter wordt.'

'Dat is de volgende stap, hopelijk,' zei Foeaad.

Misschien veroorlooft hij het zich, als hij rechter is, te pissen in het bijzijn van de man die nu tegenover hem zit. Een onderwijzer blijft altijd onderwijzer, die hoeft alleen maar een flinke snor te hebben en tonnen kennis waaronder hij gebukt gaat.

Terwijl hij Foeaad ernstig aankeek, vroeg sajjid Ahmed: 'En hoe staat het met de politiek?'

'Het wonder is geschied,' zei Foeaad vergenoegd. 'Het verdrag is in Londen ondertekend. Ik luisterde naar de radio en toen werd de onafhankelijkheid van Egypte uitgeroepen, en de beëindiging van de vier restricties.* Ik kon mijn oren niet geloven. Wie had dat ooit gedacht?'

'Jij behoort dus tot degenen die het verdrag toejuichen?'

Hij knikte, als een gewichtig iemand, en zei: 'Over het geheel genomen wel. Het verdrag heeft oprechte tegenstanders en onoprechte tegenstanders. Als we de omstandigheden waarin we ons bevinden in aanmerking nemen, en in gedachten houden dat ons volk de periode Sidki, hoe bitter die ook was, heeft ondergaan zonder in opstand te komen, moeten we het verdrag als een geslaagde stap beschouwen. De restricties zijn opgeheven en de weg is geëffend voor het afschaffen van de buitenlandse privileges. En aan de bezetting, die al tot een bepaald gebied was beperkt, is een termijn gesteld. Dat is zonder meer een geweldige stap voorwaarts.'

Sajjid Ahmed was een geestdriftiger voorstander van het verdrag en nam de omstandigheden minder in aanmerking. Hij had graag gewild dat de ander zijn enthousiasme had gedeeld. Nu dit niet zo bleek te zijn, zei hij koppig: 'Hoe het ook zij, we mogen niet vergeten dat de Wafd de natie haar grondwet heeft teruggegeven en de onafhankelijkheid heeft verwezenlijkt, ook al heeft het lang geduurd.'

Kamaal dacht: Foeaad was altijd al 'koel' in zijn politieke meningen, waarschijnlijk is hij daar niet in veranderd. Nu neigt hij blijkbaar tot de Wafd, terwijl ik, die me steeds door mijn emotie liet leiden, uiteindelijk in niets meer geloofde. Zelfs de politiek is niet voor mijn gulzige scepsis gespaard gebleven. Maar ondanks mijn verstand gaat mijn hart nog altijd uit naar het nationalisme.

Foeaad vervolgde lachend: 'In tijden van omwentelingen raakt de magistratuur op de achtergrond en treedt de politie op de voorgrond, want dat zijn tijden voor de politie. Als de Wafd weer aan de macht is krijgt de magistratuur haar plaats weer terug en moet de politie haar grenzen in acht nemen.

* Met de 'vier restricties' werden bij de Egyptische onafhankelijkheid in 1922 de Britse privileges op het gebied van interne veiligheid, defensie, buitenlandse belangen en de Soedan geregeld.

Want wanneer er een normaal gezag is, heeft de wet het laatste woord.'

Sajjid Ahmed merkte op: 'Zouden we de tijd van Sidki ooit kunnen vergeten? De soldaten dreven de mensen met stokken bijeen als er verkiezingen waren. Veel notabelen die met ons bevriend waren zijn geruïneerd en failliet verklaard als straf voor hun trouw aan de beginselen van de Wafd. En opeens zien we de "duivel" in de onderhandelingsdelegatie in de kleren van de Liberale Nationalisten.'

'De omstandigheden vereisten eendracht,' zei Foeaad. 'Die eendracht kon alleen worden verwezenlijkt door de "duivel" en zijn helpers erin op te nemen. Het is het resultaat dat telt.'

Foeaad bleef geruime tijd in het gezelschap van zijn vader. Terwijl hij koffie dronk, nam Kamaal hem onderzoekend op. Zijn aandacht werd getrokken door het elegante witzijden pak, de rode roos die zijn knoopsgat sierde en de krachtige persoonlijkheid die zijn positie hem had verschaft. Diep in zijn hart had hij het gevoel dat het hem ondanks alles plezier zou doen als deze jongeman de hand van zijn nicht zou vragen. Foeaad sneed het onderwerp echter niet aan. Het leek alsof hij wilde weggaan. Hij zei tegen sajjid Ahmed: 'Het is tijd voor u om naar de winkel te gaan. Ik blijf nog even bij Kamaal. Voordat ik naar Alexandrië vertrek zal ik u bezoeken, want ik heb besloten de rest van augustus en een deel van september in het zomerverblijf door te brengen.'

Hij stond op, gaf sajjid Ahmed een hand en verliet de kamer, voorgegaan door Kamaal. Samen liepen ze naar de bovenverdieping, waar ze in de studeerkamer plaatsnamen. Foeaad begon in de boeken te bladeren die op de schappen stonden en vroeg glimlachend: 'Zou ik niet een boek van je kunnen lenen?'

Terwijl hij zijn ongerustheid probeerde te maskeren, zei Kamaal: 'Met alle plezier. Wat lees je zoal in je vrije tijd?'

'Ik heb de verzamelde werken van Sjauki en Hafiz en Moetraan... En een paar boeken van al-Djahiz* en al-Ma'arri. Ik houd vooral van *Richtlijnen voor de wereld en de godsdienst* van al-Mawardi,** naast de geschriften van onze moderne schrijvers

* Belangrijke negende-eeuwse prozaschrijver.

** Belangrijk elfde-eeuws denker.

en werk van Dickens en Conan Doyle. Maar het bestuderen van de wetboeken neemt het grootste deel van mijn tijd in beslag.'

Hij stond op en maakte een ronde langs de boeken, waarbij hij de titels oplas. Uiteindelijk zei hij met een zucht: 'Alleen maar filosofische boeken. Niets voor mij. Ik lees het tijdschrift *al-Fikr*, waarin je schrijft, en ik volg al jaren je artikelen. Ik beweer niet dat ik ze allemaal gelezen heb, of dat ik er iets van onthouden heb. Niets is moeilijker te lezen dan een filosofisch tijdschrift, en een officier van justitie is overladen met werk. Waarom schrijf je niet over meer aansprekende onderwerpen?'

Hij had al vaak moeten aanhoren dat zijn inspanningen ten grave werden gedragen. Maar hij was er niet erg bedroefd om, het was alsof hij zich eraan gewend had. De twijfel verzwolg zelfs de droefheid. Wat was roem? Wat was de waarde van aansprekende onderwerpen? Het deed hem zelfs werkelijk genoegen dat Foeaad hem niet beschouwde als een vrije-tijdsbesteding. Hij vroeg hem: 'Wat bedoel je met "aansprekende onderwerpen"?'

'Bellettrie, bijvoorbeeld.'

'Ik heb veel mooie bellettrie gelezen sinds we samen waren, maar ik ben geen romanschrijver of dichter.'

Foeaad zei lachend: 'Blijf dan maar alleen met de filosofie. Je bent toch filosoof?'

Je bent toch filosoof? Deze woorden waren in zijn ziel gegrift. Zijn hart beefde bij de klank ervan, sinds Ajida ze in de Paleisstraat had uitgesproken. Hij lachte echter luid om zijn gevoelens te verhullen. Vervolgens moest hij denken aan de tijd waarin Foeaad hem probeerde te behagen en hem volgde als een schaduw. En nu zag hij Foeaad als een gewichtig man, die het zelf verdiende behaagd te worden en aan wie hij loyaliteit verschuldigd was. Wat heeft mijn leven mij opgeleverd?

Foeaad keek naar de snor van zijn vriend, lachte plotseling en zei: 'Hoe dan ook...'

Kamaal keek hem vragend aan. De ander vervolgde: 'We zijn allebei al bijna dertig en nog steeds niet getrouwd. Onze generatie bestaat bijna alleen maar uit vrijgezellen. De crisisgeneratie. Ben jij nog niet van mening veranderd?'

'Ik wijk niet...'

'Ik weet niet waarom, maar ik denk dat jij nooit zult trouwen.'

'Jij hebt altijd al een vooruitziende blik gehad.'

Foeaad glimlachte minzaam, alsof hij zich van tevoren wilde verontschuldigen voor wat hij ging zeggen.

'Je bent een egoïst. Je wilt je leven beslist helemaal voor jezelf houden. Jongen, zelfs de Profeet is getrouwd en dat heeft hem niet verhinderd zijn prachtige geestelijke leven te volbrengen.'

Lachend voegde hij eraan toe: 'Neem me niet kwalijk dat ik de Profeet als voorbeeld nam. Ik was even vergeten dat je... Maar niet te snel, je bent niet meer zo atheïstisch als vroeger. Je twijfelt nu zelfs aan het atheïsme. Dat is een stap vooruit voor het geloof.'

'Laat dat gefilosofeer maar,' zei Kamaal kalm. 'Je houdt er immers niet van. Vertel me eens waarom jij niet getrouwd bent, terwijl je zo over het vrijgezellenbestaan denkt?'

Hij had ogenblikkelijk het gevoel dat hij die vraag niet had behoren te stellen, en vreesde dat de ander de vraag zou uitleggen als een uitnodiging om over zijn verloving met Na'iema te praten. Maar Foeaad scheen daar niet aan te denken. Hij lachte luid, ook al behield hij daarbij zijn waardigheid, en antwoordde: 'Je weet dat ik pas laat losbandig ben geworden, niet zo vroeg als jij. En ik ben nog niet verzadigd.'

'Ga je trouwen als je verzadigd bent?'

Hij sloeg met zijn vlakke hand in de lucht, alsof hij de leugen wilde verdrijven en zei op vertrouwelijke toon: 'Nu ik al zo lang geduld heb geoefend kan ik nog wel wat langer wachten. Ik wacht tot ik tot rechter ben opgeklommen, bijvoorbeeld, dan zal ik in staat zijn me met een minister te liëren als ik dat wil...'

Kijk eens aan, de zoon van Gamiel al-Hamzawi, de bruidegom van de dochter van een minister, terwijl haar schoonmoeder uit al-Moebajjada afkomstig is. Ik daag Leibniz uit dat te rechtvaardigen, zoals hij de aanwezigheid van het slechte in de schepping heeft gerechtvaardigd.

'Jij ziet het huwelijk op een bepaalde manier...'

Foeaad onderbrak hem lachend voordat hij zijn zin kon afmaken.

'Dat is beter dan iemand die het op geen enkele manier ziet.'

'Maar geluk...'

'Niet filosoferen. Het geluk is een individuele kunst. Je kunt het misschien vinden bij de dochter van een minister, terwijl je in je eigen milieu niets dan ellende ondergaat. Het huwelijk is net zo'n overeenkomst als die an-Nahhaas gisteren heeft ondertekend, het vereist onderhandeling, inschatting, slimheid, een verziende blik, meevallers en tegenslagen. In ons land worden hoge posities alleen op die manier bereikt. Vorige week is een man tot raadsheer benoemd die nog geen veertig jaar oud is, terwijl ik misschien mijn leven lang moet ploeteren en zwoegen zonder ooit die hoge rang te bereiken.'

Wat zou hij zeggen over een onderwijzer op de lagere school, die zijn hele leven in de zesde rang blijft, ook al loopt zijn hoofd over van de filosofie?

'Je positie zal je van dergelijke risico's vrijwaren.'

'Zonder deze risico's zou geen premier een regering kunnen vormen.'

Kamaal lachte lusteloos en zei: 'Je zou wel wat filosofie kunnen gebruiken, je hebt een portie Spinoza nodig.'

'Doe jij je daar maar te goed aan. Genoeg... Vertel me liever iets over de huizen van plezier en drank. In Qena moest ik mijn pleziertjes stiekem halen. Onze positie veroordeelt ons tot isolement en het mijden van de mensen. De eeuwige strijd tussen ons en de politie legt ons nog meer voorzichtigheid op. Het is een gevaarlijke, vermoeiende functie.'

Terug bij het gesprek waardoor mijn bitterheid dreigt open te barsten. Vergeleken met jou is mijn leven een en al moralisme en terechtwijzing, en de zwaarste beproeving voor mijn stuurloze filosofie in dit leven.

'Denk je eens in, de omstandigheden brengen me in contact met veel notabelen. Ze nodigen me uit in hun paleis, maar ik vind dat de plicht me oplegt te weigeren, opdat ik niet word beïnvloed bij de uitoefening van mijn taak. Met hun mentaliteit begrijpen zij dat niet, zodat de notabelen van het hele district me arrogantie verwijten, waarvan ik volstrekt vrij ben.'

Helemaal niet, je bent tegelijkertijd ijdel en zelfingenomen en gefixeerd op je functie.

'Ja,' zei Kamaal.

'Om dezelfde reden mijd ik de mannen van de politie. Ik

stem niet in met hun dubieuze methoden. Daarom ben ik voor hen op mijn hoede. Ik heb de wet achter me staan, zij hebben de middeleeuwse wreedheid achter zich staan. Ze hebben allemaal een hekel aan me, maar ik heb het gelijk aan mijn kant.'

Ja, jij hebt het gelijk aan je kant, dat weet ik al lang, intelligent en integer, maar je hebt niet lief en kunt niet liefhebben. Je hecht niet aan het rechtvaardige louter om zichzelf, maar uit zelfingenomenheid, arrogantie en minderwaardigheidsgevoel. Zo is de mens. Ik kom zelfs in de lage functies mensen als jij tegen. De mens die tegelijkertijd sterk en sympathiek is, is een mythe. Wat is de waarde van liefde? En van idealisme? Van alles?

Ze waren lange tijd op deze wijze in gesprek. Toen Foeaad aanstalten maakte om weg te gaan, neeg hij naar Kamaals oor en vroeg: 'Ik ben nieuw in Caïro, jij kent vast wel een huis, of meer huizen... Discreet, natuurlijk...'

Met een glimlach zei Kamaal: 'Een onderwijzer hecht evenveel belang aan discretie als een officier van justitie.'

'Prachtig. We zullen elkaar snel weer ontmoeten. Nu ben ik te druk met het inrichten van het nieuwe appartement. We moeten zeker een paar keer samen uitgaan.'

'Afgesproken.'

Ze verlieten samen het vertrek en Kamaal nam pas afscheid van zijn vriend nadat hij hem tot aan de buitendeur had begeleid. Toen hij, terwijl hij terugliep, over de eerste verdieping kwam, zag hij zijn moeder bij de ingang staan wachten. Ze vroeg hem ongerust: 'Heeft hij met je gesproken?'

Hij begreep waarop ze doelde en het deed hem ongekend veel pijn. Maar hij deed alsof hij het niet begreep en vroeg: 'Waarover?'

'Na'iema...'

'Nee,' antwoordde hij bitter.

'Vreemd...'

Ze keken elkaar langdurig aan. Toen vervolgde Amiena: 'Maar al-Hamzawi heeft met je vader gesproken.'

Terwijl hij zijn best deed om zijn woede te verhullen zei Kamaal: 'Misschien sprak hij niet namens zijn zoon.'

'Dat is ongehoord,' zei Amiena boos. 'Beseft hij niet wat zijn positie ten opzichte van haar is? Je vader had hem op zijn plaats moeten wijzen.'

'Foeaad kan er niets aan doen. Misschien heeft zijn vader met de beste bedoelingen te gehaast gehandeld, zonder er goed over na te denken.'

'Maar hij heeft er ongetwijfeld met zijn zoon over gesproken. Heeft die dan geweigerd? En wij hebben nog wel een gerespecteerd ambtenaar van hem gemaakt met ons geld.'

'Dat hoef je er niet bij te betrekken.'

'Dit is iets onvoorstelbaars, jongen. Beseft hij niet dat het voor ons niet eervol is ons met zijn familie te verbinden?'

'Treur er dan niet om.'

'Ik treur er niet om, ik ben boos om de belediging.'

'Er is geen sprake van een belediging. Het is alleen maar een misverstand.'

Bedroefd en beschaamd liep hij naar zijn kamer. Na'iema is een mooie bloem, zei hij in zichzelf. Maar ik ben een man wiens enige verdienste is dat hij de waarheid liefheeft, dus ik moet mezelf vragen of ze werkelijk een goede partij is voor een officier van justitie. Ondanks zijn lage afkomst kan hij in zijn leven een vrouw krijgen die beter opgeleid, van betere komaf, rijker en mooier is. Zijn goede vader is misschien te gehaast geweest en dat is niet zijn fout. Toch was hij brutaal in zijn gesprek met mij, hij is zonder twijfel brutaal. Hij is een intelligent, integer, competent, brutaal en verwaand man. Maar dat is niet zijn schuld, het is de schuld van die verschillen tussen mensen die allerlei ziekten in ons veroorzaken.

Het tijdschrift *al-Fikr* was gehuisvest op de begane grond van het gebouw in de Abd al-Aziezstraat nummer eenentwintig. Het kantoor van de hoofdredacteur, *oestaaz* Abd al-Aziez al-Assioeti, had een getralied venster dat uitkeek op de duistere Barakaatsteeg. De verlichting was dan ook dag en nacht aan. Telkens wanneer Kamaal op de redactie kwam, deden de lage, donkere ligging en het versleten meubilair hem denken aan de plaats van het 'denken' in het land, en zijn eigen plaats in de maatschappij.

Oestaaz Abd al-Aziez begroette hem met een vriendelijke glimlach, wat niet verwonderlijk was, want zij kenden elkaar al sinds 1930, toen Kamaal was begonnen zijn filosofische artikelen in te sturen. Daarop waren zes jaar gevolgd waarin zij trouw en onbezoldigd hadden samengewerkt. Al degenen die voor het tijdschrift schreven, deden dit ter wille van de filosofie en de cultuur, zonder beloning.

Abd al-Aziez verwelkomde alle auteurs die zich aanboden, zelfs specialisten in de islamitische filosofie, zoals hijzelf. Hoewel hij aan de Azhar was opgeleid, was hij naar Frankrijk gereisd, waar hij vier jaar lang als toehoorder had gestudeerd zonder een wetenschappelijke graad te behalen. Hij hoefde niet voor zijn levensonderhoud te werken, aangezien hij onroerend goed bezat dat hem een inkomen van vijftig pond per maand verschafte. Hij had het tijdschrift *al-Fikr* in 1923 opgericht en had volhard in het uitgeven, hoewel de inspanningen die hij zich ervoor getroostte nauwelijks in overeenstemming waren met de verdiensten die het opleverde.

Nauwelijks was Kamaal gaan zitten of een man van ongeveer dezelfde leeftijd als hij betrad het vertrek. Hij was gekleed in een grijs linnen pak, was lang van postuur en mager, ook al was hij gevulder dan Kamaal en niet zo lang als hij. Hij had een langwerpig gezicht, een middelhoog voorhoofd, gevulde lippen, een smalle neus en een puntige kin, die zijn gezicht iets karakteristieks gaf. Hij kwam met soepele pas en met een glimlach op zijn gezicht dichterbij en gaf *oestaaz* Abd al-Aziez een hand. Deze stelde hem aan Kamaal voor: '*Oestaaz* Rijaad Koeldoes, vertaler op het ministerie van Onderwijs. Hij is onlangs toegetreden tot de groep schrijvers van *al-Fikr* en heeft ons tijdschrift nieuw bloed gegeven met zijn korte verhalen en zijn maandelijkse resumé van het internationale toneel.'

Daarna stelde hij Kamaal voor: '*Oestaaz* Kamaal Ahmed Abd al-Gawwaad, misschien lees je zijn artikelen...'

De twee mannen gaven elkaar een hand, terwijl Rijaad vol bewondering zei: 'Ik lees zijn artikelen al jaren. Artikelen van waarde, in de volle betekenis van het woord.'

Kamaal bedankte hem behoedzaam voor het compliment. Vervolgens namen ze op twee stoelen tegenover elkaar plaats voor het bureau van *oestaaz* Abd al-Aziez, die vervolgde: 'Verwacht niet dat hij zal antwoorden dat hij uw waardevolle verhalen heeft gelezen, *oestaaz* Rijaad. Hij leest nooit verhalen.'

Rijaad lachte innemend, waarbij hij zijn regelmatige, glanzende gebit liet zien, met een spleetje tussen de voortanden, en zei: 'Houdt u dan niet van literatuur? Elke filosoof heeft een eigen esthetica. Die ontwikkelt hij alleen nadat hij uiteenlopende kunstvormen, waaronder de literatuur natuurlijk, uitvoerig heeft bestudeerd.'

Enigszins in verlegenheid gebracht zei Kamaal: 'Ik heb geen hekel aan de literatuur. Ik heb vaak gewandeld in de tuinen van poëzie en proza. Maar er zijn maar weinig momenten van rust.'

'Dat betekent dat u zoveel verhalen heeft gelezen als u kon, want de moderne literatuur beperkt zich vrijwel tot het verhaal en het toneel.'

Kamaal zei: 'Daarvan heb ik er een grote hoeveelheid gelezen in de loop der tijd, maar ik...'

Op dat moment onderbrak Abd al-Aziez al-Assioeti hem met een veelzeggende glimlach: 'U moet voortaan proberen hem van uw nieuwe ideeën te overtuigen, *oestaaz* Rijaad. Voor dit moment hoeft u alleen te weten dat hij filosoof is. En dat zijn passie gericht is op het denken.'

Hij wendde zich tot Kamaal.

'Heb je het artikel van deze maand meegebracht?'

Kamaal haalde een middelgrote enveloppe te voorschijn en legde die zwijgend voor de *oestaaz*, die hem op zijn beurt opnam en er de velletjes van het artikel uithaalde. Terwijl hij de titel bekeek, zei hij: 'Over Bergson? Uitstekend.'

'Het is een algemeen overzicht, waarin de rol van zijn filosofie in de geschiedenis van het moderne denken wordt uitgelegd. Misschien laat ik het volgen door andere, meer gedetailleerde artikelen.'

Rijaad Koeldoes volgde het gesprek aandachtig en vroeg terwijl hij Kamaal met vriendelijke blik aankeek: 'Ik heb uw artikelen jaren lang gevolgd, sinds u begon te schrijven over de Griekse filosofie. Het waren gevarieerde artikelen die soms met elkaar in tegenspraak waren, naargelang de filosofie die erin werd belicht. Daaruit begreep ik dat u historicus bent. Maar ik heb tevergeefs geprobeerd af te leiden wat uw standpunt was ten opzichte van uw onderwerpen. Welke filosofie hangt u aan?'

Abd al-Aziez al-Assioeti zei: 'Wij zijn nog maar net begonnen met filosofische studies en moeten dus aanvangen met algemene inleidingen. Misschien brengt *oestaaz* Kamaal te zijner tijd een nieuwe filosofie voort. En misschien bent u, *oestaaz* Rijaad, dan wel een van de aanhangers van het Kamalisme.'

Ze lachten alle drie. Kamaal nam zijn bril af en begon de glazen te poetsen. Hij was altijd snel in gesprek gewikkeld, vooral wanneer het gezelschap hem aanstond en de sfeer opgeruimd en ontspannen was.

'Ik dwaal door een museum waarin niets van mij is,' zei hij. 'Louter een historicus, ik weet niet waar ik moet blijven staan.'

Met toenemende aandacht zei Rijaad Koeldoes: 'Dat wil zeggen dat u op een kruispunt staat. Ik heb ook lange tijd in die positie verkeerd, voordat ik wist welke richting ik moest inslaan. Maar ik veronderstel dat die positie een voorgeschiedenis heeft, omdat zij meestal het eind van een fase en het begin van een nieuwe fase markeert. Heeft u niet voordat u deze positie innam verscheidene soorten geloof aangehangen?'

De toon van dit gesprek riep de herinnering in hem op aan een oud liedje, dat in het hart wortelde. Deze jongeman, dit gesprek... Er waren jaren voorbijgegaan verstoken van geestelijke vriendschap, waarna hij eraan gewend was geraakt tegen zichzelf te spreken als hij iemand nodig had om mee van gedachten te wisselen. Lange tijd was niemand in staat geweest deze geestelijke energie in hem op te roepen, noch Isma'iel Latief, noch Foeaad al-Hamzawi, noch de tientallen onderwijzers. Was de tijd gekomen waarop de lege plaats die Hoessein Sjaddaad had achtergelaten zou worden opgevuld? Hij zette zijn bril weer op en zei met een glimlach: 'Natuurlijk is er een voorgeschiedenis. Zoals gewoonlijk geloofde ik eerst in de godsdienst, daarna in de waarheid.'

'Ik herinner me dat u eens de filosofie van het materialisme met dubieus enthousiasme heeft uitgelegd.'

'Het was oprecht enthousiasme, maar niet lang daarna heb ik me beraden en...'

'Toen kwam het rationalisme?'

'Daarna heb ik me opnieuw beraden. Filosofieën zijn fraaie, rustige paleizen, maar ze zijn niet geschikt om in te wonen.'

Abd al-Aziez zei glimlachend: 'En dat zegt iemand die het kan weten.'

Kamaal haalde onverschillig de schouders op. Rijaad vervolgde zijn verhoor en vroeg: 'Dan is er nog de wetenschap, heeft die u van uw twijfels bevrijd?'

'Dat is een wereld die voor ons gesloten blijft en waarvan we alleen de meest algemene verworvenheden kennen. Ik heb bovendien over uitblinkende wetenschappers gelezen die eraan twijfelden dat de wetenschappelijke werkelijkheid in overeenstemming was met de reële werkelijkheid. Anderen twijfelen aan de geldigheid van de wet van de waarschijnlijkheid. Weer anderen wijzen de aanspraak op een absolute waarheid af. Al snel heb ik me weer beraden...'

Rijaad Koeldoes lachte zonder iets te zeggen. De ander hernam: 'Ik heb me zelfs tot aan mijn oren in de nieuwste geestelijke avonturen en het spiritisme gestort. Mijn hoofd tolde ervan en tolt nog steeds in een angstaanjagende leegte. Wat is de waarheid? Wat zijn de normen? Wat is de betekenis van alles? Soms heb ik het gevoel dat mijn geweten evenveel knaagt als ik het goede doe als wanneer ik in het slechte verval.'

Abd al-Aziez barstte in lachen uit en zei: 'De godsdienst heeft zich op je gewroken. Je bent ervan weggevlucht naar hogere waarheden en staat nu met lege handen.'

Schijnbaar uit hoffelijkheid, niets meer dan dat, zei Rijaad Koeldoes: 'Die sceptische houding is verrukkelijk. Beschouwen, bespiegelen en absolute vrijheid. En van alles iets oppikken, als een reiziger.'

'Je bent een vrijgezel in je denken,' zei Abd al-Aziez tegen Kamaal. 'Net als in je leven.'

Kamaal dacht ernstig na over deze terloopse opmerking. Zou het feit dat hij vrijgezel was zijn voortgekomen uit zijn denken, of omgekeerd? Of waren beide zaken het gevolg van een derde factor?

'Het vrijgezellenbestaan is iets tijdelijks,' zei Rijaad Koeldoes. 'Misschien de scepsis ook.'

Abd al-Aziez zei: 'Maar zo te zien zal hij nooit besluiten te trouwen.'

'Waarom zouden twijfel en liefde onverenigbaar zijn?' vroeg Rijaad verbaasd. 'En wat belet een verliefd man te trouwen? Als iemand koste wat het kost volhardt in het vrijgezellenbestaan, is dat niet te rijmen met een sceptische houding. Twijfel kent geen onveranderlijkheid.'

Zonder dat hij het in zijn hart ernstig meende vroeg Kamaal: 'Vereist de liefde niet iets dat op geloof lijkt?'

'Welnee,' zei Rijaad Koeldoes lachend. 'De liefde is als een aardbeving, die zowel de moskee en de kerk als het bordeel op hun grondvesten doet schudden.'

Een aardbeving? Wat een juiste vergelijking. Een aardbeving die alles verwoest en de wereld dan in een doodse stilte dompelt.

'En u, *oestaaz* Koeldoes, u hebt ook de lof van de twijfel gezongen. Bent u er ook een aanhanger van?'

Abd al-Aziez zei lachend: 'Hij is er in elk geval een liefhebber van.'

Ze barstten in lachen uit. Toen zei Rijaad, alsof hij zichzelf voorstelde: 'Een tijd lang ben ik er een aanhanger van geweest, maar ik ben verdergegaan. Ik twijfel niet meer aan de godsdienst, omdat ik die heb afgezworen. Maar ik geloof wel in de wetenschap en de kunst. Tot in eeuwigheid, als God het wil.'

Abd al-Aziez vroeg ironisch: 'De God in wie je niet gelooft?'

'Godsdienst behoort tot het domein van de mensen, maar van God weten we niets,' zei Rijaad Koeldoes glimlachend. 'Wie kan zeggen dat hij niet in God gelooft, of dat hij wel in God gelooft? De profeten zijn de ware gelovigen, omdat ze Hem gezien of gehoord hebben, of omdat ze met de brengers van Zijn boodschap hebben gesproken.'

Kamaal zei: 'Maar u gelooft toch in de wetenschap en de kunst?'

'Jazeker.'

'Het geloof in de wetenschap heeft een zekere rechtvaardiging, maar de kunst... Ik geloof bijvoorbeeld liever in geesten dan in de novelle.'

Rijaad keek hem met misprijzende blik aan en zei kalm: 'De wetenschap is de taal van het verstand. De kunst is de taal van de hele menselijke persoonlijkheid.'

'Dat lijkt wel poëzie.'

Rijaad reageerde met een toegeeflijke glimlach op Kamaals ironie.

'De wetenschap brengt de mensen bijeen in het licht van haar gedachten. De kunst brengt hen bijeen in een verheven menselijke emotie. Allebei dragen ze bij tot de ontwikkeling van de mensheid en het bewerkstelligen van een betere toekomst.'

Wat een zelfingenomenheid! Hij schrijft elke maand een verhaal van twee bladzijden en denkt dat hij bijdraagt tot de ontwikkeling van de mensheid. Maar ik ben niet minder walgelijk dan hij. Omdat ik een hoofdstuk van *De geschiedenis van de filosofie* van Höffding samenvat, eis ik in mijn hart ten minste de gelijke te zijn van Foeaad al-Hamzawi, de officier van justitie in ad-Darb al-Ahmar. Maar hoe zou het leven anders te verdragen zijn? Zijn we waanzinnig, of wijs, of louter levende wezens? Het kan me allemaal gestolen worden.

'Wat vindt u van de geleerden die uw enthousiasme voor de wetenschap niet delen?'

'We moeten wetenschappelijke bescheidenheid niet uitleggen als onmacht of wanhoop. De wetenschap is de toverkracht, het licht, de gids en het wonder van de mensheid. En de godsdienst van de toekomst.'

'En de novelle?'

Rijaad wekte voor het eerst de indruk dat hij zijn ergernis moest onderdrukken. Kamaal verbeterde zich op verontschuldigende toon: 'Ik bedoel de kunst in het algemeen?'

Rijaad Koeldoes vroeg geestdriftig: 'Kunt u in volstrekte eenzaamheid leven? We hebben behoefte aan intimiteit, troost, vreugde, leiding, licht... En aan reizen naar alle hoeken van de wereld en de ziel. Dat is de kunst...'

Op dat moment zei *oestaaz* Abd al-Aziez: 'Ik heb een idee. We zouden met een paar collega's een keer per maand bijeen kunnen komen om van gedachten te wisselen over allerlei onderwerpen. Dan kunnen we onze discussie publiceren onder de titel "Discussie van de maand".'

Terwijl hij Kamaal vriendschappelijk aankeek, zei Rijaad Koeldoes: 'Onze discussie zal niet ophouden, dat hoop ik althans. Zullen we elkaar als vrienden beschouwen?'

'Vanzelfsprekend,' zei Kamaal met oprechte geestdrift. 'We moeten elkaar zo vaak mogelijk ontmoeten.'

Kamaal was vervuld van geluk vanwege deze nieuwe vriendschap. Hij had het gevoel dat een verheven deel van hem na een diepe sluimering was ontwaakt en was meer dan voorheen overtuigd van de belangrijke, vitale rol die vriendschap in zijn leven speelde. Hij kon niet zonder vriendschap, anders was hij als een smachtende in de woestijn.

Bij al-Ataba gingen de twee nieuwe vrienden uiteen. Het liep tegen acht uur 's avonds en het was verstikkend heet. Kamaal liep van al-Moeski terug, maar bij de Gauharisteeg vertraagde hij zijn pas. Hij sloeg de steeg in, liep naar de derde deur aan zijn linkerhand en beklom de trap tot aan de tweede verdieping. Daar belde hij aan. Het luikje in de deur ging open en het gezicht van een vrouw die de zestig al was gepasseerd verscheen. Ze groette hem met een glimlach waarbij ze haar gouden tanden ontblootte en deed de deur open. Hij liep zonder iets te zeggen naar binnen. De vrouw riep uit: 'Welkom, zoon van mijn geliefde, welkom, zoon van mijn broer.'

Hij volgde haar naar de salon, waaromheen de kamers waren gegroepeerd. Er stonden twee canapés tegenover elkaar met ertussen een smal geborduurd kleed, een tafeltje en een waterpijp. Er hing een geur van wierook. De vrouw was zwaarlijvig, maar broos van ouderdom en had een met lovertjes versierde doek om haar hoofd. In haar met kohl omrande ogen lag een zware blik die de invloed van verdovende middelen verried en in de rimpels op haar gezicht waren de sporen van voorbije schoonheid en een diepgewortelde losbandigheid te zien. Ze ging met gekruiste benen op de canapé bij de waterpijp zitten en gebaarde dat hij naast haar moest plaatsnemen. Terwijl hij ging zitten vroeg hij glimlachend: 'Hoe gaat het, sitt Galiela?'

'Zeg "tante" tegen me,' riep ze protesterend.

'Hoe gaat het, tante?'

'Het gaat prima, zoon van Abd al-Gawwaad.'

Ze verhief haar stem en riep hees: 'Nazla, meisje!'

Enkele ogenblikken later kwam de dienstbode binnen met twee gevulde glazen, die ze op het tafeltje zette. Galiela zei: 'Drink... Hoe vaak heb ik dat niet tegen je vader gezegd in de verrukkelijke dagen van weleer.'

Kamaal nam een glas en zei lachend: 'Het is werkelijk jammer dat ik te laat gekomen ben.'

Ze stootte hem aan, waarbij de gouden armbanden die haar onderarmen bedekten rinkelden.

'Schaam je. Wilde je wat je vader heeft aanbeden in een zwijnestal veranderen?'

Ze vervolgde: 'Maar wie ben jij vergeleken met je vader? Hij was voor de tweede keer getrouwd toen ik hem leerde kennen. Hij was jong getrouwd, zoals destijds de gewoonte was. Maar dat belette hem niet mij tot minnares te nemen in de mooiste tijd van mijn leven. Daarna nam hij Zoebaida als minnares, God helpe haar. En nog tientallen anderen, God vergeve hem.

Maar jij bent nog vrijgezel, en desondanks kom je alleen op de donderdagavond naar mijn huis. Schaam je. Waar zijn de echte mannen gebleven?'

De vader over wie hij haar had horen vertellen was niet de vader die hij zelf kende, het was zelfs niet de vader over wie Jasien had verteld. Een man van instincten, van het meeslepende leven, die zich niet bekommerde om ingewikkelde hersenspinsels. Wie was hij vergeleken met hem? Zelfs op donderdagavond, wanneer hij dit huis bezocht, kon hij zich pas aan de 'liefde' overgeven wanneer hij alcohol gedronken had. Als hij niet dronken was kwam de atmosfeer hem somber en troosteloos voor. Hij zou nooit de eerste avond vergeten waarop het lot hem naar dit huis had geleid. Het was de eerste keer dat hij de vrouw had gezien. Ze vroeg hem bij haar te komen zitten tot er een meisje vrij was voor hem. Toen hij in het gesprek zijn volledige naam noemde, riep de vrouw uit: 'Bent u de zoon van sajjid Ahmed Abd al-Gawwaad, de koopman in an-Nahhasien?' 'Ja, kent u mijn vader?' 'Duizendmaal welkom. Of ik je vader ken? Ik ken hem beter dan jij. Ik heb nog op het huwelijk van je zuster opgetreden. In die tijd was ik net als Oemm Kalthoem in deze sombere tijden. Vraag het maar aan iedereen.' 'Zeer vereerd, mevrouw.' 'Kies maar een meisje dat je aanstaat. Onder ruimhartige mensen hoeft niet te worden afgerekend.' Zo had hij de eerste keer in dit huis de liefde bedreven op rekening van zijn vader. Ze keek hem zo lang aan dat zijn hart ineenkromp. Als de beleefdheid haar niet had weerhouden, had ze haar verbazing uitgesproken. Dit vreemde hoofd en die wonderlijke neus hadden niets gemeen met zijn vaders ronde, blozende gezicht.

Ze hadden lang gepraat. Zij vertelde hem de geheime geschiedenis van zijn vader, zijn kwaliteiten, zijn wapenfeiten, zijn avonturen en zijn verborgen eigenschappen.

En dat terwijl ik voortdurend verscheurd word tussen het vuur van mijn instinct en de koelte van onthouding.

'Niet overdrijven, tante. Ik ben onderwijzer en een onderwijzer houdt van discretie. Vergeet niet dat ik u in de vakantie meer dan een keer per week bezoek. Was ik hier niet eergisteren nog? Ik bezoek u telkens als...'

Telkens als de twijfel me verstikt. Het is meer de twijfel die me naar u toedrijft dan lust.

'Telkens als wat, moederskindje?'
'Telkens als ik vrij ben van mijn werk.'
'Verzin maar iets anders. Wat een tijd. In onze tijd was het geld van goud, nu is het van ijzer en koper. Onze muziek was van vlees en bloed, jullie luisteren naar de radio. In onze tijd waren de mannen zonen van Adam, nu zijn het zonen van Eva. Wat heb je daarop te zeggen, meisjesonderwijzer?'
Ze nam een trek van de waterpijp en zong:

Meisjesonderwijzer,
Leer ze muziek te maken
En laat ze zingen.

Kamaal lachte. Hij boog zich naar haar toe en gaf haar een kus op haar wang, zowel uit affectie als uit plagerij. Ze riep: 'Je snor prikt. God bescherme Atia.'
'Daar houdt ze juist van.'
'Trouwens, gisteren kwam de districtscommissaris hier, in vol ornaat. Dat zeg ik niet om op te scheppen. Al mijn klanten zijn hoge heren. Of denk je soms dat je bezoeken aan mij een goede daad zijn?'
'Tante Galiela, u bent werkelijk eerbiedwaardig en doet uw naam eer aan.'
'Ik mag je graag als je gedronken hebt. Dan verlies je die deftigheid van de onderwijzer en heb je weer iets van je vader. Maar vertel eens, houd je niet van Atia? Zij houdt wel van jou.'
Harten die van steen zijn geworden door het harde leven, hoe kunnen die liefhebben? Maar wat had hij ondergaan van de kant van de harten die overliepen van liefde en ervan genoten? De ene keer hield de dochter van de notenbrander van hem en had hij haar liefde afgewezen, de tweede keer hield hij van Ajida en had zij zijn liefde afgewezen. Het woordenboek van zijn leven kende liefde alleen in de betekenis van pijn, die wonderlijke pijn die de ziel verzengt en waarvan de vuurgloed de wonderlijkste geheimen van het leven toont en die alleen maar wrakstukken achterlaat.
Hij merkte ironisch op: 'Hopelijk houdt ze ook van u.'
'Ze heeft zich pas na haar scheiding bij het onvermijdelijke neergelegd.'

'God zij geprezen, zelfs in tegenspoed.'

'God zij geprezen, in welke omstandigheden dan ook.'

Hij glimlachte schalks. Zij begreep de bedoeling van zijn glimlach en protesteerde: 'Misgun je me dat ik God prijs? Luister, zoon van Abd al-Gawwaad, ik heb geen zoon of dochter, en ik heb genoeg van de wereld. En vergeving ligt bij God.'

Het was verbazend dat in de woorden van de vrouw zo vaak deze toon van verloochening doorklonk. Hij begon haar tersluiks op te nemen terwijl hij zijn glas leegdronk. De drank begon bij hem altijd al vanaf het eerste glas haar magie te verspreiden. Hij moest denken aan de tijd waarin het glas een hemelse vreugde had gebracht. Wat waren er veel gevolgd. In het begin was de lust een revolutie en een overwinning geweest. Na verloop van tijd was ze veranderd in een scabreuze filosofie. Ten slotte was zijn euforie door de tijd en de gewenning uitgedoofd, en was hij vaak gekweld geweest door de verscheurdheid tussen de hemel en de aarde, totdat de twijfel het onderscheid tussen de hemel en de aarde had weggenomen.

De bel ging. Atia kwam binnen. Ze was blank, zacht en mollig. Ze had piepende schoenen en een heldere lach. Ze kuste de hand van de zangeres, wierp een glimlachende blik op de twee lege glazen en zei om Kamaal te plagen: 'Je hebt me bedrogen.'

Ze boog zich naar het oor van de zangeres en fluisterde haar iets toe. Daarna keek ze Kamaal lachend aan en liep naar de kamer rechts van Galiela. Galiela gaf hem een por en zei: 'Sta op, licht van mijn ogen.'

Hij pakte zijn fez en liep naar de kamer. Even later kwam Nazla binnen met een blad waarop een fles, twee glazen en een licht hapje stonden. Atia zei tegen haar: 'Haal ook wat kebab van al-Agati voor ons. Ik heb honger.'

Hij trok zijn jasje uit en strekte zijn benen gerieflijk. Hij keek toe hoe zij haar schoenen en jurk uitdeed en daarna voor de spiegel haar hemd rechttrok en haar haar kamde. Het lichaam dat hij liefhad, blank, zacht en mollig. Hoe zou het lichaam van Ajida zijn? In zijn herinneringen verscheen zij vaak alsof ze geen lichaam had, zelfs haar tengere, slanke postuur en bruine huidkleur hadden zich in zijn herinnering genesteld als iets puur abstracts. Zelfs wat betreft datgene wat een geheugen meestal vasthoudt aan kenmerken van lichamelijke schoonheid, zoals de borst, de benen en de billen, kon hij zich volstrekt niet herinneren dat zijn zintuigen er ooit op gericht waren geweest. En als hem nu een meisje werd aangeboden van wie de schoonheid bestond uit een tenger, slank postuur en een bruine huidkleur, zou hij er niet eens twintig piaster voor over hebben. Hoe kon zo'n liefde bestaan? Hoe was het mogelijk dat de herinnering eraan doordrongen was van verering en eerbied, hoewel hij alles verachtte?

'Oef, het is warm.'

'Als de drank begint te werken voelen we niet meer of het warm of koud is.'

'Zit me niet zo gulzig aan te kijken. Zet je bril af.'

Een gescheiden vrouw met twee kinderen. Ze bedolf haar donkere verdriet onder zedeloosheid. De nachten zogen gretig en achteloos haar vrouwelijkheid en menselijkheid weg. In haar adem vermengden zich valse emotie en afkeer. Het was slavernij in de ergste vorm. Daarom was de drank een ontsnapping uit de kwelling, net zoals zij een ontsnapping uit het denken was.

Ze ging naast hem liggen, stak haar mollige arm naar de fles uit en schonk twee glazen in. Deze fles werd in dit huis voor de dubbele prijs verkocht. Alles was hier duur, behalve de vrouwen, de mensen. Zonder drank zou een dergelijke samenkomst niet mogelijk zijn. Dit moet verborgen blijven voor het oog van de mensheid dat vol walging toekijkt, hoewel er in ons leven allerlei hoeren zijn van een andere soort, zoals ministers en schrijvers.

Toen hij het tweede glas op had, begonnen de voorboden van vergetelheid en plezier.

Ik heb deze vrouw al sinds lang begeerd en ik weet niet hoe lang het nog zal duren. De begeerte is een tiran, maar liefde is iets anders. En als ze vrij van begeerte is, verschijnt ze in een wonderlijke gedaante. Als het me ooit vergund is alle twee te vinden in een mens, zal ik de beoogde gemoedsrust kennen. Daarom schijnt het leven me nog steeds toe als een hoeveelheid losse elementen waartussen geen harmonie bestaat. Ik streef naar het 'huwelijk', zowel in het openbare als in het privé-leven. Ik weet niet welk van beide de basis vormt van de ander, maar ik ben er zeker van dat ik, hoewel ik in mijn manier van leven verzekerd ben van mijn aandeel in de geneugten van de geest en die van het lichaam, ongelukkig ben. Als een trein die zich krachtig in beweging zet maar niet weet waarvandaan en waarnaartoe. Begeerte is een heerszuchtige schoonheid die al snel door weerzin wordt neergehaald. Het hart roept in pijnlijke wanhoop om eeuwig geluk. Tevergeefs. Daarom komt er geen einde aan de jammerklacht. Het leven is een grote leugen. We moeten de verborgen logica ervan aanvoelen, opdat we deze leugen gewillig kunnen aanvaarden, want we zijn als de toneelspeler die beseft dat zijn rol op het podium leugenachtig is, maar desondanks zijn kunst vereert.

Hij dronk zijn derde glas in één teug leeg, waardoor Atia in lachen uitbarstte. Ze was verzot op drinken, ook al had de drank een snelle uitwerking op haar. Als hij haar niet op een bepaald moment tegenhield, ging ze hard praten, snikken, huilen en ten slotte overgeven. De drank benevelde hem en hij huiverde van genoegen. Toen hij naar haar keek glimlachte hij. Nu was ze een vrouw, zonder probleem, alsof er geen problemen in het leven bestonden. Het leven, het zwaarste probleem, was geen probleem meer. Drink en laat jezelf onder kussen bedelven.

'Wat ben je lief als je zonder reden lacht.'

'Als ik zonder reden lach, zijn de redenen te overweldigend om ze te noemen.'

Abd al-Moen'im liep terug naar de Suikersteeg in zijn regenjas, waarvan hij de kraag af en toe dichthield tegen de bijtende kou. De duisternis was volledig hoewel het nog geen zes uur in de avond was. Nauwelijks was hij bij de toegang tot de trap aangekomen, of de deur van de eerste verdieping ging open en een klein silhouet, dat had staan wachten, sloop naar buiten. Zijn hart bonsde en hij tuurde met vurige ogen in de duisternis. Hij volgde haar silhouet en liep zachtjes en voorzichtig de trap op zonder geluid te maken. Hij was in een tweestrijd verwikkeld tussen de verleiding om zich aan zijn begeerte over te geven, en zijn wilskracht, die hem ingaf zich te beheersen en zich niet door zijn zenuwen te laten overmannen. Hij herinnerde zich nu pas dat hij vanavond met haar afgesproken had. Hij had later of vroeger kunnen thuiskomen om deze ontmoeting te vermijden, maar hij was het helemaal vergeten. Volkomen vergeten... Er was nu geen tijd om na te denken en te mijmeren, dat moest hij tot een ander moment uitstellen, wanneer hij alleen was in zijn kamer. Tot dat moment dat hem als overwinnaar of als verliezer en overwonnene zou aanschouwen. Hij liep de trap op zonder een besluit te nemen. Hij gaf zich over aan de beproeving. Niets kon hem de pijn van zijn eeuwige worsteling doen vergeten. Op de overloop leek het hem dat het silhouet zo groot was geworden dat het de ruimte en de tijd om hem heen vulde. Om zijn bezorgdheid te maskeren en vastbesloten om koste wat het kost stand te houden, zei hij: 'Goedenavond.'

De hoge stem zei: 'Goedenavond. Dank je dat je naar mijn raad hebt geluisterd en je regenjas hebt aangetrokken.'

Haar vriendelijkheid vertederde hem. De woorden waarmee hij haar had willen afweren bleven in zijn keel steken. Toen zei hij om zijn verwarring te verhullen: 'Ik was bang dat het zou gaan regenen.'

Ze hief haar hoofd op alsof ze naar de lucht keek en zei: 'Het gaat vast zo regenen. Er staat geen ster aan de hemel. En ik kon je bijna niet onderscheiden toen je de steeg inliep.'

Hij probeerde zijn tegenstrijdige gevoelens te verzamelen en zei alsof hij haar wilde waarschuwen: 'Het is koud, en vooral op de trap is het vochtig.'

Met een oprechtheid die ze bij hem had aangeleerd zei ze: 'Als ik bij jou ben heb ik geen last van de kou.'

Een warmte die van binnen uit kwam deed zijn gezicht gloeien, wat erop duidde dat hij de vergissing zijns ondanks opnieuw zou begaan. Hij probeerde zijn wilskracht in te zetten om de huivering in zijn lichaam te bedwingen.

'Waarom zeg je niets?' vroeg ze.

Hij voelde haar hand zachtjes op zijn schouder en kon zich niet langer beheersen. Hij sloeg zijn armen om haar heen en gaf haar een lange zoen. Daarna bedolf hij haar onder kussen totdat hij haar hijgend hoorde zeggen: 'Ik kan het niet verdragen ver weg van je te zijn.'

Hij bleef haar omarmen en liet zich wegsmelten. Ze fluisterde in zijn oor: 'Ik zou willen dat dit eeuwig zou duren.'

Hij drukte haar steviger tegen zich aan en zei met bevende stem: 'Helaas...'

Ze bewoog haar hoofd iets van hem af in de duisternis en vroeg: 'Wat bedoel je, liefje?'

Na enige aarzeling antwoordde hij: 'De zonde die we begaan...'
'Welke zonde dan?'
Hij maakte zich zachtjes van haar los. Hij trok zijn regenjas uit, vouwde hem op en wilde hem over de trapleuning hangen, maar hij zag er op het laatste moment – een vreselijk moment – van af. Hij nam hem over zijn arm en deed een stap naar achteren. Hij haalde onregelmatig adem. Een plotseling besluit had zijn overgave tegengehouden en alles omvergeworpen. Haar hand tastte weer de weg af naar zijn hals en pakte die vast. Hij wachtte tot zijn ademhaling tot bedaren was gekomen en zei toen kalm: 'Dit is een grote zonde.'
'Hoezo? Ik begrijp er niets van.'
Een meisje van nog geen veertien jaar. Je speelt met haar om een onbedwingbare lust te bevredigen. Dit spel zal nooit tot iets leiden. Het is niet meer dan een spel dat de toorn van God zal wekken.
'Je moet me begrijpen. Kunnen we er soms openlijk voor uitkomen wat we doen?'
'Er openlijk voor uitkomen?'
'Zie je? Dat wil je niet. Als het geen verachtelijke schande is, waarom kunnen we er dan niet openlijk voor uitkomen?'
Hij voelde hoe haar hand naar hem tastte en ging op de eerste treden van de volgende trap staan. Hij was er zeker van dat hij de gevarenzone ongeschonden was doorgekomen.
'Erken dat het zondig is wat we doen. En we mogen niet in de zonde volharden.'
'Wat vreemd om dat van jou te horen.'
'Dat is niet vreemd. Mijn geweten kan de zonde niet meer verdragen. Ik word erdoor gekweld en mijn gebed wordt er ongeldig door gemaakt.'
Ze zwijgt... Ik heb haar gekwetst, God vergeve het me. Wat een pijn. Maar ik zal niet toegeven. Dank God dat de zonde je niet tot een nog groter kwaad heeft gedreven.
'Wat er is gebeurd moet een les voor ons zijn. We mogen het niet nog eens doen. Je bent nog jong en je hebt al gezondigd. Verval niet nog eens in dezelfde zonde.'
Op snikkende toon zei ze: 'Ik heb niet gezondigd. Wil je me in de steek laten? Wat wil je?'
Hij had zijn wilskracht herwonnen en zei: 'Ga terug naar

binnen. Doe niets waarvan je denkt dat het verborgen moet blijven. Maak nooit met iemand een afspraak in het donker.'

De bevende stem zei: 'Laat je me in de steek? Ben je vergeten wat je over onze liefde hebt gezegd?'

'Daar heb ik toen niet bij nagedacht. Je bent zondig. Laat dit een les voor je zijn. Wantrouw de duisternis, want daarin kan je ondergang besloten liggen. Je bent nog jong. Waar haal je die durf vandaan?'

Hij hoorde haar steunen in de duisternis, maar zijn hart werd er niet door vermurwd. Hij was in een meedogenloze overwinningsroes.

'Laat het woord voor woord tot je doordringen. Wees niet boos. Bedenk dat ik je, als ik een lafaard was, pas met rust had gelaten als het te laat was geweest. God bescherme je.'

Hij liep met sprongen de trap op. Het was afgelopen met de marteling. Hij was geen prooi meer voor de tanden van berouw. Maar hij moest zich de woorden van zijn leermeester, sjeik Ali al-Minoefi, indachtig zijn: 'Men overwint de duivel niet door de wetten van de natuur te ontveinzen.' Nee, dat mocht hij niet vergeten.

Hij kleedde zich snel uit en trok zijn *gilbaab* aan. Terwijl hij de kamer uitliep, zei hij tegen zijn broer Ahmed: 'Ik wil met vader spreken in de studeerkamer. Wacht nog even, alsjeblieft.'

Op weg naar de studeerkamer verzocht hij zijn vader hem te volgen. Khadiega keek op en vroeg: 'Is er iets?'

'Ik wil eerst met vader spreken. Dan is het jouw beurt.'

Ibrahiem Sjaukat liep zwijgend achter hem aan. De man had juist een nieuw kunstgebit gekregen en was weer even loom en bedaard als tevoren, nadat hij de wereld zes hele maanden zonder tanden was tegemoetgetreden. Nadat ze naast elkaar waren gaan zitten zei Ibrahiem: 'Er is toch niets gebeurd?'

Zonder aarzelen en zonder omhaal van woorden zei Abd al-Moen'im: 'Ik wil trouwen, vader.'

De man staarde hem aan, fronste toen glimlachend zijn wenkbrauwen, alsof hij er niets van begreep, en schudde hulpeloos zijn hoofd.

'Trouwen?' vroeg hij. 'Alles heeft zijn tijd. Waarom wil je me daar nu over spreken?'

'Ik wil nu trouwen.'

'Nu? Je bent pas achttien jaar. Wil je niet wachten tot je afgestudeerd bent?'

'Dat kan ik niet.'

Op dat moment ging de deur open en kwam Khadiega binnen.

'Wat speelt zich achter deze deur af?' vroeg ze. 'Heb je soms geheimen die je vader wel mag weten en ik niet?'

Abd al-Moen'ims gezicht vertrok nerveus. Ibrahiem, echter, zei, hoewel hij nauwelijks de betekenis van zijn woorden besefte: 'Abd al-Moen'im wil trouwen.'

Khadiega nam hem onderzoekend op, alsof ze vreesde dat hij gek geworden was.

'Trouwen?' riep ze uit. 'Wat hoor ik nu? Heb je besloten met je studie op te houden?'

Met luide, boze stem zei Abd al-Moen'im: 'Ik heb gezegd dat ik wil trouwen, niet dat ik de universiteit wil opgeven. Als ik getrouwd ben ga ik door met studeren. Meer is er niet aan de hand.'

Khadiega's blik ging heen en weer tussen hem en zijn vader.

'Abd al-Moen'im, meen je dat echt?'

'Zeker,' riep hij. De vrouw sloeg haar handen op elkaar en zei: 'Je bent door het boze oog getroffen. Heb je je verstand verloren, jongen?'

Abd al-Moen'im stond kwaad op en zei: 'Waarom ben je hier? Ik wilde eerst apart met vader spreken, maar jij hebt geen geduld. Luister naar me. Ik wil trouwen. Over twee jaar ben ik klaar met mijn studie. Jij kunt me die twee jaar onderhouden, vader. Als ik daar niet zeker van was, zou ik het niet hebben voorgesteld.'

Khadiega zei: 'Grote goedheid. Ze hebben hem van zijn verstand beroofd.'

'Wie heeft mij van mijn verstand beroofd?'

'God kent hen beter dan zij God kennen. Jij weet wie het zijn, en wij zullen het ook snel te weten komen.'

'Luister niet naar haar,' zei de jongen tegen zijn vader. 'Ik weet zelfs nu nog niet wie het lot me zal toebedelen. Kiezen jullie haar maar zelf uit. Ik wil een geschikte echtgenote, het geeft niet wie.'

Verbaasd vroeg ze: 'Bedoel je dat deze ramp niet eens door een bepaald meisje is veroorzaakt?'

'Inderdaad, geloof me. Kies zelf maar iemand voor me.'

'Waar is die haast dan voor nodig? Laat me iemand voor je kiezen, maar geef me tijd. Het zal een of twee jaar duren.'

Met stemverheffing zei hij: 'Ik maak geen grapje. Laat ons alleen, hij begrijpt me beter dan jij.'

Kalm vroeg zijn vader hem: 'Waarom die haast?'

'Ik kan niet leven zonder getrouwd te zijn,' zei Abd al-Moen'im terwijl hij zijn ogen neersloeg. Khadiega vroeg: 'Waarom kunnen duizenden andere jongens dat dan wel?'

De jongen zei tegen zijn vader: 'Ik hoef niet te doen wat de anderen doen.'

Ibrahiem dacht even na en zei uiteindelijk om het gesprek af te sluiten: 'Voor vandaag hebben we genoeg gepraat. We zullen er een andere keer op terugkomen.'

Khadiega wilde nog iets zeggen, maar haar echtgenoot hield haar tegen. Hij nam haar bij de hand en samen liepen ze de kamer uit naar de salon. Daar bespraken ze alle kanten van de zaak. Na lange discussie neigde Ibrahiem ertoe aan het verzoek van zijn zoon te voldoen. Hij deed zijn best om zijn echtgenote te overtuigen, die zich er ten slotte in principe bij neerlegde. Uiteindelijk zei Ibrahiem: 'We hebben Na'iema, de dochter van mijn broer. We hoeven ons dus niet in te spannen om een bruid te vinden.'

Khadiega zei gelaten: 'Ik ben degene die je heeft overreed om af te zien van je deel van de erfenis van je overleden broer ten gunste van Aisja. Ik heb er dus geen bezwaar tegen om Na'iema te kiezen als echtgenote voor mijn zoon. Het geluk van Aisja is heel belangrijk voor me, zoals je weet. Maar ik ben huiverig voor haar manier van denken en voor het ongewone gedrag dat ze tentoonspreidt. Heb jij er niet vaak op gezinspeeld dat je Abd al-Moen'im aan Na'iema zou willen uithuwelijken? Desondanks leek het me dat ze de zoon van Gamiel al-Hamzawi ook van harte zou hebben geaccepteerd, toen er sprake van was dat zijn vader om haar hand had gevraagd.'

'Dat is verleden tijd. Het is al meer dan een jaar geleden. God zij dank is dat huwelijk niet doorgegaan, want het zou voor mij niet eervol zijn geweest als de dochter van mijn broer met een jongeman als hij was getrouwd, ongeacht zijn functie. Afkomst betekent alles. En Na'iema is welkom.'

'Welkom?' zei Khadiega zuchtend. 'Wat zal mijn vader zeggen als hij van dit gedoe hoort?'

'Hij zal er ongetwijfeld mee instemmen,' zei Ibrahiem. 'Het lijkt allemaal een droom, maar ik zal er geen spijt van krijgen, want ik ben ervan overtuigd dat het een onvergeeflijke vergissing zou zijn de wens van Abd al-Moen'im af te wijzen, terwijl het mogelijk is eraan te voldoen.'

5

Het huis in Tussen Twee Paleizen had geen noemenswaardige verandering ondergaan. Toch wisten de buren, Hasanain de kapper, Darwiesj de bonenverkoper, al-Foeli de melkverkoper, Aboe Sarie de eigenaar van de notenbranderij en Bajjoemi de limonadeverkoper, op de een of andere manier stuk voor stuk dat vandaag het huwelijk zou plaatsvinden van sajjid Ahmeds kleindochter met haar neef Abd al-Moen'im. Sajjid Ahmed hield zich aan zijn oude gewoonten, dus verliep de dag als alle andere dagen. Alleen de familie was uitgenodigd, en het hoogtepunt bestond uit een feestmaaltijd die voor de avond was klaargemaakt. Het was in het begin van de zomer. Iedereen had zich in de ontvangkamer verzameld, sajjid Ahmed Abd al-Gawwaad, Amiena, Khadiega, Ibrahiem Sjaukat, Abd al-Moen'im, Ahmed, Jasien, Zannoeba, Ridwaan en Kariema. Alleen Na'iema ontbrak, die op de eerste verdieping, geholpen door Aisja, haar bruidstoilet in gereedheid bracht. Misschien had sajjid Ahmed het gevoel dat zijn aanwezigheid een schaduw van plechtigheid over de familiebijeenkomst wierp die niet met de feestelijke gelegenheid strookte, want meteen na de ontvangst begaf hij zich naar zijn kamer om de komst van de huwelijksambtenaar af te wachten. Sajjid Ahmed had zijn zaak geliquideerd en de winkel verkocht, omdat hij op zijn oude dag aan rust de voorkeur gaf, niet alleen omdat hij al vijfenzestig was, maar ook omdat het ontslag van Gamiel al-Hamzawi hem tot verdubbelde inspanning had genoodzaakt, die hij niet meer kon opbrengen. Dus had hij besloten zijn werkende leven af te sluiten en zich tevreden te stellen met de opbrengst van de liquidatie van zijn winkel en het geld dat hij vroeger had gespaard en dat toereikend was voor de rest van zijn leven. Dit was een belangrijke verandering in het leven van de familie, waarna Kamaal zich begon af te vragen wat de werkelijke rol was die Gamiel al-Hamzawi in hun leven in het algemeen en in dat van zijn vader had gespeeld.

Sajjid Ahmed bleef alleen in zijn kamer en overdacht in stilte de gebeurtenissen van die dag. Het was alsof hij niet echt kon geloven dat de bruidegom zijn kleinzoon Abd al-Moen'im was. De dag waarop Ibrahiem Sjaukat hem hierover had gesproken was hij verbaasd geweest en had hij op afkeurende toon gevraagd: 'Hoe kun je je zoon toestaan zo openlijk met je te spreken en zo zijn wil aan je op te leggen? Jullie zijn vaders die voorbestemd zijn om hele generaties te bederven.' In andere omstandigheden dan deze, waarvan hij besefte hoe delicaat ze waren, had hij 'nee' gezegd. Maar Aisja was er ook nog en vanwege haar tegenspoed zag hij van zijn gebruikelijke halsstarrigheid af. Vooral na de opmerkingen die naar aanleiding van het zwijgen van Foeaad al-Hamzawi waren losgekomen, kon hij het niet verdragen dat zij nogmaals in haar hoop werd teleurgesteld. Als een huwelijk van Na'iema de pijn in haar hart kon verlichten, dan was het welkom. Zo had schroom hem ertoe gebracht 'ja' te zeggen en de twee jonge mensen toe te staan hun wil aan de ouderen op te leggen en te trouwen voordat ze hun opleiding hadden voltooid. Hij had Abd al-Moen'im bij zich geroepen en hem verzocht te beloven dat hij zijn studie zou afmaken. Abd al-Moen'im had fraai en geruststellend gesproken, de koran en de Tradities citerend, waarmee hij bij zijn grootvader gevoelens van zowel bewondering als spot had gewekt. Dus trouwde de student vandaag, terwijl Kamaal zelfs nog niet aan een huwelijk dacht, en terwijl hijzelf ooit had geweigerd de verloving bekend te maken – louter de aankondiging! – van Fahmi, die was gestorven voordat hij de vrucht van zijn jeugd had kunnen plukken. Het lijkt alsof de wereld op zijn kop staat, dat er een nieuwe, wonderlijke wereld aan het ontstaan is en dat we vreemden onder de onzen zijn. Vandaag trouwen de studenten, wat zullen ze straks gaan doen?

In de ontvangkamer besloot Khadiega een lange monoloog met de woorden: 'Daarom hebben we de tweede verdieping vrijgemaakt. Hij is piekfijn in orde om het bruidspaar te ontvangen.'

Op doortrapte toon zei Jasien: 'Je hebt alle eigenschappen om een onovertroffen schoonmoeder te worden, maar met deze bruid zul je je uitzonderlijke talenten niet kunnen ontplooien.'

Ze begreep waarop hij doelde, maar negeerde hem.

'De bruid is net zo goed mijn dochter als die van mijn zuster.'

Om Jasiens plagerij te verzachten zei Zannoeba: 'Khadiega *hanoem* is een dame in de volle betekenis van het woord.'

Khadiega bedankte haar. Hoewel ze Zannoeba in haar hart minachtte, beantwoordde ze haar vriendelijkheid altijd met beleefde dankbaarheid uit respect voor Jasien.

Kariema zag er stralend uit met haar tien jaar, waardoor Jasien hoog opgaf over haar toekomstige vrouwelijke schoonheid. Abd al-Moen'im sprak met zijn grootmoeder Amiena, die zijn vroomheid bewonderde. Ze onderbrak hem steeds met heilbeden. Kamaal vroeg Ahmed plagend: 'En ga jij volgend jaar trouwen?'

'Behalve wanneer ik uw voorbeeld volg, oom.'

Zannoeba volgde hun gesprek en zei tegen Kamaal: 'Als jongeheer Kamaal het zou toestaan, zweer ik dat ik hem in een paar dagen heb uitgehuwelijkt.'

Jasien wees op zichzelf en zei: 'Ik ben bereid je toestemming te geven voor mezelf.'

'Jij bent al vaak genoeg getrouwd,' zei ze hoofdschuddend. 'Jij hebt je eigen deel en dat van je broer verbruikt.'

Het gesprek trok Amiena's aandacht.

'Als jij Kamaal uithuwelijkt,' zei ze tegen Zannoeba, 'zal ik voor het eerst in mijn leven jubelkreten slaken.'

Kamaal probeerde zich dit voor te stellen en moest lachen. Vervolgens stelde hij zichzelf voor in de plaats van Abd al-Moen'im, wachtend op de huwelijksambtenaar, en hij versomberde. De gedachte aan een huwelijk veroorzaakte een draaikolk in zijn binnenste, zoals de winter ademhalingsmoeilijkheden veroorzaakt bij een zieke. Hij wees het hoe dan ook af, maar hij kon het niet negeren. Hij had een leeg hart, dat hem echter desondanks evenveel verstikte als vroeger, toen het nog vol was. Als hij nu wilde trouwen, wachtte hem slechts de traditionele manier, die begon met een huwelijksbemiddelaarster en eindigde met een gezin, kinderen en opname in het mechanisme van het leven. Dan zou hij, die verzot was op overpeinzing, daar geen tijd meer voor hebben. Hij zou het huwelijk altijd bezien met een mengeling van tederheid en afkeer, en aan het eind van zijn leven zou hij slechts trieste eenzaamheid aantreffen.

Degene die echt gelukkig was op deze dag, was Aisja. Voor het eerst in negen jaar had ze een mooie jurk aangetrokken en vlechten in haar haar gedaan. Met dromerige ogen keek ze naar haar dochter, die er uitzag als een wolkje licht. Wanneer de tranen in haar ogen sprongen wendde ze haar bleke, verwelkte gezicht af. Amiena merkte een keer op dat ze huilde. Ze keek haar misprijzend aan en zei: 'Na'iema mag het huis niet verlaten met droefheid in haar hart.'

'Zie je niet hoe alleen ze is op deze dag, zonder haar vader en zonder haar broers?' zei Aisja op klaaglijke toon.

'Haar moeder is gezegend, moge onze Heer haar voor haar behouden. Ze gaat naar haar oom en tante... En ze heeft bovendien God, de Schepper van het universum.'

Terwijl ze haar ogen droogde zei Aisja: 'De herinnering aan de geliefde overledenen overvalt me elke ochtend als ik wakker word. Ik zie hun gezicht voor me. Als zij weg is blijf ik alleen achter.'

Amiena zei op berispende toon: 'Je bent niet alleen.'

Na'iema streelde haar moeders wang en zei: 'Hoe zou ik je alleen kunnen laten, mama?'

'Dat zul je in het huis van je echtgenoot leren,' zei Aisja met een vertederde glimlach.

'Je kunt me elke dag komen bezoeken,' zei Na'iema ongerust. 'Je hebt de Suikersteeg altijd gemeden. Vanaf vandaag stap je van die gewoonte af.'

'Natuurlijk. Twijfel je daaraan?'

Op dat moment kwam Kamaal naar hen toe en zei: 'Maak jullie klaar... De huwelijksambtenaar is er.'

Zijn ogen bleven vol bewondering op Na'iema rusten. Wat een schoonheid en verfijndheid... hoe kon het dierlijke ooit een rol hebben in zo'n bekoorlijk schepsel?

Na het ondertekenen van de oorkonde, werden gelukwensen uitgewisseld. Plotseling klonk er een *zaghroeda* die de plechtige stilte in het huis doorkliefde. Iedereen keek verbaasd om en daar stond Oemm Hanafi aan het andere eind van de salon.

Toen het tijd was voor het feestmaal, dromden de gasten rond het buffet. Het was Aisja zwaar te moede, omdat ze aan het naderende afscheid dacht, en het eten smaakte haar niet.

Oemm Hanafi kwam binnen en meldde dat sjeik Mitwalli Abd as-Samad op de binnenplaats op de grond zat en om zijn maaltijd vroeg, het liefst vlees. Sajjid Ahmed barstte in lachen uit en gaf opdracht een schotel klaar te maken en hem die te brengen. Weldra hoorden zij zijn stem op de binnenplaats opklinken. Hij smeekte een lang leven af voor zijn dierbare 'zoon van Abd al-Gawwaad' en vroeg tegelijkertijd wat de namen van zijn kinderen en kleinkinderen waren, zodat hij voor hen kon bidden. Sajjid Ahmed zei glimlachend: 'Wat een ramp. Sjeik Mitwalli is jullie namen vergeten. God hebbe erbarmen met de ouderdom.'

'Hij is al honderd jaar,' zei Ibrahiem Sjaukat. 'Nietwaar?'

Ahmed Abd al-Gawwaad beaamde het. Op dat moment klonk de stem van de sjeik opnieuw.

'In naam van al-Hoessein de Martelaar,' riep hij. 'Meer vlees!'

'Al zijn heiligheid reikt vandaag niet verder dan het vlees.'

Toen de tijd voor het afscheid naderde, begaf Kamaal zich naar de binnenplaats om dat tafereel niet te hoeven aanschouwen. Hoewel het om niets meer ging dan een eenvoudige verhuizing naar de Suikersteeg, leed het hart van moeder en dochter er zwaar onder. Kamaal bezag dit huwelijk met een sceptisch oog en hij vroeg zich af of Na'iema sterk genoeg was voor het echtelijke leven. Op de binnenplaats zag hij sjeik Mitwalli Abd as-Samad op de grond zitten onder de elektrische lamp die aan de muur van het huis was bevestigd. Hij was gekleed in een verschoten *gilbaab* en had een wit mutsje op. Hij had zijn schoenen uitgetrokken en zat met gestrekte benen tegen de muur geleund, alsof hij sliep en zijn buik rust wilde gunnen na het vele eten. Tussen zijn benen zag hij een vloeistof sijpelen en hij begreep meteen dat de sjeik urineerde zonder dat hij het zelf merkte. Hij haalde traag en fluitend adem. Kamaal keek hem met een mengeling van weerzin en medelijden aan. Toen kwam er een gedachte in hem op die hem ondanks zichzelf deed glimlachen. Hij zei tegen zichzelf: Misschien was hij in 1830 wel een verwend kind.

Aisja ging meteen de volgende dag op bezoek in de Suikersteeg. De afgelopen negen jaar had ze het oude huis alleen verlaten om naar de begraafplaats te gaan, afgezien van een paar bezoeken aan Paleis van Verlangen toen de zoon van Jasien was overleden. Ze bleef even bij de ingang van de Suikersteeg staan om het geheel in zich op te nemen, totdat haar blik door tranen wazig werd: de plek voor de ingang van het huis, waar Oethmaan en Mohammed zo vaak hadden gehold en gespeeld... de binnenplaats die destijds was versierd voor haar schitterende bruiloft... het ontvangpaviljoen waarin Khaliel altijd zat te roken en triktrak en domino speelde... Die geur van het verleden, vol verloren liefde en tederheid, toen ze nog gelukkig was, een geluk dat zo spreekwoordelijk was geworden dat men over haar sprak als iemand die altijd lachte en zong en die niets anders aan haar hoofd had dan in de spiegel lachen en zichzelf mooi maken. Haar echtgenoot converseerde en haar kinderen huppelden rond in die voorbije tijd. Ze veegde haar ogen droog, zodat de bruid niet zou zien dat ze gehuild had. Ze droogde twee ogen die nog steeds blauw waren, ook al waren de wimpers uitgevallen en de oogleden verslapt. Ze zag dat het appartement vernieuwd was. De muren waren geverfd en alles zag eruit als een lachende mond in de uitzet van een bruid die kwistig was bedeeld. Na'iema begroette haar in een wijde witte jurk. Ze had haar blonde haar losgemaakt, zodat het bijna tot aan haar knieën reikte. Ze zag er prachtig, lieftallig en onberispelijk uit en verspreidde een betoverende geur. Ze omhelsden elkaar lang en innig, totdat Abd al-Moen'im, die in een blauwgroene kamerjas, die hij over zijn zijden *gilbaab* had aangetrokken, op de trap op zijn beurt wachtte, zei: 'Genoeg... Een simpele groet is voldoende bij deze denkbeeldige scheiding.'

Hij omarmde zijn schoonmoeder, leidde haar naar een gerieflijke stoel en liet haar plaatsnemen.

'We hadden het net over u, tante,' zei hij. 'We hebben besloten u uit te nodigen bij ons in te trekken.'

Aisja glimlachte en zei: 'Nee, dat doe ik niet. Ik zal jullie elke dag een bezoek brengen, dan kom ik er eens uit. Ik heb behoefte aan beweging.'

Met zijn gebruikelijke openhartigheid zei Abd al-Moen'im: 'Na'iema zei dat u het niet zou kunnen verdragen hier te blijven, uit angst voor nare herinneringen. Maar droevige herinneringen beangstigen een gelovige niet. Het was een bevel van God en het is lang geleden gebeurd. Wij zijn uw kinderen, die God u als vergoeding heeft gegeven.'

Deze jongen meent het goed en is oprecht, maar hij heeft geen weet hoezeer zijn woorden een verwond hart treffen.

'Natuurlijk, Abd al-Moen'im. Maar ik ben tevreden in mijn eigen huis. Het is beter zo...'

Opeens kwamen Khadiega, Ibrahiem en Ahmed binnen. Ze gaven haar een hand. Khadiega zei tegen Aisja: 'Als ik had geweten dat je hierdoor weer bij ons op bezoek zou komen, had ik hen al laten trouwen toen ze nog minderjarig waren.'

Aisja lachte en zei om Khadiega aan het verre verleden te herinneren: 'Hebben jullie een keuken? Of staat de bruid erop onafhankelijk van haar schoonmoeder te zijn?'

Khadiega en Ibrahiem lachten allebei. Op veelzeggende toon zei Khadiega: 'De bruid is net als haar moeder, ze houdt zich niet bezig met onbenulligheden.'

Om aan zijn zoons uit te leggen waarop Aisja zinspeelde, zei Ibrahiem: 'De strijd tussen jullie moeder en mijn moeder begon met de kwestie van de keuken, die onder beheer van mijn moeder stond, terwijl jullie moeder keukenonafhankelijkheid eiste.'

De bruidegom vroeg verbaasd: 'Maakte je ruzie om de keuken, mama?'

'De ruzies tussen staten gaan toch ook om de keuken?' zei Ahmed lachend. Ibrahiem zei: 'Jullie moeder is even sterk als Engeland. En mijn moeder, God zij haar genadig...'

Kamaal kwam binnen. Hij droeg een net wit pak. Zijn gezicht zag eruit zoals gewoonlijk: een geprononceerd voorhoofd, een enorme neus, een vergulde bril en een dikke, rechthoekige snor. Hij had een groot pak bij zich, dat een duur cadeau beloofde. Khadiega bekeek het cadeau glimlachend en zei: 'Pas op, broer. Als je niet besluit om zelf te trouwen, blijf je cadeaus aandragen zonder dat je ooit iets terugkrijgt. Bijna de hele familie is nu getrouwd, alleen Ahmed, Ridwaan en Kariema nog. Neem toch eindelijk eens een verstandige beslissing.'

Ahmed vroeg: 'Is de schoolvakantie al begonnen, oom?'

Terwijl hij zijn fez afzette en naar de mooie bruid keek, zei Kamaal: 'Bijna, alleen nog de lagere-schoolexamens, toezicht houden en corrigeren...'

Na'iema ging de kamer uit en kwam even later terug met een zilveren schaal vol snoepgoed in verschillende kleuren en smaken. Geruime tijd was er alleen gesmak en gesabbel te horen. Toen begon Ibrahiem vrolijke herinneringen op te halen. Het feest, met de zanger en de zangeres... Aisja luisterde naar hem met een glimlach op haar gezicht en een droevig hart. Kamaal luisterde geboeid, omdat hem beelden voor de geest kwamen waarvan hij zich sommige herinnerde, terwijl hij die welke hem ontgaan waren graag te weten wilde komen. Ibrahiem zei lachend: 'Sajjid Ahmed was net zoals nu, of nog strenger. Maar mijn moeder, God zij haar genadig, zei op besliste toon: "In zijn huis mag sajjid Ahmed doen wat hij wil. Maar bij ons vieren we een bruiloft zoals wij dat willen." En zo gebeurde het. Op de dag van de bruiloft kwam sajjid Ahmed met zijn vrienden, God geve hun allen voorspoed. Ik herinner me sajjid Mohammed Iffat, de grootvader van Ridwaan... Ze gingen gezamenlijk in het ontvangpaviljoen zitten, ver van het rumoer.'

'Galiela, de beroemdste zangeres van haar tijd, heeft op de bruiloft gezongen,' zei Khadiega. Kamaal glimlachte inwendig. Hij moest denken aan de oude 'patronne' die nog steeds vol lof was over het tijdperk van zijn vader.

Ibrahiem keek tersluiks naar Aisja en zei: 'En we hadden onze eigen zangeres thuis. Haar stem was mooier dan die van een professionele zangeres. De stem leek op die van Moeniera al-Mahdiyya* in haar beste jaren.'

Aisja bloosde en zei kalm: 'Haar stem is al zo lang niet meer te horen dat ze vergeten is hoe ze moet zingen.'

'Na'iema zingt ook,' zei Kamaal. 'Heb je het nooit gehoord?'

'Ik heb erover horen vertellen, maar haarzelf heb ik nooit gehoord,' zei Ibrahiem. 'We kennen haar als vrome *sjeikha*, niet als zangeres. Gisteren zei ik nog tegen haar: "Je echtgenoot is weliswaar een gelovige sjeik, maar jij moet het bidden nog maar even uitstellen."'

Ze lachten allemaal. Ahmed zei tegen zijn broer: 'Het ontbreekt er nog aan dat je je bruid zich laat aansluiten bij de kring van sjeik Ali al-Minoefi.'

De bruidegom zei: 'Onze sjeik heeft me als eerste geadviseerd te trouwen.'

'Waarschijnlijk beschouwen de Broeders het huwelijk als een artikel van hun politieke handvest,' zei Ahmed. Ibrahiem wendde zich tot Kamaal: 'En jij? Toen wij trouwden was je nog jong, je had nog volop haar. Je beschuldigde me ervan dat ik je zuster ontvoerde, en dat heb je ons nooit vergeven.'

Toen was ik een leeg slagveld waarop de strijd nog niet was

* Geliefde zangeres aan het begin van deze eeuw.

begonnen. Ze spreken over het geluk van het huwelijk. Als ze eens wisten wat ontgoochelde echtgenoten ervan zeggen... Na'iema is me zo dierbaar dat niemand zich met haar mag vervelen. Is er iets in dit leven waaronder geen bedrog verscholen ligt?

Khadiega vulde de woorden van haar man aan: 'Destijds dachten we dat het uit liefde voor ons was, maar met de jaren werd het duidelijk dat het uit weerzin tegen het huwelijk was, waarmee hij al vanaf zijn kindertijd is opgegroeid.'

Kamaal lachte met de anderen mee. Hij hield van Khadiega en hij hield nog meer van haar omdat hij wist hoeveel zij van hem hield. Maar het fanatisme van de bruidegom, wat stond dat hem tegen... Voor Ahmed, daarentegen, koesterde hij genegenheid en bewondering. Hij had een afkeer van het huwelijk, maar het deed hem goed dat Khadiega er bij elke gelegenheid over begon. De gezinssfeer om hem heen ontroerde hem en zijn hart en zintuigen waren ervan doordrongen. Hij voelde een soort verlangen, ook al was het zonder doel, waardoor hij zich afvroeg alsof het voor het eerst was: Wat belet me te trouwen? Is het leven gewijd aan filosoferen, zoals ik vroeger beweerde? Ik twijfel tegenwoordig zowel aan het filosoferen als aan denkers. Angst? Wraakzucht? Masochisme? Of is het de weerslag van mijn vroegere liefde? In mijn leven zijn genoeg argumenten te vinden voor al deze redenen.

Ibrahiem Sjaukat vroeg aan Kamaal: 'Weet je waarom ik het jammer vind dat je niet getrouwd bent?'

'Waarom dan?'

'Ik geloof dat je een voorbeeldige echtgenoot zou zijn. Je bent van nature een huiselijke man. Je bent ordelijk, oprecht, een keurig ambtenaar. Er is ongetwijfeld ergens op de wereld een meisje dat jou verdient. En jij bederft haar geluk.'

Zelfs domoren debiteren soms een wijsheid. Een meisje ergens op de wereld? Maar waar? Wat betreft de beschuldiging dat hij oprecht was, wel, hij was een verdorven ketter, een huichelachtige dronkelap. Een meisje ergens op de wereld... Vast niet in het huis van Galiela in de Gauharisteeg. Wat was de remedie tegen de pijnen die in zijn hart kolkten, en tegen de wanhoop waaraan hij alleen door drank en vleselijke geneugten kon ontsnappen? Ze zeggen: 'Trouw, dan krijg je kinderen en leef je eeuwig.' Hij hunkerde zo naar het eeuwige, in alle vormen en op alle manieren. Zou hij uiteindelijk uit wanhoop berusten in deze natuurlijke en banale manier? Er was hoop dat de dood zou komen zonder dat zijn eeuwige rust door pijn zou worden verstoord. Wat scheen de dood hem angstaanjagend en betekenisloos toe. Maar, nadat het leven alle betekenis heeft verloren lijkt de dood het enige genot in het leven. Wat zijn degenen die zich in hun laboratoria aan de wetenschap wijden bewonderenswaardig... Wat zijn politici bewonderenswaardig die zich uitputten ter wille van de grondwet. Maar degenen die wanhopig en gekweld in een kringetje draaien... God zij hun genadig...

Vol bewondering, vermengd met vrolijkheid, liet hij zijn blik heen en weer gaan tussen Ahmed en Abd al-Moen'im. De nieuwe generatie baant zich een moeizame weg naar een vastomlijnd doel, zonder twijfel of wanhoop. Wat is het geheim van mijn kwaadaardige ziekte?

Ahmed zei: 'Ik nodig het bruidspaar, mijn ouders en mijn tante uit voor een logeplaats in ar-Rihani, komende donderdag.'

'Ar-Rihani?' vroeg Khadiega. Ibrahiem legde uit: 'Kisjkisj Bey.'*

Khadiega zei lachend: 'Jasien was bijna het huis uitgegooid met zijn bruid omdat hij Oemm Ridwaan op een avond had meegenomen naar Kisjkisj.'

'Die tijd is voorbij,' zei Ahmed onverschillig. 'Grootvader zou nu zelfs grootmoeder niet verbieden naar Kisjkisj Bey te gaan.'

'Ga maar met het bruidspaar en je vader,' zei Khadiega. 'Ik heb genoeg aan de radio.'

Aisja zei: 'En voor mij is het genoeg dat ik bij jullie op bezoek kom.'

Khadiega begon het verhaal van Jasien en Kisjkisj Bey te vertellen. Kamaal keek op zijn horloge en herinnerde zich zijn afspraak met Rijaad Koeldoes. Hij stond op en nam afscheid.

'Kun je wel echt van de natuur genieten nu het examen al over een paar dagen begint?'

Deze vraag werd door een student aan een medestudent ge-

* Bekende komiek; zie *Tussen twee paleizen*, pp. 320 vv.

steld. Ze maakten deel uit van een groepje studenten dat in een halve cirkel op het gras zat op een heuvel. Op de top stond een prieel waarin nog meer studenten zaten. Zo ver het oog reikte waren bosjes palmen en bloemperken te zien met tegelpaden ertussen.

De ene student zei: 'Ja hoor, net zoals Abd al-Moen'im Sjaukat van zijn huwelijksleven geniet, ondanks het naderende examen.'

Abd al-Moen'im Sjaukat zat midden in het groepje, evenals zijn broer Ahmed. Hij zei: 'Het is anders dan jullie denken. Het huwelijk biedt een student de beste kans om te slagen.'

Hilmi Izzat, die dicht naast Ridwaan zat, aan het andere eind van de halve cirkel, zei: 'Alleen als de echtgenoot een Moslim Broeder is.'

Hoewel het gesprek hem deprimeerde, lachte Ridwaan, zodat zijn glinsterende tanden te zien waren. Praten over het huwelijk verontrustte hem, want hij wist niet of hij dat avontuur ooit zou aangaan. Het was een even angstaanjagend als onontkoombaar avontuur, maar het stond geestelijk en lichamelijk ver van hem af. Een van de studenten vroeg: 'Wat zijn Moslim Broeders?'

'Een religieuze groepering die de islam in theorie en praktijk wil doen herleven,' antwoordde Hilmi Izzat. 'Heb je niet gehoord dat ze zijn begonnen afdelingen in de buurten op te richten?'

'Is het iets anders dan de Moslimse Jeugd?'

'Ja.'

'Wat is het verschil?'

Terwijl hij op Abd al-Moen'im Sjaukat wees, zei hij: 'Vraag het maar aan die "broeder".'

Met zijn luide stem zei Abd al-Moen'im: 'Wij zijn niet alleen een vereniging voor onderwijs en vorming, maar wij proberen ook de islam te begrijpen zoals die door God geschapen is, religieus en seculier, als wet en bestuurssysteem.'

'Kun je zoiets zeggen in de twintigste eeuw?'

De harde stem zei: 'Zelfs nog in de honderdtwintigste eeuw.'

'Alle mensen... We konden al niet meer wijs worden uit democratie, fascisme en communisme, en nu worden we weer aan een nieuwe spies geregen.'

'Maar het is wel een goddelijke spies,' zei Ahmed lachend.

Daverend gelach. Abd al-Moen'im keek hem boos aan. Het leek alsof het woord Ridwaan had geschokt, want hij zei: '"Spies" is niet het geschikte woord.'

De student vroeg aan Abd al-Moen'im: 'En stenigen jullie mensen die jullie tegenspreken?'

'De jongelui worden bedreigd door wankelmoedigheid in geloof en verval der zeden. Ze verdienen iets veel ergers dan steniging. Maar wij stenigen niemand. Wij voeden op en geven richtlijnen door middel van vermaning en het goede voorbeeld. Het bewijs daarvoor is dat wij bij ons thuis een broer hebben die het zou verdienen te worden gestenigd. En nu maakt hij grapjes in jullie bijzijn en is hij brutaal tegenover zijn Schepper, Hij zij geprezen.'

Ahmed lachte. Hilmi Izzat zei tegen hem: 'Als je je door je broer bedreigd voelt, kun je bij mij in de Darb al-Ahmar komen wonen.'

'Ben jij er ook zo een?'

'Welnee, wij wafdisten zijn tolerant. De eerste adviseur van onze leider is een Kopt. Zo zijn wij...'

De eerste student zei: 'Hoe kunnen jullie al die onzin beweren terwijl nog deze maand de buitenlandse privileges zijn afgeschaft?'

'Moeten we dan onze godsdienst verloochenen uit eerbied voor de buitenlanders?' vroeg Abd al-Moen'im.

Alsof hij geheel buiten deze discussie stond zei Ridwaan opeens: 'De capitulaties zijn afgeschaft, laten zij die tegen het verdrag zijn zich nu maar uitspreken.'

'De tegenstanders zijn niet oprecht,' zei Hilmi Izzat. 'Niets dan haat en afgunst. De ware, volledige onafhankelijkheid kan alleen met gewapende strijd worden verkregen. Hoe kunnen ze hopen dat we met woorden meer bereiken dan we nu hebben bereikt?'

Iemand zei op geërgerde toon: 'Laten we het over de toekomst hebben.'

'De toekomst laat zich niet bespreken in mei, als het examen voor de deur staat. Laat ons met rust. Vanaf vandaag ga ik niet meer naar de faculteit, dan heb ik tenminste tijd om te studeren.'

'Rustig aan... De banen liggen niet op ons te wachten. Wat bieden de rechten- en letterenstudies voor toekomst? Rondhangen of kantoorbaantjes. Vraag je maar eens af hoe je toekomst er uitziet.'

'Nu de capitulaties zijn afgeschaft staan alle deuren open.'

'Alle deuren? Er zijn meer inwoners dan deuren.'

'Luister... An-Nahhaas heeft de studenten de universiteiten laten binnengaan toen de deuren gesloten waren. Hij heeft hun de kans gegeven nadat de hele tirannenkliek hen daartoe niet in staat had gesteld. Dan kan hij er nu toch wel voor zorgen dat ze banen krijgen?'

Aan het andere eind van het park verscheen een groepje. De tongen verstomden en de hoofden wendden zich in die richting. Het was een groepje van vier meisjes die van de universiteit kwamen en in de richting van Gizeh liepen. Ze waren nog nauwelijks te onderscheiden, maar ze kwamen langzaam naderbij over het pad dat voor de groep vrienden naar links afboog, zodat de hoop dat zij hen van dichtbij te zien zouden krijgen in vervulling zou gaan. Toen de jongens hen konden onderscheiden noemden ze hun namen en hun faculteit. Een van de rechtenfaculteit en drie van de letterenfaculteit. Terwijl hij naar een van hen keek, zei Ahmed: 'Alwiyya Sabri.' De naam eiste al zijn aandacht op. Het was een meisje van een Turks-Egyptische schoonheid, tenger, van gemiddelde lengte, blank en met diepzwart haar. Ze had grote zwarte ogen met grote wimpers en in elkaar overlopende wenkbrauwen, een aristocratische manier van doen en verfijnde gebaren. En bij dat alles was ze ook nog zijn medestudente in het voorbereidingsjaar. Hij had vernomen – wie echt iets wil weten komt overal achter –, dat ze zich net als hij voor sociologie had opgegeven. Hij was nog niet in de gelegenheid geweest een woord met haar te wisselen, maar ze had vanaf de eerste blik zijn belangstelling gewekt. Hij had vaak vol bewondering naar Na'iema's gezicht gekeken, maar zij had hem nooit diep getroffen. Dit meisje had iets... de voorbode van een vriendschap in de geest... en het hart...

Toen het groepje uit het zicht verdwenen was, zei Hilmi Izzat: 'Binnenkort is de letterenfaculteit vrijwel helemaal een meisjesfaculteit.'

Ridwaan liet zijn blik langs de letterenstudenten in de groep gaan en zei: 'Wantrouw de vriendschap van rechtenstudenten die vaak tussen de colleges door bij jullie op de faculteit op bezoek komen. Ze hebben verwerpelijke bedoelingen.'

Hij lachte luid. Toch was hij op dat moment niet vrolijk, want het gesprek over de meisjes had hem onrustig en triest gemaakt.

'Waarom gaan meisjes allemaal naar de letterenfaculteit?'

'Omdat voor hen een baan als lerares het gemakkelijkst te krijgen is.'

'Dat is één reden,' zei Hilmi Izzat. 'Een andere reden is dat de letterenstudie een vrouwenstudie is. Rouge, manicure, kohl, poëzie, romans... Het valt allemaal onder dezelfde noemer.'

Ze lachten allemaal, zelfs Ahmed. Ook de andere letterenstudenten lachten, hoewel ze popelden om te protesteren. Ahmed zei: 'Dat onrechtvaardige oordeel geldt voor de medicijnenstudie. De verpleging is van oudsher vrouwenwerk. Maar er is een feit dat nog niet tot jullie doorgedrongen is, en dat is het geloof in de gelijkwaardigheid van man en vrouw.'

Abd al-Moen'im zei met een glimlach: 'Ik weet niet of het een compliment is of een belediging als we zeggen dat ze net zo zijn als wij.'

'Als het gaat om rechten en plichten is het een compliment, geen belediging.'

'De islam stelt de vrouw gelijk aan de man, behalve bij het erfrecht,' zei Abd al-Moen'im. Ahmed merkte spottend op: 'Zelfs in slavernij worden ze gelijkgesteld.'

'Jullie kennen je godsdienst niet, dat is tragisch,' zei Abd al-Moen'im boos. Hilmi Izzat keek Ridwaan aan en zei glimlachend: 'Wat weet jij van de islam?'

Op dezelfde toon vroeg Ridwaan hem: 'En wat weet jij ervan?'

Abd al-Moen'im vroeg aan zijn broer: 'En wat weet jij ervan? Prijs niet wat je niet kent.'

'Ik weet dat het een godsdienst is,' zei Ahmed kalm. 'Dat is genoeg voor mij. Ik geloof niet in godsdiensten.'

Op misprijzende toon vroeg Abd al-Moen'im: 'Heb je er bewijzen voor dat godsdiensten onwaar zijn?'

'Heb jij er bewijzen voor dat ze waar zijn?'

Met zo luide stem, dat de jongen die tussen hem en zijn broer in zat geërgerd van de een naar de ander keek, zei hij: 'Die heb ik, die heeft elke gelovige. Maar laat me je eerst vragen hoe jij leeft...'

'Met mijn eigen geloof, het geloof in de wetenschap, in de mensheid en in de toekomst. En in de taken die ik op me neem met het doel de weg te bereiden voor een nieuw systeem.'

'Je hebt al datgene verwoest waardoor een mens mens is.'

'Zeg liever dat het meer dan duizend jaar voortbestaan van een geloof geen bewijs van kracht is, maar van het lage peil van een deel van de mensheid. Het druist in tegen het zich steeds vernieuwende leven. Wat geschikt voor me is zo lang ik kind ben, moet ik veranderen als ik volwassen word. De mens is al zo lang slaaf geweest van de natuur en van zijn medemens. Hij bevecht de slavernij van de natuur met wetenschap en vernuft, zoals hij de slavernij van zijn medemens bevecht met progressieve ideologieën. Zo niet, dan is hij als een handrem op het wiel van de vrije mensheid.'

Abd al-Moen'im, die het op dat moment verafschuwde dat hij de broer van Ahmed was, zei: 'Het atheïsme is gemakkelijk. Het is een gemakzuchtige oplossing, een vlucht. Het is een vlucht voor de verplichtingen die de gelovige heeft tegenover zijn Heer, zichzelf en zijn medemensen. En geen enkel argument ten gunste van het atheïsme kan sterker zijn dan de argumenten ten gunste van het geloof, want wij kiezen niet voor een van beide met ons verstand, maar met onze leefwijze.'

Ridwaan kwam tussenbeide: 'Geef je niet over aan heftige discussies. Het zou beter zijn als jullie, als broers, aan dezelfde kant zouden staan.'

Op dat moment stoof Hilmi Izzat op, die soms werd meegesleurd door merkwaardige, heftige uitvallen: 'Geloof, mensheid, toekomst... Loze woorden. Alleen een systeem dat op de wetenschap is gebaseerd kan alles bieden. We moeten in een ding geloven: het uitroeien van de menselijke zwakte in al haar vormen. Hoe hardvochtig onze wetenschap ook lijkt, ze dient om de mensheid op een hoger, zuiver niveau te brengen.'

'Zijn dat soms de nieuwe grondslagen van de Wafd, na het verdrag?'

Hilmi Izzat lachte, waardoor hij weer tot bedaren kwam. Ridwaan zei, doelend op hem: 'Hij is weliswaar een wafdist, maar soms komen er ineens vreemde ideeën in hem op die tot massamoord oproepen. Misschien komt het doordat hij de afgelopen nacht niet goed geslapen heeft.'

De heftige discussie had haar weerslag en er viel een stilte die Ridwaan behaagde. Hij keek om zich heen, volgde met zijn blik een paar kraaien die in de lucht cirkelden, en tuurde naar de palmbosjes. Iedereen sprak zijn mening uit, ook al bruuskeerde hij daarmee de Schepper, maar hij kon alleen maar verdringen wat er in zijn binnenste woelde. Het zou een vreselijk geheim blijven dat hem altijd bedreigde. Hij was als iemand die opgejaagd werd, een vreemde... Wie had de mensheid opgedeeld in de categorieën 'normaal' en 'abnormaal'? Hoe kon je tegelijkertijd belanghebbende en rechter zijn? Waarom drijven we zo vaak de spot met ongelukkigen?

Ridwaan zei tegen Abd al-Moen'im: 'Wind je niet op. De godsdienst heeft een Heer als beschermer. En over op zijn hoogst negen maanden ben je vader.'

Dacht hij dat echt?

Om zijn broer te sussen en de laatste sporen van boosheid weg te wissen zei Ahmed: 'Ik zou me liever aan de toorn van God blootstellen dan aan jouw toorn.'

Tegen zichzelf zei Ahmed: Of hij nu kwaad wordt of niet, als hij thuiskomt in de Suikersteeg zal hij een liefhebbend hart aantreffen. Is het ondenkbaar dat ik ooit thuiskom op de eerste verdieping van de Suikersteeg en daar Alwiyya Sabri aantref?

Hij lachte. Niemand kon echter raden waarom.

Het was ongewoon druk in het huis van Abd ar-Rahiem Pasja Iesa. In de tuin stond een grote menigte mensen. Anderen zaten op de veranda. Talloze mensen liepen af en aan.

Toen ze het huis naderden, stootte Hilmi Izzat Ridwaans arm aan.

'We hebben wel degelijk aanhangers, ook al beweren zij het tegendeel in hun kranten.'

Terwijl ze zich een weg naar binnen baanden, riepen een paar jongemannen: 'Leve de solidariteit.' Ridwaan bloosde van ontroering. Hij was even geestdriftig en aangedaan als zij. Toch vroeg hij zich ongerust af of niemand zijn twijfels zou hebben over de niet-politieke kant van zijn bezoeken. Hij had zijn vrees eens uitgesproken tegen Hilmi Izzat, maar die had gezegd: 'Alleen wie bang is wekt achterdocht. Loop met geheven hoofd en vaste pas. Het past degenen die zich op het openbare leven voorbereiden dat zij zich niet te veel aantrekken van de mening van de mensen.'

De ontvanghal was afgeladen met mensen, onder wie zich studenten, arbeiders en leden van de wafdistische organisatie bevonden. Voor in de hal zat Abd ar-Rahiem Pasja Iesa. Hij was somberder dan gewoonlijk, ernstig en streng, met de aura van een gewichtig politicus. Ze liepen naar hem toe en hij stond op om hen ingetogen te begroeten. Nadat hij hun de hand had geschud, gebaarde hij hun te gaan zitten. Een van de aanwezigen, die door de begroeting van de twee jongens was onderbroken, zei: 'De publieke opinie is enorm verrast bij het bekendmaken van de namen van de nieuwe ministers, omdat an-Noekrasji er niet bij is.'

Abd ar-Rahiem Pasja Iesa zei: 'We hadden bij het aftreden van de regering wel iets verwacht, vooral omdat het conflict zo bekend was geworden dat er in de koffiehuizen over werd gepraat. Maar an-Noekrasji is niet als elk ander lid van de Wafd. De Wafd heeft vóór hem veel anderen laten vallen, die zich niet konden verweren. Maar an-Noekrasji is van een ander kaliber. Vergeet niet dat an-Noekrasji niet los gezien kan worden van Ahmed Mahir. Zij zijn de Wafd, de strijdbare, vechtende Wafd. Vraag het de galgen, de gevangenissen, de kogels... Het is deze keer niet de gaande man die door het conflict wordt onteerd, de integriteit van het gezag is in het geding, en het schietincident. Als de Wafd onverhoopt mocht uiteenvallen, dan is het de Wafd zelf die vertrekt, en niet an-Noekrasji of Mahir.'

'Makram Oebaid* heeft eindelijk zijn ware gezicht laten zien.'

Deze woorden klonken Ridwaan vreemd in de oren. Het was nauwelijks te geloven dat men de hoogste leider van de Wafd onder trouwe wafdisten op deze wijze aanviel. Iemand anders zei: 'Makram Oebaid is de aanstichter van al dit kwaad, excellentie.'

'De anderen zijn ook niet brandschoon,' zei Abd ar-Rahiem Pasja.

'Maar hij duldde geen rivalen. Hij wil an-Nahhaas zelf aan de kant schuiven, zonder mededingers. En als Mahir en an-Noekrasji zijn geëlimineerd zal niets hem meer tegenhouden.'

* An-Noekrasji en Mahir leidden in 1938 de afsplitsing van de Saadisten van de Wafd. Oebaid was de meest vooraanstaande politieke vertegenwoordiger van de Kopten binnen de Wafd.

'Als hij an-Nahhaas aan de kant zou kunnen zetten, zou hij het doen.'

Een oude man in het gezelschap zei: 'Alstublieft, ga niet te ver. Misschien komt alles weer op zijn pootjes terecht.'

'Nu er een regering is samengesteld zonder an-Noekrasji?'

'Niets is onmogelijk...'

'Dat was mogelijk geweest in de tijd van Saad Zaghloel. Maar an-Nahhaas is een koppig man. Als die zich iets in zijn hoofd zet...'

Op dat moment kwam er een man haastig binnenlopen. De pasja begroette hem midden in de hal. Ze omarmden elkaar innig.

'Wanneer ben je teruggekomen?' vroeg de pasja. 'Hoe is de toestand in Alexandrië?'

'Uitstekend, uitstekend... An-Noekrasji is op het station van Sidi Gabir ontvangen door een ongekende volksmenigte. De intellectuelen hebben hem uit het diepst van hun hart toegejuicht. Iedereen is woedend. Iedereen komt op voor de integriteit van het gezag. Ze riepen: "Leve an-Noekrasji, de onkreukbare. Leve an-Noekrasji, de zoon van Saad." En velen riepen: "Leve an-Noekrasji, de leider van de natie."'

De man sprak met luide stem en velen beantwoordden de leuzen, zodat Abd ar-Rahiem Pasja genoodzaakt was met een handgebaar om stilte te verzoeken. De man vervolgde: 'De publieke opinie is verontwaardigd over het kabinet, omdat an-Noekrasji is verwijderd. An-Nahhaas heeft een onherstelbaar verlies geleden en is ertoe overgegaan zich met de duivel te liëren tegen de smetteloze engel.'

Op dat moment zei Abd ar-Rahiem Pasja: 'Het is nu augustus. In oktober gaat de universiteit open. Dat moet het beslissende moment zijn. Vanaf nu moeten we demonstraties organiseren. Of an-Nahhaas komt tot inkeer, of hij kan naar de hel lopen.'

Hilmi Izzat zei: 'Ik kan u verzekeren dat de studentendemonstraties het huis van an-Noekrasji zullen overspoelen.'

'Dat vereist organisatie,' zei Abd ar-Rahiem Pasja. 'Beleg vergaderingen met onze aanhangers onder de studenten en tref voorbereidingen. Daarnaast heb ik informatie dat een ongelooflijk groot aantal afgevaardigden en sjeiks zich bij ons zullen aansluiten.'

'An-Noekrasji heeft de comités van de Wafd in het leven geroepen, vergeet dat niet. De telegrammen met betuigingen van trouw stromen van 's ochtends vroeg tot 's avonds laat bij het kantoor binnen.'

Ridwaan vroeg zich af wat er aan de hand was met de wereld. Zou de Wafd zich opnieuw opsplitsen? Zou Makram Oebaid werkelijk de verantwoordelijkheid daarvoor op zich nemen? Strookte het belang van het vaderland met een splitsing in de partij die achttien jaar lang zijn missie had uitgedragen? Er werden verscheidene mogelijkheden geopperd. De aanwezigen bespraken allerlei voorstellen, die vooral op propaganda en het organiseren van demonstraties waren gericht. Uiteindelijk begonnen de mensen weg te gaan, zodat na enige tijd alleen de pasja, Ridwaan en Hilmi Izzat in de zaal achterbleven. De pasja nodigde hen uit op de veranda te komen zitten. Ze liepen achter hem aan en ze namen gedrieën rond een tafeltje plaats. Weldra werden er glazen limoensap gebracht.

Na een tijdje verscheen in de deuropening een man van in de veertig, die Ridwaan tijdens zijn vorige bezoeken had leren kennen. Hij heette Ali Mahraan en werkte als secretaris van de pasja. Zijn uiterlijk toonde een natuurlijke geneigdheid tot scherts en lichtzinnigheid. Hij werd vergezeld door een jonge man van een jaar of twintig die knap van uiterlijk was en er met zijn lange, loshangende haar en zijn brede stropdas uitzag als een artiest. Ali Mahraan kwam met een glimlach naderbij. Hij kuste de hand van de pasja en schudde die van de twee jongens. Toen stelde hij de jongeman voor: 'Oestaaz Atia Gaudat, een beginnend, maar getalenteerd zanger. Ik heb al eens over hem verteld, excellentie.'

De pasja zette zijn bril op, die hij op het tafeltje had gelegd, nam de jongeman vorsend op en zei glimlachend: 'Welkom, jongeheer Atia, ik heb veel over je gehoord. Misschien kunnen we deze keer jou zelf horen.'

Hij begroette de pasja glimlachend en ging zitten, terwijl Ali Mahraan naar de pasja toe neeg en zei: 'Hoe gaat het, oudje?'

Zo sprak hij de pasja aan als de etiquette niet meer in acht hoefde te worden genomen. De pasja antwoordde met een glimlach: 'Duizend keer beter dan met jou.'

Met ongewone ernst zei Ali: 'Ze fluisteren in de Anglo Bar

dat er binnenkort een nationalistische regering zal worden gevormd onder leiding van an-Noekrasji...'

De pasja glimlachte diplomatiek en zei zacht: 'Wij zijn niet benoemd.'

Ridwaan vroeg ongerust: 'Op welke basis? Ik kan me natuurlijk niet voorstellen dat an-Noekrasji een staatsgreep zou plegen, zoals Mohammed Mahmoed of Isma'iel Sidki.'

'Een staatsgreep? Welnee...' zei Ali Mahraan. 'Voorlopig beperken we ons ertoe de meerderheid van de sjeiks en de afgevaardigden te overreden zich bij ons aan te sluiten. Vergeet niet dat de koning aan onze kant staat. En Ali Mahir gaat verstandig en met overleg te werk.'

'Horen we uiteindelijk dan toch bij de koningsgezinden?' vroeg Ridwaan teleurgesteld.

'Het woord is hetzelfde,' zei Abd ar-Rahiem Pasja, 'maar de betekenis is veranderd. Faroek is anders dan Foeaad, de omstandigheden zijn veranderd. De koning is jong en een overtuigd patriot. En hij is gekwetst door de onrechtvaardige aanvallen van an-Nahhaas.'

Terwijl hij vergenoegd in zijn handen wreef, zei Ali Mahraan: 'Wanneer kunnen we de pasja gelukwensen met een ministerschap? Kies je mij als staatssecretaris, zoals je me nu tot secretaris voor je zaken hebt benoemd?'

De pasja zei lachend: 'Nee, ik benoem je tot algemeen directeur van het gevangeniswezen, want jouw natuurlijke omgeving is de gevangenis.'

'De gevangenis? Maar ze zeggen dat de gevangenis voor kerels is.'

'Ook voor anderen, maak je geen zorgen.'

Plotseling kwam er een verveelde uitdrukking op het gezicht van de pasja en hij riep: 'Genoeg politiek. Een andere atmosfeer, graag.'

Hij wendde zich tot *oestaaz* Atia en vroeg: 'Wat ga je voor ons zingen?'

Ali Mahraan antwoordde in zijn plaats: 'De pasja is een liefhebber van muziek en vertier. Als je hem aanstaat gaan de poorten van de radio voor je open.'

Atia Gaudat zei op beminnelijke toon: 'Onlangs heb ik het vers "Ze hebben mij en hem in de boeien geslagen...", geschreven door *oestaaz* Mahraan, op muziek gezet.'

De pasja keek zijn secretaris aan en vroeg: 'Sinds wanneer schrijf jij verzen?'
'Ik heb toch zeven jaar aan de Azhar gestudeerd? Daar ben ik overstelpt met metrum en eindrijm.'
'En wat is het verband tussen de Azhar en jouw onzedelijke liederen? "Ze hebben mij en hem in de boeien geslagen..." Wie is die "hem", meneer de student?'
'Het antwoord, excellentie, ligt verborgen in de baard van de pasja.'
'Deugniet.'
Ali Mahraan riep de huisbediende. De pasja vroeg hem naar de reden.
'Om de voorbereidingen te treffen voor een muziekoptreden.'
Terwijl hij opstond zei de pasja: 'Wacht, ik moet het avondgebed nog doen.'
Met een boosaardige glimlach vroeg Mahraan: 'Heeft onze begroeting je rituele reinheid niet ongeldig gemaakt?'

6

Ahmed Abd al-Gawwaad verliet het huis met kalme pas en steunend op zijn stok. Het was niet meer zoals vroeger. Sinds hij zijn winkel had geliquideerd verliet hij het huis nog maar één keer per dag, om zijn hart de inspanning van het beklimmen van de trap zoveel mogelijk te besparen. Hoewel het pas september was, dunkte het hem goed zijn wollen kleren te dragen, want het magere lichaam van nu kon de frisse lucht waarin het forse, sterke lichaam van weleer zich had verlustigd niet meer verdragen. De stok die hem sinds zijn jeugd had vergezeld als symbool van mannelijkheid en teken van elegantie was een onontbeerlijke steun geworden bij zijn moeizame tred, die zijn hart slechts met moeite aankon. Maar hij zag er nog even charmant en fraai uit, want hij hechtte er aan zich luxueus te kleden, zich met welriekend reukwater te besprenkelen en van de schoonheid en waardigheid van de ouderdom te genieten.

Toen hij bij de winkel kwam, keek hij er onwillekeurig naar. Het bord waarop jarenlang zijn naam en die van zijn vader had geprijkt was weggehaald. De aanblik van de winkel en de bestemming waren veranderd. Het was nu een zaak waar fezzen werden verkocht en geperst, en ervoor stonden een fornuis en koperen mallen. Er verscheen een denkbeeldig bord voor zijn ogen dat hij alleen zag. Er stond op dat zijn tijd voorbij was, de tijd van zwoegen, strijd en vertier. Nu leefde hij teruggetrokken van zijn pensioen, hij had de wereld van hoop de rug toegekeerd en ging de wereld van ouderdom, ziekte en wachten tegemoet. En die van het zwakke hart, dat zo lang, en nog altijd, zozeer overliep van liefde voor de wereld en haar geneugten, dat zelfs het geloof in zijn ogen niet meer dan verstrooiing was, waaraan hij zich volledig overgaf. Zelfs nu was de ascetische vroomheid die zich van de wereld afwendt en zich uitsluitend op het hiernamaals richt hem vreemd.

De winkel was niet meer de zijne, maar hoe kon hij de herinnering eraan wegwissen? De winkel was het middelpunt van zijn bedrijvigheid en van de blikken van de voorbijgangers geweest, een trefpunt voor vrienden en minnaressen, een bron van trots en aanzien. Je kunt je troosten door te zeggen: We hebben de meisjes uitgehuwelijkt, we hebben de jongens grootgebracht, we hebben de kleinkinderen gezien, we hebben voldoende geld om ons tot de dood te onderhouden, we hebben jarenlang – werkelijk jarenlang? – het zoete leven geproefd... Nu is het tijd om dankbaar te zijn, we zijn God dank verschuldigd, altijd... Maar wat een heimwee, God vergeve de tijd, de tijd die nooit een ogenblik stilstaat en waarvan alleen al het bestaan iets verraderlijks is voor de mens, en hoe... Als de stenen konden spreken, zou ik deze huizen vragen te vertellen over het verleden, om te horen of het waar is dat dit lichaam in staat was bergen te verzetten, dat dit zieke hart onvermoeibaar klopte, dat deze mond niet afliet te lachen, dat dit gemoed geen pijn kende en dat dit gezicht aanwezig was in ieders hart... Nogmaals, God vergeve de tijd...

Toen zijn trage passen hem naar de Hoesseinmoskee hadden gevoerd, trok hij zijn schoenen uit en ging naar binnen terwijl hij de *fatiha** reciteerde. Hij liep naar de minbar, waar Mohammed Iffat en Ibrahiem al-Faar op hem wachtten, en gezamenlijk verrichtten zij het middaggebed. Daarna verlieten ze de moskee en gingen naar at-Toembaksjiyya om Ali Abd ar-Rahiem een bezoek te brengen. Ze waren alle drie opgehouden met werken om de kwalen het hoofd te kunnen bieden, maar ze waren er beter aan toe dan Ali Abd ar-Rahiem, die niet meer in staat was zijn bed te verlaten.

Sajjid Ahmed verzuchtte: 'Ik heb het gevoel dat ik binnenkort alleen nog in een rijtuig naar de moskee kan komen.'

'Je bent niet de enige.'

De man vervolgde op zorgelijke toon: 'Ik ben vaak bang dat ik ook aan bed gekluisterd zal zijn, net als sajjid Ali. Ik bid God dat Hij het me vergunt te sterven voordat ik hulpbehoevend word.'

'Moge onze Heer jou en ons tegen alle kwaad beschermen.'

Hij zag er angstig uit toen hij zei: 'Ghaniem Hamiedoe heeft een jaar verlamd op bed gelegen, Sadik al-Mawardi heeft maandenlang pijn geleden. God geve ons een snel einde als onze tijd gekomen is.'

* Openingssoera van de koran, die vaak bij wijze van gebed wordt gereciteerd.

Mohammed Iffat zei lachend: 'Als je je door die zwartgallige gedachten laat overmeesteren ben je net een vrouw. Pas op, jongen.'

Ze kwamen bij het huis van Ali Abd ar-Rahiem en werden in zijn kamer binnengelaten. Ogenblikkelijk zei de man bezorgd: 'Wat zijn jullie laat... God vergeve je.'

De verveling was in zijn ogen te zien. Hij kon alleen nog glimlachen tijdens het uur waarin zij op bezoek kwamen.

'Ik heb de hele dag niets te doen, behalve naar de radio luisteren,' zei hij. 'Wat had ik gemoeten als er nog geen radio was geweest in Egypte? Alles wat er wordt uitgezonden spreekt me aan, zelfs de lezingen die ik nauwelijks begrijp. Maar zo oud zijn we toch niet, dat we deze marteling moeten doorstaan? Onze grootvaders trouwden nog op onze leeftijd.'

Ahmed Abd al-Gawwaad raakte in een vrolijke stemming en zei: 'Dat is een goed idee. Wat denken jullie ervan om opnieuw te trouwen? Misschien krijgen we dan onze vitaliteit terug en zijn we van die kwalen af.'

Ali Abd ar-Rahiem glimlachte. Hij vermeed het te lachen uit vrees dat hij dan een hoestbui zou krijgen die schadelijk was voor zijn hart.

'Ik doe mee,' zei hij. 'Kies maar een bruid voor me. Maar zeg haar wel eerlijk dat de bruidegom niet kan bewegen en dat zij dus al het werk moet doen.'

Alsof hem plotseling iets te binnen schoot zei al-Faar tegen hem: 'Ahmed Abd al-Gawwaad zal eerder dan jij zijn achterkleinkind zien, God schenke hem een lang leven.'

'Alvast gefeliciteerd, zoon van Abd al-Gawwaad.'

Maar sajjid Ahmed versomberde.

'Na'iema is inderdaad zwanger, maar ik ben niet gerust. Ik weet nog goed wat de dokter over haar hart heeft gezegd toen ze geboren werd. Ik heb zo lang tevergeefs geprobeerd het te vergeten.'

'Wat ben je toch een godslasteraar. Sinds wanneer geloof je in de voorspellingen van dokters?'

Sajjid Ahmed zei lachend: 'Sinds alles wat ik tegen hun voorschriften eet me tot de ochtend uit mijn slaap houdt.'

'En de genade van onze Heer dan?' vroeg Ali Abd ar-Rahiem.

'God zij geprezen, de Heer der twee werelden.'

Hij vervolgde: 'Ik veronachtzaam Gods genade niet, maar angst brengt angst voort. Na'iema baart me niet zoveel zorgen als Aisja, Ali. Aisja is de grote bron van ongerustheid in mijn leven, het arme, ongelukkige meisje. Als ik er niet meer ben, zal zij alleen op deze wereld achterblijven.'

'God bestaat,' zei Ibrahiem al-Faar. 'Hij is de hoogste Herder.'

Even viel er een stilte, die werd verbroken door de stem van Ali Abd ar-Rahiem, die zei: 'En na jou komt mijn beurt om mijn achterkleinzoon te zien.'

'God vergeve onze dochters,' zei sajjid Ahmed lachend. 'Ze maken hun familie voortijdig oud.'

'Oude zeurkous,' riep Mohammed Iffat. 'Erken toch dat je oud bent en houd op met die verwaandheid.'

'Niet te hard praten, anders hoort mijn hart het en gaat het raar doen. Mijn hart is net een verwend kind.'

Ibrahiem al-Faar schudde mistroostig zijn hoofd en zei: 'Het was me een jaar wel, afgelopen jaar. Het heeft ons niet ontzien. Geen van ons is onaangetast gebleven, alsof het afgesproken was.'

'Zoals Abd al-Wahhaab zingt: "Laten we samen leven en samen sterven."'

Ze lachten alle vier. Opeens veranderde Ali Abd ar-Rahiem van toon en vroeg ernstig: 'Is het waar? Ik bedoel, wat an-Noekrasji heeft gedaan?'

Het gezicht van Ahmed Abd al-Gawwaad betrok.

'We hadden gehoopt dat alles ten goede zou keren,' zei hij. 'Vraag God de Almachtige om vergeving.'

'De broederschap van levenslange strijdmakkers is in rook opgegaan.'

'Al het mooie gaat tegenwoordig in rook op.'

Ahmed Abd al-Gawwaad zei: 'Ik heb nooit iets zozeer betreurd als het vertrek van an-Noekrasji uit de Wafd. De onenigheid had nooit zo hoog mogen oplopen.'

'Hoe zal het aflopen, denk je?'

'De onvermijdelijke afloop. Wat is er van rebellen als al-Basil en as-Sjamsi terechtgekomen? De strijder heeft zijn eigen ondergang bewerkstelligd en Ahmed Mahir in zijn val meegesleurd.'

Op dat moment zei Mohammed Iffat nerveus: 'Laten we het

daar niet over hebben. Ik geloof dat ik de politiek ga verstoten.'

Al-Faar kwam op een idee en vroeg glimlachend: 'Als we aan het bed gekluisterd zijn, zoals sajjid Ali – God verhoede het –, hoe kunnen we elkaar dan ontmoeten en met elkaar praten?'

Mohammed Iffat mompelde: 'Moge Gods voorspellingen uitkomen en niet die van jou.'

'Als dat onverhoopt zou gebeuren,' zei Ahmed Abd al-Gawwaad lachend, 'spreken we elkaar toe over de radio. Net zoals Papa Kiekeboe de kinderen toespreekt.'

Ze lachten. Mohammed Iffat haalde zijn horloge te voorschijn en keek erop. Maar Ali Abd ar-Rahiem zei geschrokken: 'Jullie moeten bij me blijven tot de dokter er is, om te horen wat hij zegt. God vervloeke hem, en zijn tijd.'

Al-Ghoeriyya had haar deuren gesloten en er liepen nog maar weinig mensen. Het weer was afgekoeld, hoewel het pas midden december was. De winter kwam vroeg dit jaar. Het had Kamaal geen moeite gekost Rijaad Koeldoes over te halen om mee te gaan naar de Hoessein-wijk. De jongeman was er weliswaar niet bekend, maar hij voelde er wel voor er rond te wandelen en in de koffiehuizen te zitten. Sinds zij elkaar op de redactie van *al-Fikr* hadden leren kennen was er anderhalf jaar voorbijgegaan en ze hadden elkaar elke week een of twee keer ontmoet. In de vakantie kwamen ze bijna elke avond bij elkaar op de redactie, in het huis in Tussen Twee Paleizen, het huis van Rijaad in Mansjiyya al-Bakri, het koffiehuis Imaad ad-Dien of het grote koffiehuis van al-Hoessein, waar Kamaal zijn toevlucht had gezocht nadat het historische koffiehuis van Ahmed Abdoeh door de slopershamers was neergehaald en voor altijd van de aardbodem was weggevaagd. Ze waren allebei gelukkig met hun vriendschap. Kamaal had tegen zichzelf gezegd: Ik heb Hoessein Sjaddaad jarenlang gemist, zijn plaats bleef leeg totdat zij door Rijaad Koeldoes werd ingenomen. In zijn gezelschap leefde zijn geest op en voelde hij bij het uitwisselen van ideeën die inspiratie die aan vervoering grensde. Toch waren ze niet in alles gelijk, maar vulden ze elkaar veeleer aan. Hun vriendschap was een wederzijds gevoel dat in stilte werd beleden. Geen van beiden zei tegen de ander 'Jij bent mijn vriend', of 'Ik kan me het leven niet zonder jou voorstellen', maar desalniettemin was dat het geval.

Het koude weer had hun niet de lust ontnomen om te wandelen en ze hadden besloten te voet naar het koffiehuis Imaad ad-Dien te gaan. Rijaad Koeldoes was die avond niet vrolijk gestemd. Hij zei op heftige toon: 'De constitutionele crisis is op een nederlaag voor het volk uitgelopen. Want het aftreden van an-Nahhaas is een nederlaag voor het volk in zijn historische strijd tegen het paleis.'

Kamaal zei bedroefd: 'Nu is komen vast te staan dat Faroek precies zo is als zijn vader.'

'Faroek is niet als enige verantwoordelijk. De traditionele vijanden van het volk hebben samengespannen. Het is de hand van Ali Mahir en Mohammed Mahmoed, en het is betreurenswaardig dat twee van de zonen van het volk zich bij de vijanden van het volk hebben geschaard, Ahmed Mahir en an-Noekrasji. En de natie is niet vrij van verraders zolang als de koning medestanders vindt die hem in staat stellen de rechten van het volk teniet te doen.'

Hij zweeg even en hernam toen: 'De Engelsen hebben het strijdperk verlaten, maar nu staan de koning en het volk tegenover elkaar. De onafhankelijkheid is niet alles. Er is ook het onschendbare recht van het volk om zijn soevereiniteit en rechten uit te oefenen, opdat allen kunnen leven als vrije mensen, niet als slaven.'

Kamaal was niet zo geobsedeerd door politiek als Rijaad, maar zijn interesse ervoor was niet met al het andere door zijn scepticisme weggevaagd en was in zijn gevoelens blijven voortbestaan. In zijn hart geloofde hij in de rechten van het volk, ook al wist zijn verstand niet wat die inhielden. Zijn verstand zei soms 'de rechten van de mens' en soms 'de overleving van de sterksten, de massa's vormen slechts een kudde'. Weer een andere keer vroeg hij zich af of het communisme niet het beproeven waard was. Zijn hart was echter niet vrij van populistische sentimenten, die hem vanaf zijn jeugd hadden vergezeld, vermengd met de herinnering aan Fahmi. Voor Rijaad was de politiek de eigenlijke essentie van zijn intellectuele activiteit.

Rijaad zei: 'Zullen we ooit de belediging kunnen vergeten die Makram heeft ondergaan op het Abdienplein? En dat misdadige ontslag... De natie is door het slijk gehaald, beschimpt en in het gezicht gespuwd. Sommigen jubelen, helaas, uit blinde haat.'

'Ben je kwaad vanwege Makram?' vroeg Kamaal plagend. Zonder aarzelen zei Rijaad: 'Alle Kopten zijn wafdist.* Dat komt doordat de Wafd een echte nationalistische partij is, niet een religieuze, Turkse partij, zoals de Nationale Partij, maar een partij die van Egypte een vrij vaderland voor de Egyptenaren wil maken, ongeacht hun geloof of etnische afkomst. De vijanden van het volk weten dat. Daarom waren de Kopten het doelwit van openlijke onderdrukking tijdens het bewind van Sidki. En vanaf nu zullen ze daar opnieuw het slachtoffer van worden.'

Kamaal was verheugd over deze openhartigheid, die een bewijs vormde voor de volmaaktheid van hun vriendschap. Toch behaagde het hem plagend te vragen: 'Heb je het over de Kopten? Jij, die alleen in de wetenschap en de kunst gelooft?'

Rijaad deed er het zwijgen toe. Ze waren bij de Azharstraat aangekomen waar de koude wind tamelijk krachtig was. Vandaar vervolgden ze hun weg naar een snoepwinkel, waar Kamaal voorstelde een stuk *basboesa*** te eten. Even later zaten ze in een hoek met allebei een klein bordje voor zich.

Rijaad zei: 'Ik ben vrijdenker en Kopt tegelijkertijd. Ik ben zowel areligieus als Kopt. Vaak heb ik het gevoel dat het christendom mijn vaderland is, niet mijn godsdienst. Soms, als ik dit gevoel met mijn verstand analyseer, raak ik in de war. Maar rustig aan, is het niet laf om je gemeenschap te negeren? Er is maar één ding dat me uit deze tweestrijd kan verlossen, dat is opgaan in het zuivere Egyptische nationalisme, zoals Saad Zaghloel voorstond. An-Nahhaas is moslim, maar hij is ook nationalist in de volle betekenis van het woord. Tegenover hem hebben wij het gevoel dat we Egyptenaar zijn, niet moslim of Kopt. Ik zou in staat zijn gelukkig te leven zonder me om dit soort gedachten te bekommeren, maar waarachtig leven is ook verantwoordelijk leven.'

Kamaal smakte nadenkend met zijn lippen, terwijl zijn hart zinderde van gevoelens. De authentieke Egyptische gelaats-

* Rijaad Koeldoes is zelf een Kopt, net als Makram Oebaid.

** Gebak van meel, boterolie en suiker.

trekken van Rijaad, die hem aan faraonische afbeeldingen deden denken, riepen allerlei bespiegelingen in hem op. Het standpunt van Rijaad is onmiskenbaar gefundeerd. Ikzelf ben iemand die aan een gespleten persoonlijkheid lijdt, verscheurd tussen hoofd en hart, net als hij. Hoe kan een minderheid leven te midden van een meerderheid die haar onderdrukt? De verdienste van verheven openbaringen wordt meestal afgemeten aan het geluk dat zij de mensheid verschaffen, en dat manifesteert zich voor alles in welwillendheid jegens de onderdrukten.

'Neem me niet kwalijk,' zei hij. 'Ik ben tot nu toe nog nooit met het probleem van discriminatie geconfronteerd geweest. Mijn moeder heeft me van jongs af aan geleerd iedereen lief te hebben. Daarna ben ik opgegroeid in de sfeer van de revolutie, die vrij was van elke smet van geloofsfanatisme. Daarom ken ik dat probleem niet.'

Toen ze hun wandeling hervatten, zei Rijaad: 'Het zou volstrekt geen probleem hoeven te zijn. Het spijt me dat ik je moet bekennen dat we in huizen zijn opgegroeid die niet vrij zijn van trieste, zwarte herinneringen. Ik ben niet fanatiek, maar wie de rechten van de mens niet respecteert, niet alleen in zijn huis, maar zelfs aan het andere eind van de wereld, respecteert de rechten van de mensheid in haar geheel niet.'

'Dat is mooi gezegd. Het is niet verwonderlijk dat de ware humanitaire manifesten vaak voortkomen uit het milieu van minderheden, of van mannen die begaan zijn met de minderheden der mensheid. Maar er zijn altijd fanatici.'

'Die zijn er altijd en overal. De mens is nieuw en het beest is oud. Er zijn er onder jullie die ons als vervloekte ketters beschouwen, en er zijn er onder ons die jullie als ongelovige indringers beschouwen. Ze zeggen over zichzelf dat ze afstammelingen zijn van de koningen van Egypte die hun geloof alleen hebben kunnen behouden door de *djizja** te betalen.'

Kamaal schoot in de lach.

'De een zegt dit, de ander dat. Zou dat verschil voortkomen uit de godsdienst of uit de menselijke natuur, die altijd uit is op onenigheid? De moslims zijn verdeeld en de christenen ook. Je zult een voortdurende strijd zien tussen de soennieten

* Traditionele hoofdelijke belasting die op niet-moslims werd geheven.

en de sjiieten, tussen de Hidjazi's en de Irakezen, net als die tussen de wafdisten en de constitutionelen, letterenstudenten en studenten in de natuurwetenschappen, de voetbalclubs al-Ahli en at-Tarsana. Maar ondanks dat alles zijn we bedroefd als we in de krant lezen over een aardbeving in Japan. Luister, waarom verwerk je dat niet in je verhalen?'

'Het probleem van de Kopten en de moslims...'

Rijaad Koeldoes zweeg even en zei toen: 'Ik ben bang dat het verkeerd zou worden begrepen.'

Na even te hebben gezwegen voegde hij eraan toe: 'Bovendien, vergeet niet dat we, ondanks alles, nu in onze gouden eeuw leven. Vroeger stelde sjeik Abd al-Aziez Gawiesj voor dat de moslims schoenen van onze huid zouden maken.'

'Hoe kunnen we dat probleem radicaal uitroeien?'

'Gelukkig is het opgegaan in het probleem van het volk als geheel. Het probleem van de Kopten is tegenwoordig het probleem van het volk. Als het volk wordt onderdrukt, worden wij het ook, als het volk zich bevrijdt, bevrijden wij ons ook.'

Geluk en vrede, de nagejaagde droom. Je hart leeft slechts van liefde. Wanneer zal mijn verstand zijn weg vinden? Wanneer zal ik op de toon van mijn neef Abd al-Moen'im kunnen zeggen 'Ja, ja'? Mijn vriendschap met Rijaad heeft me geleerd hoe ik zijn verhalen moet lezen, maar hoe kan ik in de kunst geloven terwijl ik de filosofie zelf een onbewoonbaar paleis vind?

Rijaad vroeg plotseling, terwijl hij hem zijdelings opnam: 'Waar denk je aan? Zeg het me eerlijk.'

Hij begreep wat er achter de vraag school en antwoordde oprecht: 'Ik dacht aan je verhalen.'

'Kwetst mijn openhartigheid je niet?'

'Mij? God vergeve je.'

Hij lachte bij wijze van verontschuldiging en vroeg: 'Heb je mijn laatste verhaal gelezen?'

'Ja, het is mooi. Maar ik heb het idee dat kunst geen serieuze bezigheid is, met de kanttekening dat ik niet weet wat belangrijker is in het bestaan van de mensheid: ernst of verstrooiing. Je bent op hoog wetenschappelijk niveau opgeleid en misschien ben je van alle niet-wetenschappers het beste op de hoogte van de wetenschap. Toch verspil je al je energie met het schrijven van verhalen. Soms vraag ik me af wat voor profijt je van je wetenschappelijke kennis hebt.'

Rijaad Koeldoes zei heftig: 'Ik heb de wetenschap ondergeschikt gemaakt aan de kunst ter wille van de waarheid, de toewijding aan haar, de stoutmoedige confrontatie met haar, hoe bitter ze ook is, en ter wille van de onpartijdigheid in mijn oordeel en de volledige verdraagzaamheid tegenover de schepselen.'

Grote woorden, maar wat hebben die met het tijdverdrijf van verhalen schrijven te maken?

Rijaad Koeldoes keek hem aan en las de scepsis op zijn gezicht. Hij lachte en zei: 'Jij wantrouwt de kunst. Maar ik kan er troost uit putten dat niets op deze wereld gevrijwaard is voor jouw twijfel. We zien met ons verstand, maar we leven met ons hart. Jij, bijvoorbeeld, geeft ondanks je sceptische houding om het politieke wel en wee van je land en neemt eraan deel. Achter ieder van deze aspecten ligt een bewust of onbewust beginsel, dat niet in kracht onderdoet voor het geloof. Kunst geeft uitdrukking aan de wereld van de mens, nog afgezien van de schrijvers die met hun kunst deelnemen aan de mondiale strijd der ideeën. In hun handen verandert de kunst in een wapen in het internationale strijdperk. Kunst moet wel een serieuze bezigheid zijn.'

Verdedigt hij de kunst of de eigenwaarde van kunstenaars? Als een venter van nootjes in staat was te debatteren, zou hij aantonen dat hij een gewichtige rol speelt in het bestaan der mensheid. Het is niet onmogelijk dat alles zijn eigen waarde heeft. Het is ook niet onmogelijk dat iets volstrekt geen waarde heeft. Hoeveel miljoen mensen blazen op dit moment hun laatste adem uit? Op hetzelfde moment klinkt het gehuil op van een kind dat zijn speeltje kwijt is, of de stem van een minnaar die zijn hartzeer aan de nacht en het universum toevertrouwt. Moet ik daarom lachen of huilen?

Hij zei: 'Naar aanleiding van wat je zei over de internationale strijd der ideeën, kan ik je vertellen dat die op verkleinde schaal in onze familie weerspiegeld wordt. Mijn ene neef is Moslim Broeder, de andere is communist.'

'Die strijd zal in elke familie zijn weerspiegeling krijgen, vroeg of laat. We leven niet meer in een fles. Heb jij nooit over die dingen nagedacht?'

'Ik heb over het communisme gelezen toen ik de filosofie van het materialisme bestudeerde, en ik heb ook boeken gelezen over het fascisme en het nazisme...'

'Je leest en begrijpt... Een geschiedschrijver zonder geschiedenis. Ik hoop dat je de dag waarop je die houding laat varen als je geboortedag zult beschouwen.'

Deze opmerking ergerde Kamaal, omdat er scherpe kritiek uit sprak, maar ook omdat er enige waarheid in school. Om te ontkomen aan de noodzaak erop te reageren, zei hij: 'Noch de communist, noch de Moslim Broeder in onze familie heeft een gedegen kennis van datgene waarin hij gelooft.'

'Het geloof komt uit de wil voort, niet uit kennis. De onbeduidendste christen weet tegenwoordig veel meer van het christendom dan de vroegere martelaren. Dat is bij jullie, moslims, net zo.'

'Geloof jij in een van die ideologieën?'

Na enig nadenken antwoordde Rijaad: 'Het staat vast dat ik het fascisme, het nazisme en alle dictatoriale systemen verafschuw. Het communisme is in staat een wereld te creëren die vrij is van de tragiek van racistische en religieuze geschillen en klassenstrijd. Maar mijn kunst blijft mijn hoogste prioriteit houden.'

Met enige ironie in zijn stem zei Kamaal: 'De islam heeft de wereld waarover je spreekt al meer dan duizend jaar geleden geschapen.'

'Maar de islam is een godsdienst. Het communisme is een wetenschap, godsdienst is een mythe.'

Hij voegde er glimlachend aan toe: 'En we hebben te maken met moslims, niet met de islam.'

Ondanks de kou was het bijzonder druk in de Foeaadstraat. Rijaad bleef plotseling staan en vroeg: 'Zullen we macaroni gaan eten met een goed glas wijn, wat denk je?'

'Ik drink niet in openbare gelegenheden. Laten we naar koffiehuis Oekasja gaan, als je er geen bezwaar tegen hebt.'

Rijaad Koeldoes zei lachend: 'Hoe kun je al die ernst verdragen? Een bril, een snor en principes... Je hebt je verstand van alle ketenen bevrijd, maar je lichaam aan alle kanten geketend. Je bent in de wieg gelegd om onderwijzer te zijn, althans je lichaam.'

De toespeling van Rijaad op zijn lichaam riep een pijnlijk

voorval op in zijn herinnering. Hij was naar het verjaardagsfeest van een van zijn collega's gegaan. Ze hadden allemaal gedronken tot ze aangeschoten waren. Toen had een van hen hem nagedaan met zijn hoofd en neus, waarop iedereen in lachen was uitgebarsten. Als hij aan zijn hoofd en neus werd herinnerd, moest hij altijd aan Ajida denken en aan die tijd... Ajida had zijn neus en hoofd geschapen. Het is verbazingwekkend dat de liefde wegebt en tot niets vergaat. Alleen de pijnlijke bezinksels blijven achter.

Rijaad trok hem aan zijn arm mee en zei: 'Laten we een glas wijn drinken en over literatuur praten. Daarna gaan we naar het huis van Sitt Galiela in de Gauharisteeg. Als jij haar "tante" noemt, zal ik "nicht" tegen haar zeggen.'

7

Het was een drukte van belang in de Suikersteeg, of om precies te zijn, in het appartement van Abd al-Moen'im Sjaukat. In de slaapkamer stonden Amiena, Khadiega, Aisja, Zannoeba en de vrouwelijke kraamdokter rond het bed van Na'iema, terwijl Abd al-Moen'im in de ontvangkamer zat in gezelschap van zijn vader Ibrahiem, zijn broer Ahmed en Jasien en Kamaal.

Jasien zei plagend tegen Abd al-Moen'im: 'Zorg ervoor dat de geboorte van de volgende niet vlak voor het examen valt.'

Het was eind april en Abd al-Moen'im was tegelijkertijd opgetogen, ongerust en uitgeput. Het geluid van de weeën klonk luid op achter de gesloten deur en duidde onmiskenbaar op pijn. Abd al-Moen'im zei: 'De zwangerschap heeft haar afgemat en onvoorstelbaar verzwakt. Het lijkt alsof ze niet één druppel bloed meer in haar gezicht heeft.'

Jasien liet ongegeneerd een boer en zei: 'Dat is normaal, het is bij alle vrouwen hetzelfde.'

'Ik herinner me nog de geboorte van Na'iema,' zei Kamaal glimlachend. 'Het was een moeilijke bevalling waarvoor Aisja heel wat heeft moeten doorstaan. Ik had met haar te doen. Ik stond hier, op deze plaats, met haar overleden echtgenoot Khaliel.'

Abd al-Moen'im vroeg: 'Moet ik daaruit opmaken dat zware bevallingen erfelijk zijn?'

Terwijl hij naar boven wees zei Jasien: 'Alleen voor Hem is iets gemakkelijk.'

'We hebben er een arts bijgehaald die in de hele wijk goed bekend staat,' zei Abd al-Moen'im. 'Mijn moeder wilde liever de vroedvrouw laten komen die haar heeft helpen bevallen, maar ik stond erop dat er een arts kwam. Ze is zonder twijfel hygiënischer en bekwamer.'

'Natuurlijk,' zei Jasien, 'ook al ligt de hele bevalling in Gods hand en Zijn zorg.'

Ibrahiem Sjaukat stak een sigaret op en zei: 'De weeën begonnen vanochtend vroeg. Nu is het al bijna vijf uur 's avonds. Het arme kind. Ze is zo tenger als een schim. God helpe haar.'

Hij liet zijn lome ogen langs de aanwezigen gaan, vooral zijn zoons Abd al-Moen'im en Ahmed, en voegde eraan toe: 'Kon een mens zich maar herinneren hoeveel pijn zijn moeder heeft geleden.'

Ahmed zei lachend: 'Hoe kun je van een ongeboren kind vragen zich iets te herinneren, papa?'

'Als je erkentelijk wilt zijn ga je niet alleen op je geheugen af,' zei de man op afkeurende toon.

De weeën hielden op. Het werd stil in de kamer en de hoofden wendden zich naar de gesloten deur. Na een poosje werd Abd al-Moen'im ongeduldig. Hij stond op, liep naar de deur en klopte. De deur ging op een kier en het verhitte gezicht van Khadiega verscheen. Hij keek haar vragend aan en maakte aanstalten om zijn hoofd naar binnen te steken, maar zij hield hem tegen met haar hand en zei: 'God heeft nog geen toestemming voor de verlossing gegeven.'

'Het duurt lang. Zijn het geen schijnweeën?'

'Dat weet de arts beter dan wij. Wees gerust en bid dat de verlossing spoedig komt.'

Ze deed de deur dicht. De jongen ging weer naast zijn vader zitten, die naar aanleiding van zijn ongerustheid opmerkte: 'Neem het hem niet kwalijk. Het is zijn eerste bevalling.'

Kamaal had behoefte aan enige verstrooiing. Hij haalde de krant *het Bulletin* te voorschijn, die opgevouwen in zijn zak zat, en begon te lezen. Ahmed zei: 'De laatste uitslagen van de verkiezingen zijn op de radio bekendgemaakt.'

Met een spottende glimlach voegde hij eraan toe: 'Belachelijke uitslagen.'

Zijn vader vroeg onverschillig: 'Hoeveel wafdisten zijn er in totaal gekozen?'

'Dertien, als ik het me goed herinner.'

Ahmed richtte zich tot zijn oom Jasien: 'U bent waarschijnlijk tevreden, oom, nu Ridwaan blij is?'

Jasien haalde schamper zijn schouders op en zei: 'Hij is geen minister of afgevaardigde. Wat kan mij het allemaal schelen?'

Ibrahiem Sjaukat zei lachend: 'De wafdisten dachten dat het tijdperk van de vervalste verkiezingen voorbij was. Maar deze zijn nog corrupter dan hun voorgangers.'

'Het lijkt wel of in Egypte uitzonderingen de regel zijn.'

'Zelfs an-Nahhaas en Makram zijn bij de verkiezingen verslagen. Is dat geen grap?'

Op dat moment zei Ibrahiem Sjaukat op enigszins heftige toon: 'Maar niemand kan ontkennen dat ze zich ongemanierd hebben gedragen tegenover de koning. Koningen hebben hun positie en op die manier worden de zaken niet afgedaan.'

'Ons land heeft behoefte aan een stevige dosis onbeleefdheid tegenover koningen,' zei Ahmed. 'Dan wordt het wakker geschud uit zijn lange slaap.'

Kamaal zei: 'Maar die honden brengen ons weer onder dictatoriaal gezag, onder de dekmantel van een schijnparlement. En uiteindelijk zullen we zien dat Faroek net zo machtig en totalitair is als Foeaad, of nog erger. En dat wordt bewerkstelligd door zonen van het vaderland.'

Jasien lachte en zei op een toon alsof hij een toelichting gaf: 'In zijn jeugd was Kamaal bevriend met de Engelsen, net als Sjahien, Adli, Tharwat en Haidar, maar daarna is hij wafdist geworden.'

Terwijl hij vooral Ahmed aankeek vervolgde Kamaal ernstig: 'Het zijn vervalste verkiezingen, iedereen in het land weet dat. Desondanks worden ze officieel erkend en wordt het bestuur van het land erdoor geregeld. Dat betekent dat zich in het bewustzijn van het volk vastzet dat de afgevaardigden dieven zijn die hun zetel hebben gestolen, en dat daarom de ministers dieven zijn die hun functie door diefstal hebben verkregen. En dat de overheid en de regering vervalst zijn, en dat diefstal, bedrog en misleiding officieel zijn toegestaan... Kan het de gewone man worden kwalijk genomen dat hij niet meer in principes en moraal gelooft en wel in bedrog en opportunisme?'

Ahmed zei geestdriftig: 'Laat ze maar regeren. In alle kwaad schuilt iets goeds. Het is beter voor ons volk dat het wordt vernederd dan dat het in slaap wordt gesust door een regering waarvan het houdt en die het vertrouwt zonder dat zij – die regering – de werkelijke hoop verwezenlijkt. Ik heb hier vaak over nagedacht en uiteindelijk juich ik dictatoriale regimes als die van Mohammed Mahmoed en Isma'iel Sidki toe.'

Kamaal merkte dat Abd al-Moen'im niet zoals gewoonlijk

aan het gesprek deelnam. Hij wilde hem erbij betrekken en vroeg: 'Waarom vertel je ons jouw mening niet?'

Abd al-Moen'im glimlachte vaag en zei: 'Vandaag volsta ik met luisteren.'

Jasien barstte in lachen uit.

'Je kunt beter opgewekt blijven,' zei hij. 'Anders ziet de pasgeborene je somber zwijgen en zal hij overwegen terug te gaan naar waar hij vandaan komt.'

Kamaal ontwaarde een beweging van Jasien waaruit hij kon opmaken dat hij op het punt stond een excuus te verzinnen om weg te gaan. De tijd voor het koffiehuis was aangebroken en niets kon zijn avondschema veranderen. Kamaal overwoog om samen met hem weg te gaan, daar zijn aanwezigheid niet vereist was, en volgde hem waakzaam. Opeens klonk er een kreet uit de kamer van Na'iema, luid en schel, die alle tonen van de menselijke diepten in zich droeg. Er volgden andere luide kreten. De blikken vestigden zich op de deur van de kamer en er viel een stilte, totdat Ibrahiem hoopvol fluisterde: 'Hopelijk zijn het de laatste weeën.'

Werkelijk? Het geluid ging echter door en ze versomberden. Abd al-Moen'im verbleekte. Het werd weer stil, even, toen klonken de kreten weer op, maar hol, komend uit een hese keel en een verscheurde borst, als een doodskreet. Abd al-Moen'im zag eruit alsof hij behoefte had aan een bemoedigend woord en Jasien zei: 'Alles wat je hoort is normaal bij een moeilijke bevalling...'

Abd al-Moen'im zei met bevende stem: 'Moeilijke bevalling, moeilijke bevalling... Maar waarom is het een moeilijke bevalling?'

De deur ging open. Zannoeba kwam naar buiten en deed de deur weer dicht. Ze keken haar aan. Ze liep naar Jasien, bleef voor hem staan en zei: 'Alles verloopt goed. Maar uit extra voorzorg wil de arts graag dat jullie dokter sajjid Mohammed halen.'

Abd al-Moen'im stond op en zei: 'Dan vereist de toestand zeker dat hij erbij komt. Zeg me wat er aan de hand is.'

Met kalme, zelfverzekerde stem zei Zannoeba: 'Alles verloopt goed. En als je ons nog meer wilt geruststellen, haal dan gauw de dokter.'

Abd al-Moen'im verspilde geen tijd en liep naar zijn kamer

om zich te kleden, met Ahmed in zijn voetspoor. Toen ze samen waren weggegaan om de dokter te halen, vroeg Jasien aan Zannoeba: 'Wat is er aan de hand?'

Voor het eerst verried haar gezicht ongerustheid en ze zei: 'Ze is uitgeput, het arme kind. God sta haar bij.'

'Heeft de dokter niets gezegd?'

'Ze heeft gezegd dat ze wil dat dokter sajjid Mohammed komt,' zei ze op gelaten toon.

Zannoeba ging de kamer weer in en liet een zware schaduw van ongerustheid achter. Jasien vroeg: 'Woont die dokter ver weg?'

'In het gebouw boven jouw koffiehuis in al-Ataba,' zei Ibrahiem Sjaukat.

Er klonk een kreet die verstomde. Waren de pijnlijke weeën weer begonnen? Wanneer zou de dokter komen? Er klonk weer een kreet en de spanning nam toe. Opeens riep Jasien geschrokken: 'Dat is de stem van Aisja!'

Ze luisterden scherp en herkenden de stem van Aisja. Ibrahiem liep naar de kamer en klopte op de deur. Zannoeba deed de deur open met een krijtwit gezicht. Hij vroeg haar gealarmeerd: 'Wat gebeurt er? Wat heeft Aisja hanoem? Kan ze niet beter weggaan uit de kamer?'

Zannoeba slikte en zei: 'Nee... De toestand is ernstig, jongeheer Ibrahiem...'

'Wat is er gebeurd?'

'Ze is plotseling... Kijk...'

In minder dan een ogenblik stonden de drie mannen bij de deur te kijken. Na'iema was tot aan haar borst met een deken bedekt. Haar tante, haar grootmoeder en de arts zaten om haar heen op het bed, terwijl haar moeder in het midden van de kamer stond en van ver met verdwaasde ogen naar haar dochter staarde, alsof ze haar bewustzijn verloren had. Na'iema's ogen waren gesloten, haar borst rees en daalde en leek losgekoppeld van de rest van haar roerloze lichaam. Haar gezicht was doodsbleek. De arts riep: 'De dokter!' Amiena begon te roepen 'O Heer...,' terwijl Khadiega met geschokte stem riep: 'Na'iema, geef antwoord...'

Aisja bracht geen woord uit, alsof de zaak haar volstrekt niet aanging.

Kamaal vroeg: 'Wat is er?'

Hij vroeg het opnieuw verbijsterd aan zijn broer: 'Wat is er?'

Maar Jasien gaf geen antwoord. Een zware bevalling... Kamaal keek naar Aisja, toen naar Ibrahiem en Jasien, en zijn hart zonk weg in zijn borst. Het kon maar één ding betekenen.

Ze liepen alle drie de kamer in. Het was geen kraamkamer meer, anders hadden ze er niet mogen binnengaan. Aisja was in een kritieke toestand, maar niemand zei een woord tegen haar.

Na'iema opende haar ogen, die er verduisterd uitzagen. Ze maakte een gebaar alsof ze wilde zitten. Haar grootmoeder hielp haar overeind en nam haar in haar armen. De adem van het meisje stokte en ze slaakte een diepe zucht. Toen riep ze plotseling, alsof ze om hulp smeekte: 'Mama... Ik ga... ik ga...'

Toen viel haar hoofd op haar grootmoeders borst en barstte er geweeklaag los in het vertrek. Khadiega sloeg zich op de wangen, Amiena sprak de geloofsbelijdenis uit boven het gezicht van het meisje, Aisja tuurde naar het raam dat uitkeek op de Suikersteeg. Waarop waren haar ogen gericht?

Opeens klonk haar stem, schor als gerochel: 'Wat is dit, Heer? Wat doet u? Waarom? Waarom? Ik wil het begrijpen.'

Ibrahiem liep naar haar toe en stak zijn hand naar haar uit, maar zij duwde hem weg met een nerveuze beweging en zei: 'Raak me niet aan, niemand van jullie... Laat me met rust... Laat me met rust...'

Ze liet haar blik langs hen gaan en zei: 'Ga alsjeblieft weg. Zeg niets. Kunnen jullie iets zeggen dat zin heeft? Aan woorden zal ik niets meer hebben. Na'iema is gestorven, zoals jullie zien. Ze was alles wat ik nog had, nu heb ik niets meer in de wereld. Ga alsjeblieft weg...'

Het was aardedonker toen Jasien en Kamaal terugliepen naar Tussen Twee Paleizen. Jasien zei: 'Het zal niet meevallen om het aan vader te vertellen.'

'Ja,' zei Kamaal, terwijl hij zijn ogen droogde.

'Niet huilen, dat kan ik niet meer aan.'

Kamaal zuchtte en zei: 'Ze was me erg dierbaar. Ik ben erg bedroefd, broer. En die arme Aisja...'

'Dat is de grootste tragedie... Aisja... Wij zullen het allemaal vergeten, maar Aisja niet.'

Wij zullen het allemaal vergeten? Ik weet het niet. Haar gezicht zal me mijn hele leven bijblijven. Hoewel ik een zonderlinge ervaring heb met vergetelheid, is ze toch een grote zegen. Maar wanneer zal ze haar balsem schenken?

Jasien vervolgde: 'Ik was al pessimistisch toen ze trouwde, weet je nog? De dokter had bij haar geboorte gezegd dat haar hart zwak was en voorspeld dat ze niet ouder dan twintig zou worden. Vader zal zich dat zeker herinneren.'

'Daar weet ik niets van. Wist Aisja dat?'

'Nee, het is lang geleden en het lot van de Heer is toch onontkoombaar.'

'Wat beklaag ik je, Aisja.'

'Ja, het arme kind is zeker te beklagen.'

Ahmed Sjaukat zat in de studiezaal van de universiteitsbibliotheek, verdiept in een boek dat voor hem lag. Het examen was al over een week en de studie had hem volledig opgeëist. Hij merkte dat iemand de zaal binnenkwam en achter hem ging zitten en hij keek nieuwsgierig om. Alwiyya Sabri! Zij was het... Waarschijnlijk wachtte ze op een boek dat ze te leen had gevraagd. Toen hij zich omdraaide trof zijn blik de zwarte ogen, waarna hij, met vervoering in zijn hart en zintuigen, zijn oorspronkelijke houding weer aannam. Ongetwijfeld kende ze hem nu van gezicht en wist ze dat hij verliefd op haar was. Dergelijke dingen kunnen niet verborgen blijven. Trouwens, telkens als ze zich naar hem omdraaide, zowel in de collegezaal als in het Oermaanpark, zag ze dat hij heimelijk naar haar keek.

Haar aanwezigheid belette hem zich op het lezen te concentreren, maar zijn blijdschap was onmetelijk groot. Sinds hij wist dat ze net als hij sociologie als specialisatie had, hoopte hij dat zij elkaar het komende jaar echt zouden leren kennen, wat hem dit jaar niet was gelukt door het grote aantal studenten voor de propaedeuse. Maar het was niet eerder voorgekomen dat zij zich zo dicht bij hem bevond zonder een menigte toekijkende studenten, en het idee kwam in hem op om naar een van de schappen met naslagwerken te lopen, alsof hij er een van wilde raadplegen, en haar vervolgens, terwijl hij erheen liep, te groeten. Hij keek om zich heen en zag een aantal studenten hier en daar verspreid. Het waren er niet meer dan tien. Zonder te talmen stond hij op en liep het gangpad tussen de zitplaatsen op. Toen hij langs haar kwam, ontmoetten hun ogen elkaar en hij knikte beleefd bij wijze van groet. Er kwam een verraste uitdrukking op haar gezicht, maar ze beantwoordde zijn groet met haar hoofd en keek voor zich uit.

Hij vroeg zich af of hij een vergissing had begaan. Nee, ze was al een jaar lang een medestudent. Hij behoorde haar te groeten als ze elkaar in een bijna lege ruimte tegenkwamen, zoals nu. Hij liep door naar de boekenkast waar de encyclopedie stond, koos een deel uit en begon erin te bladeren zonder een woord te lezen. Hij was er zo verheugd over dat zij zijn groet had beantwoord, dat de vermoeidheid was geweken en zijn hart gonsde van energie. Wat was ze mooi... Haar schoonheid vervulde hem met bewondering en zij bekoorde hem zo dat alleen zij nog in zijn gedachten was. Alles aan haar verried dat ze tot een 'gegoede familie' behoorde, zoals ze dat noemden. Hij was alleen bang dat onder haar goede manieren de hooghartigheid van de hogere klasse schuilging. Hij kon haar overigens in alle eerlijkheid zeggen dat hij ook tot een 'gegoede familie' behoorde als de noodzaak daartoe zich voordeed. Was de familie Sjaukat soms geen 'gegoede familie'? Zeer zeker, een familie met bezittingen, en ooit zou hij daarvan de rente en een toelage krijgen. Hij glimlachte ironisch. Rente, toelage, familie... En zijn principes dan? Hij voelde zich enigszins beschaamd. Bij passie kent het hart geen principes. De mensen worden verliefd en trouwen buiten het bereik van hun principes en zonder ze in acht te nemen. Ze moeten hun goede voornemens opnieuw scheppen, zoals iemand die naar een vreemd land gaat en de taal moet spreken om te krijgen wat hij wil. Bovendien zijn klasse en bezit bestaande feiten, die noch hij, noch zijn vader of grootvader had gecreëerd, en waarvoor hij dus niet verantwoordelijk was. De wetenschap en de strijd waren in staat deze onzinnigheden waarin de mensen zich van elkaar onderscheidden weg te vagen. Misschien was het mogelijk het klassensysteem te veranderen, maar hoe kon hij het verleden veranderen, dat had bepaald dat hij van een welgestelde familie afkomstig was? Proletarische principes mochten de aristocratische liefde niet in de weg staan. Karl Marx zelf was met Jenny von Westphalen getrouwd, de kleindochter van de graaf van Brunswijk. Ze noemden haar 'de Toverprinses' en de 'Koningin van het Bal'. Zij was ook een Toverprinses, en als ze zou dansen, was ze zeker de Koningin van het Bal. Hij zette het boek weer op zijn plaats en liep terug, terwijl hij zijn ogen de kost gaf aan het deel van haar lichaam dat te zien was, de bovenkant van haar rug, haar ranke hals en haar achterhoofd getooid met vlechten... Wat mooi... Hij liep zachtjes langs haar naar zijn plaats en ging zitten. Even later hoorde hij het zachte geluid van haar voetstappen. Hij keek teleurgesteld om, omdat hij dacht dat ze wegging, maar hij zag dat ze in zijn richting liep. Toen ze ter hoogte van zijn tafeltje kwam, bleef ze enigszins weifelend staan. Hij kon zijn ogen niet geloven. Ze zei: 'Neem me niet kwalijk... Zou ik van jou de geschiedenisaantekeningen kunnen krijgen?'

Hij sprong op als een soldaat en haastte zich te zeggen: 'Natuurlijk.'

Alsof ze zich wilde verontschuldigen zei ze: 'Ik kon de Engelse docent niet goed genoeg volgen en ik heb een heleboel belangrijke punten niet kunnen noteren. En ik gebruik alleen handboeken voor de onderwerpen waarin ik me later ga specialiseren. Ik heb geen tijd om de andere stof na te lezen.'

'Dat snap ik... Dat snap ik...'

'Ik heb gehoord dat je aantekeningen erg uitgebreid zijn en dat je ze aan veel studenten uitleent, zodat ze eruit kunnen overschrijven wat ze hebben gemist.'

'Inderdaad. Je kunt ze morgen krijgen.'

'Bedankt.'

Ze voegde er met een glimlach aan toe: 'Denk niet dat ik lui ben. Maar mijn Engels is middelmatig.'

'Geen probleem. Ik ben zelf slechter dan middelmatig in Frans. Misschien kunnen we samenwerken. Maar, neem me niet kwalijk... Ga zitten. Misschien interesseert dit boek je: *Inleiding in de sociologie* van Hankins.'

Ze zei echter: 'Dank je, ik heb het al vele keren doorgenomen. Je zei dat je slechter dan middelmatig bent in Frans? Misschien kun je mijn aantekeningen van psychologie gebruiken...'

Zonder aarzelen zei hij: 'Als je dat zou willen, zou ik je erg dankbaar zijn.'

'Dus morgen wisselen we onze aantekeningen uit?'

'Met alle plezier. Maar neem me niet kwalijk, de meeste colleges bij de sectie sociologie zullen in het Engels zijn...'

Terwijl ze een beginnende glimlach maskeerde, vroeg ze:

'Heb je vernomen dat ik de sectie sociologie heb gekozen?'

Hij glimlachte, om zijn verlegenheid te verhullen. Hij schaamde zich niet, maar had het gevoel dat hij 'door de mand was gevallen'. Hij zei echter simpelweg: 'Ja.'

'Bij welke gelegenheid?'

Stoutmoedig zei hij: 'Ik heb het geïnformeerd en toen heb ik het vernomen.'

Ze klemde haar karmozijnrode lippen opeen. Toen zei ze, alsof ze zijn antwoord niet had gehoord: 'Morgen wisselen we onze aantekeningen uit.'

'Morgenochtend.'

'Tot ziens en bedankt.'

Hij voegde er nog haastig aan toe: 'Ik ben blij je te hebben leren kennen. Tot ziens.'

Hij bleef staan tot ze achter de deur was verdwenen en ging toen weer zitten. Hij merkte dat een paar studenten nieuwsgierig naar hem keken, maar hij was in een roes van blijdschap. Zou het gesprek het gevolg zijn van de bewondering die hij voor haar had getoond, of had zij werkelijk dringend zijn aantekeningen nodig? Er had zich niet eerder een gelegenheid voorgedaan om kennis te maken. Ze was altijd omringd door vriendinnen. Dit was de eerste gelegenheid geweest en hij had datgene gekregen waarop hij lang had gehoopt. Het leek wel een wonder. Een woord uit de mond van degene die we liefhebben is in staat al het andere onbelangrijk te maken.

Jasien zag er, zijns ondanks, bezorgd uit. Zowel tegenover zijn collega's als tegenover zichzelf had hij lange tijd voorgewend dat hij zich om niets bekommerde, noch zijn rang, noch zijn salaris, zelfs niet om de regering. Zelfs als hij tot de zesde rang zou worden gepromoveerd, zou dat hem niet meer dan twee pond loonsverhoging opleveren. Arme Jasien... Ze zeiden dat hij dan van revisor tot chef van de afdeling zou worden bevorderd, maar had Jasien zich ooit voor leidinggevende functies geïnteresseerd? Toch was hij bezorgd, vooral nadat de directeur van de dienst, Mohammed Efendi Hassan, de echtgenoot van Zainab, de moeder van Ridwaan, was opgeroepen voor een gesprek met een afgevaardigde van het ministerie. Onder de beambten van de archiefafdeling ging het gerucht dat de afgevaardigde hem had ontboden om zijn mening over zijn ondergeschikten te horen voordat de lijst met promoties werd ondertekend. Mohammed Hassan... Zijn 'opvolger' en aartsvijand, die hem al lang tegen de grond had geslagen als sajjid Mohammed Iffat hem er niet van weerhield. Zou die man een voor hem gunstige beoordeling geven? Nu de kamer van de directeur leeg was, maakte hij van de gelegenheid gebruik om naar de telefoon te snellen en de rechtenfaculteit te bellen. Het was die dag al de derde keer dat hij belde om naar Ridwaan te vragen.

'Hallo, Ridwaan? Met je vader.'

'Goedemiddag... Alles gaat uitstekend.'

Uit de stem sprak zelfvertrouwen. De zoon als kruiwagen voor zijn vader...

'Hangt het nu alleen nog van de handtekening af?'

'Wees gerust, de minister heeft je persoonlijk aanbevolen. De afgevaardigden en sjeiks hebben met hem gesproken en hij heeft het hun toegezegd.'

'Is er niet nog een laatste aanbeveling nodig?'

'Nee. De pasja heeft me vanochtend al gelukgewenst, zoals ik je heb verteld. Maak je geen zorgen.'

'Dank je, jongen. Tot ziens.'

'Tot ziens, vader. Alvast gefeliciteerd.'

Hij legde de hoorn neer en verliet de kamer, waarbij hij Ibrahiem Efendi Fathallah tegenkwam – zijn collega en mededinger voor de promotie –, die met een stapel dossiers kwam aanlopen. Ze groetten elkaar gereserveerd. Jasien zei: 'We moeten het opvatten als een sportwedstrijd, Ibrahiem Efendi, en de uitslag waardig aanvaarden, hoe die ook uitvalt.'

De man zei geprikkeld: 'Op voorwaarde dat het een eerlijke wedstrijd is.'

'Wat bedoelt u?'

'Dat de keuze op een eerlijke manier geschiedt en niet door bemiddeling.'

'Wat een merkwaardig standpunt. Bestaat er in deze wereld werk zonder bemiddeling? U spant zich in op uw manier, ik op de mijne, en wie het meeste geluk heeft krijgt de promotie.'

'Ik heb meer dienstjaren dan u.'

'We hebben allebei een lange diensttijd. Het komt niet op een jaar aan.'

'In een jaar sterven er mensen en worden er mensen geboren.'

'Sterven, geboren worden... Ieder heeft zijn lot.'

'En deskundigheid?'

'Deskundigheid?' zei Jasien geagiteerd. 'We bouwen toch geen bruggen en elektriciteitscentrales? Wat voor deskundigheid vereist ons schrijfwerk? We hebben allebei lagere school. Trouwens, ik ben een ontwikkeld man.'

Ibrahiem Efendi lachte spottend en zei: 'Ontwikkeld? Goedemorgen, meneer de intellectueel. Denkt u dat u ontwikkeld bent omdat u een paar versregels uit uw hoofd kent? Of vanwege de stijl waarmee u memo's schrijft, alsof u het lagere schoolexamen overdoet? Ik leg mezelf in Gods hand.'

De twee mannen gingen geërgerd uiteen. Jasien liep terug naar zijn bureau. Het was een groot vertrek met aan weerskanten rijen bureaus tegenover elkaar. De muren gingen schuil achter schappen die uitpuilden van de mappen. Sommige beambten waren in papieren verdiept, anderen praatten en rookten, terwijl bodes met dossiers kwamen en gingen. Jasiens buurman zei: 'Mijn dochter doet dit jaar haar baccalaureaat. Ik ga haar inschrijven bij het pedagogisch instituut, dan ben ik gerust wat haar betreft. Geen kosten, geen problemen om een betrekking voor haar te vinden als ze is afgestudeerd.'

'Dat is het beste dat je kunt doen,' zei Jasien.

De man vroeg op strijdlustige toon: 'En wat voor plannen heb jij met Kariema? Trouwens, hoe oud is ze nu?'

Jasien glimlachte ondanks zijn geprikkelde stemming en zei: 'Elf jaar. Komende zomer zal ze de lagere school afmaken.'

Hij telde op zijn vingers. 'Het is nu november... Over precies zeven maanden.'

'Als ze voor de lagere school slaagt zal ze ook de middelbare school afmaken. Tegenwoordig kun je van meisjes meer op aan dan van jongens.'

De middelbare school? Dat wilde Zannoeba. Maar hij zou het niet kunnen verdragen zijn dochter op straat te zien lopen met wiegende borsten. En de kosten?

'Bij ons gaan de meisjes niet naar de middelbare school. Waarom zouden we dat doen? Ze gaan toch niet werken.'

Iemand anders zei: 'Kun je dat nog zeggen in 1938?'

'In onze familie zeggen we dat nog in 2038.'

Een vierde beambte zei lachend: 'Je bedoelt zeker dat je je de onkosten voor haar en jezelf samen niet kunt veroorloven. Het koffiehuis in al-Ataba, de taveerne in de Mohammed Alistraat en een voorliefde voor jonge meisjes... dat kost nogal wat. Dat is wat erachter steekt.'

Jasien lachte en zei: 'God geve haar wat ze nodig heeft. Maar zoals ik al zei: Wij laten een meisje niet verder leren dan de lagere school.'

Uit de verste hoek bij de ingang van het vertrek klonk gekuch. Jasien keek om en stond toen op, alsof hem plotseling iets belangrijks te binnen schoot. Toen de ander Jasien opmerkte terwijl die naar zijn bureau terugliep, keek hij op. Jasien boog zich over hem heen en zei: 'Je hebt me het recept beloofd.'

De man hield zijn oor naar hem toe en vroeg: 'Wat zeg je?'

Deze hardhorigheid ergerde Jasien. Hij durfde niet harder te praten. Opeens zei iemand luid in het midden van het kantoor: 'Ik durf te wedden dat hij het recept vraagt, je recept, dat ons allemaal het graf in zal jagen.'

Terwijl Jasien mopperend naar zijn bureau liep, zei de man zonder er rekening mee te houden hoezeer hij hem in verlegenheid bracht, en met luide stem, zodat het hele kantoor het kon horen: 'Ik zal het je vertellen. Neem een mangoschil, breng die aan de kook, net zo lang tot er een slijmerige vloeistof ontstaat, als honing. Neem er een eetlepel van in op de nuchtere maag.'

Ze lachten allemaal. Ibrahiem Fathallah zei spottend: 'Hoe hoger hoe beter... Wacht tot je de zesde rang krijgt, die zal je nieuwe vitaliteit geven.'

'Is promotie heilzaam voor dit soort dingen?' vroeg Jasien lachend. Zijn buurman zei, eveneens lachend: 'Als die theorie klopt, zou Amm Hasanain, de krullenjongen, minister van Onderwijs moeten zijn.'

Ibrahiem Fathallah sloeg zijn handen op elkaar en vroeg aan zijn gezamenlijke collega's, wijzend op Jasien: 'Broeders, deze man is grootmoedig en braaf, maar verricht hij voor een *milliem* werk? Zeg het me eerlijk.'

Jasien zei gekscherend: 'In een minuut doe ik net zoveel als jullie in een hele dag.'

'Je hebt een wit voetje bij de directeur, dat is het. En je steunt op je zoon in deze grauwe tijd.'

Jasien, die erop gespitst was hem kwaad te maken, zei: 'En niet alleen in deze tijd, geloof dat maar. Nu heb ik mijn zoon, en als de Wafd aan de macht komt heb ik mijn neef en mijn vader. En wie heb jij dan wel?'

De man keek naar het plafond en zei: 'Ik heb onze Heer.'

'Die heb ik ook, Hij zij geprezen. Hij is toch de Heer van iedereen?'

'Maar hij is klanten van de Mohammed Alistraat niet goed gezind.'

'En is hij opiumschuivers en *manzoel*verslaafden* soms wel goed gezind?'

'Er is niets smerigers op de wereld dan dronkelappen.'

'Alcohol is de drank van ministers en ambassadeurs. Zie je ze in de krant niet voortdurend proosten? En heb je ooit een politicus opium zien serveren als er een feestje wordt gehouden, ter gelegenheid van een verdrag, bijvoorbeeld?'

Jasiens buurman zei terwijl hij zijn lachen probeerde in te houden: 'Ssst, mensen... Anders slijten jullie je dienstjaren nog in de gevangenis.'

Jasien wees op zijn tegenstander en zei vlug: 'Zelfs in de gevangenis moet ik nog van hem kotsen. Hij zei tegen me: "Ik heb meer dienstjaren dan jij."'

Op dat moment kwam Mohammed Hassan terug van zijn gesprek met de afgevaardigde van het ministerie. Er viel een stilte en iedereen keek naar hem.

De man liep naar zijn kamer zonder aandacht aan hen te schenken. Ze keken elkaar vragend aan. Het was mogelijk dat een van beide kemphanen nu chef van de afdeling was. Maar wie was de gelukkige? De deur van de directeur ging open. Zijn kale hoofd verscheen en hij riep op uitdrukkingsloze toon: 'Jasien Efendi...'

Jasien stond op met zijn grote lichaam en liep met bonzend hart naar het kamertje. De directeur nam hem met vreemde blik op en zei toen: 'U bent tot de zesde rang gepromoveerd.'

Opgelucht zei Jasien: 'Dank u, efendi.'

Op enigszins koele toon vervolgde de man: 'De eerlijkheid

* Sterk verdovend middel, bereid uit verscheidene ingrediënten.

gebiedt mij te zeggen dat er iemand is die er meer recht op heeft dan u. Maar het komt door de "kruiwagen".'

Jasien werd boos, zoals vaker wanneer hij tegenover deze man stond, en zei: 'Een kruiwagen? En wat dan nog? Vindt er ooit een grote of kleine promotie plaats zonder kruiwagen? Is er ooit op dit kantoor, op het ministerie, iemand, uwe hoogheid inbegrepen, bevorderd zonder kruiwagen?'

De man onderdrukte zijn woede en zei: 'U bezorgt me altijd alleen maar hoofdpijn. U wordt niet alleen ten onrechte gepromoveerd, maar windt zich ook nog op over de minste gerechtvaardigde opmerking. Maar wat doen we ertegen? Gefeliciteerd, gefeliciteerd, sidi... Ik hoop dat u zich schrap zet, u bent nu chef van de afdeling.'

Jasien vatte moed door de ingehouden toon van de directeur. Zonder zijn felle toon af te zwakken zei hij: 'Ik ben al meer dan twintig jaar ambtenaar. Ik ben tweeënveertig jaar. Vindt u de zesde rang te hoog voor mij? Onervaren knapen worden er al in benoemd zodra ze aan de universiteit afgestudeerd zijn.'

'Het belangrijkste is dat u zich schrap zet. Ik hoop dat ik op u en uw collega's kan vertrouwen. Toen u secretaris van de Nahhasien-school was, was u een voorbeeldig ambtenaar. Maar door dat incident destijds...'

'Dat is verleden tijd, dat hoeft nu niet te worden opgerakeld. Iedereen begaat vergissingen.'

'U bent nu een volwassen man. Als u uw gedrag niet wijzigt, kunt u onmogelijk uw taak verrichten. Als u elke avond uitgaat, met wat voor hoofd komt u dan 's ochtends op uw werk? Ik wil dat u tegen uw bestuursfunctie opgewassen bent, dat is alles.'

Deze verwijzing naar zijn levenswandel kwetste Jasien.

'Ik accepteer niet dat iemand een woord over mijn privéleven zegt. Buiten het ministerie ben ik vrij.'

'En erbinnen?'

'Ik zal mijn werk even goed doen als de andere afdelingschefs. Ik heb in het verleden genoeg gewerkt voor een heel leven.'

Jasien liep terug naar zijn bureau met een gesimuleerde glimlach, hoewel hij innerlijk kookte van woede. Het nieuws verspreidde zich en iedereen wenste hem geluk. Ibrahiem Fathallah fluisterde zijn buurman hatelijk in het oor: 'Zijn zoon... Die steekt erachter... Abd ar-Rahiem Pasja Iesa... Snap je? Walgelijk.'

Sajjid Ahmed Abd al-Gawwaad zat op een grote stoel in de *masjrabiyya* en keek nu eens naar buiten, dan weer in de *Ahraam* die opengevouwen op zijn schoot lag. Het licht viel door de gaatjes van het houtwerk op zijn wijde *gilbaab* en zijn mutsje, zodat hij er gespikkeld uitzag. Hij had de deur van zijn kamer opengelaten om de radio in de salon te kunnen horen. Hij was mager en uitgeteerd, en er lag een zwaarmoedige blik in zijn ogen die duidde op droeve berusting. Het was alsof hij de straat, gezien vanaf zijn plaats in de *masjrabiyya*, voor het eerst in zijn leven ontdekte. Hij had haar voorheen nooit vanuit deze hoek gezien, omdat hij vrijwel alleen thuis was op de uren dat hij sliep. Maar nu was het zitten in de *masjrabiyya*, en het naar links en rechts door de gaatjes turen, zijn enige tijdverdrijf geworden, afgezien van de radio. Het was een levendige straat, vriendelijk en genoeglijk, met een eigen karakter dat haar onderscheidde van de Nahhasienstraat, die hij een halve eeuw lang vanuit zijn winkel had gezien. En de winkels van Hasanain de kapper, Darwiesj de bonenverkoper, al-Foeli de melkverkoper, Bajjoemi de limonadeverkoper en Aboe Sarie de notenbrander stonden langs de straat als de trekken van een gezicht, waardoor hij de straat kon herkennen en de straat hem.

Wat een intimiteit en goede nabuurschap... Hoe oud waren die mensen? Hasanain de kapper was stevig van bouw en op zijn lichaam waren nauwelijks sporen van het verstrijken van de tijd te zien. Afgezien van zijn haar was er bijna niets aan hem veranderd. Toch moest hij al over de vijftig zijn. God had deze mensen in Zijn goedheid hun gezondheid laten behouden. En Darwiesj? Hij is kaal, maar dat is hij altijd geweest. Hij is zestig. Wat een sterk lichaam... Zo was ik ook toen ik zestig was. Maar nu ben ik zevenenzestig, wat een leeftijd... Ik heb mijn kleren moeten laten innemen zodat ze beter over mijn lichaam passen, of wat ervan over is. Als ik naar de foto kijk die in mijn kamer hangt, herken ik mezelf niet. Al-Foeli is jonger dan Darwiesj. Die arme man met zijn zieke ogen... Zonder zijn hulpje zou hij zijn weg niet kunnen vinden. Aboe Sarie is een oude man. Een oude man? Maar hij werkt nog steeds, geen van hen heeft zich uit zijn winkel teruggetrokken. Het is moeilijk om je winkel op te geven. Er blijft niets anders over dan thuis te zitten, dag en nacht. Kon ik maar een uur per dag uitgaan. Maar ik moet tot vrijdag wachten en dan kan ik niet zonder mijn stok en Kamaal om me te vergezellen. God, de Heer der werelden, zij geprezen. Bajjoemi is de jongste en hij is het beste af. Hij begon met Oemm Marjam, terwijl ik met haar eindigde. Nu is hij eigenaar van het modernste gebouw van de wijk. Dat is het lot van het huis van sajjid Ridwaan. Hij heeft er die elektrisch verlichte limonadezaak in gemaakt. Het geluk van een man die is begonnen met het bedrog van een vrouw. De Schenker zij geprezen met al Zijn wijsheid. Alles wordt nieuw. De straat is geasfalteerd en verlicht met lantaarns. Herinner je je die nachten nog, wanneer je in het pikdonker thuiskwam? Wat is dat lang geleden... Elke winkel heeft nu elektriciteit en een radio. Alles is nieuw, behalve ik, een oude man van zevenenzestig, die maar één dag in de week, puffend, het huis uit mag. Het hart... Het komt allemaal door mijn hart. Dat hart, waarmee ik zoveel heb liefgehad, gelachen, gezongen en plezier gemaakt. Nu legt het rust op zonder dat iemand er iets tegen kan doen. De dokter heeft gezegd: 'Neem uw medicijn in, blijf thuis en houd u aan het dieet.' 'Goed. Maar krijg ik daarmee mijn vitaliteit terug? Of een deel van mijn vitaliteit?' De dokter antwoordde: 'Het gaat erom dat we complicaties vermijden. Maar inspanning en beweging zijn gevaarlijk.' Hij vroeg lachend: 'Waarvoor wilt u uw vitaliteit terugkrijgen?' Ja, waarom? Het is tegelijk lachwekkend en treurig. Desondanks had hij gezegd: 'Ik wil kunnen uitgaan.' 'Er zijn andere genoegens, rustig zitten, de krant lezen, naar de radio luisteren, van uw familie genieten... En vrijdag gaat u naar al-Hoessein in het rijtuig. Dat is mooi genoeg.' Het ligt in Gods hand. Mitwalli Abd as-Samad zwalkt nog door de straten. 'Van je familie genieten,' zei hij. Amiena is nooit meer thuis. De wereld staat op zijn kop, ik zit in de *masjrabiyya*, terwijl Amiena van moskee naar moskee door Caïro trekt. Kamaal komt soms even bij me zitten, alsof hij op bezoek is. En Aisja? Ach, Aisja, behoor je tot de levenden of de doden? En dan willen ze nog dat mijn hart geneest en rust vindt...

'Sidi...'

Hij keek om en zag Oemm Hanafi staan met een klein blad

waarop een medicijnflesje, een leeg koffiekopje en een glas dat voor de helft met water was gevuld stonden.

'Uw medicijn, sidi.'

Haar zwarte jurk verspreidde de geur van de keuken. Deze vrouw... Met het verstrijken van de tijd was ze een deel van de familie geworden. Hij nam het glas en vulde het kopje tot de helft. Daarna haalde hij de dop van het flesje en liet vier druppels in het kopje vallen. Zijn gezicht vertrok al voordat hij het medicijn had geproefd. Uiteindelijk dronk hij het op.

'Op uw gezondheid, sidi.'

'Dank je. Waar is Aisja?'

'In haar kamer. God schenke haar troost.'

'Vraag of ze hier komt, Oemm Hanafi.'

Op haar kamer, of op het dakterras... En verder? Uit de radio klonken nog steeds liedjes die spotten met de sombere stilte in huis. Sajjid Ahmed was nog maar twee maanden genoodzaakt binnen te blijven. Toen er na de dood van Na'iema een jaar en vier maanden waren voorbijgegaan, had hij toestemming gevraagd om naar de radio te luisteren, omdat hij smachtte naar afleiding. Aisja had gezegd: 'Natuurlijk, papa. God geve dat u niet aan huis gekluisterd blijft.' Hij hoorde het geritsel van een jurk en keek om. Ze kwam binnen in een zwarte jurk, met een zwarte sluier om haar hoofd, ondanks het hete weer. Op haar blanke huid lagen vreemde blauwe vlekken. Een teken van ongeluk, mijn dochter...

Hij zei vriendelijk: 'Pak een stoel en kom even bij me zitten.'

Maar ze verroerde zich niet en zei: 'Ik blijf wel staan, papa.'

Hij had de laatste tijd geleerd dat hij niet moest proberen haar van een idee af te brengen.

'Wat was je aan het doen?'

Met een uitdrukkingsloos gezicht zei ze: 'Ik doe niets, papa.'

'Waarom ga je niet met mama mee, de heiligengraven bezoeken? Is dat niet beter dan alleen thuis te blijven?'

'Waarom zou ik de heiligengraven bezoeken?'

Het leek alsof haar woorden hem verrasten, maar hij zei kalm: 'Om God te vragen je troost te schenken.'

'God is bij ons, hier in huis.'

'Natuurlijk. Ik bedoel dat je moet ophouden je af te zonderen, Aisja. Ga bij je zuster op bezoek, of bij de buren... Amuseer jezelf...'

'Ik kan de Suikersteeg niet meer zien. En ik heb geen kennissen, niet meer... Ik kan het niet verdragen bij iemand op bezoek te gaan.'

Hij wendde zijn hoofd van haar af en zei: 'Ik zou willen dat je moed houdt en dat je je gezondheid in acht neemt.'

'Mijn gezondheid?'

Ze zei het op verbaasde toon. Hij zei met stelligheid: 'Ja. Wat heeft het voor zin te treuren, Aisja?'

Ondanks haar toestand behield ze de beleefdheid die ze gewoonlijk tegen hem betrachtte.

'Wat heeft het voor zin te leven, papa?' vroeg ze.

'Zeg dat niet. Je beloning komt van de almachtige God.'

Ze boog haar hoofd om haar vochtige ogen te verbergen en zei: 'Ik wil naar Hem toegaan om die beloning te ontvangen, want die ligt niet hier, papa.'

Ze liep zachtjes weg. Voordat ze de kamer verliet bleef ze even staan, alsof ze zich iets herinnerde.

'Hoe gaat het vandaag met u, papa?' vroeg ze. Hij zei met een glimlach: 'Goed. Maar jouw gezondheid is het belangrijkste, Aisja.'

Ze liep de kamer uit. Waaruit zou hij rust kunnen putten in dit huis? Hij keek weer naar de straat. Opeens bleef zijn blik rusten op Amiena, die thuiskwam van haar dagelijkse ronde. Ze droeg een regenjas en had een sjaal voor haar gezicht. Ze liep langzaam. Wat was ze oud geworden... Hij was niet bezorgd om haar gezondheid, omdat hij zich herinnerde hoe lang haar moeder had geleefd. Maar ze zag er minstens tien jaar ouder uit dan ze was, tweeënzestig jaar.

Het duurde tamelijk lang voordat ze bij hem binnenkwam.

'Hoe gaat het, sidi?' vroeg ze. Met luide stem, waarin hij de vereiste heftigheid legde, zei hij: 'Hoe gaat het met jou? Grote goedheid... Vanaf het krieken van de ochtend! Je bent een heilige...'

Ze glimlachte even.

'Ik heb Sajjida Zainab en Sajjid al-Hoessein* bezocht. Ik heb voor u en voor ons allemaal gebeden.'

Als ze thuis was voelde hij zich weer gerust. Hij had het gevoel dat hij nu onbeschroomd kon vragen wat hij wilde.

* Belangrijke islamitische heiligen die in Egypte worden vereerd.

'Is het gepast dat je me zo lang alleen laat?'

'U hebt het toegestaan, sidi. Ik ben niet lang weggeweest, maar het is noodzakelijk, sidi. We hebben gebeden nodig. Ik heb al-Hoessein gebeden dat hij u uw gezondheid teruggeeft, zodat u weer kunt gaan en staan waar u wilt. En ik heb ook gebeden voor Aisja en voor ons allemaal.'

Ze nam een stoel en ging zitten.

'Hebt u uw medicijn ingenomen, sidi?' vroeg ze. 'Ik heb Oemm Hanafi instructies gegeven...'

'Had haar maar instructies voor iets lekkerders gegeven.'

'Het is voor uw genezing, sidi. Ik heb in de moskee naar een mooie preek van sjeik Abd ar-Rahmaan geluisterd. Hij sprak over vergiffenis voor de zonden, sidi, en over hoe slechte daden worden weggewist. Het was zo mooi gezegd, sidi, had ik nog maar zo'n goed geheugen als vroeger...'

'Je ziet bleek van het vele lopen. Als je zo doorgaat moet je over een paar dagen naar de dokter.'

'God beschermt me. Ik ga alleen uit om de familie van de Profeet te bezoeken. Hoe kan me dan iets overkomen?'

Ze voegde eraan toe: 'Ach, sidi, dat was ik bijna vergeten. Iedereen heeft het over oorlog. Ze zeggen dat Hitler heeft aangevallen.'

'Ben je daar zeker van?' vroeg hij ernstig.

'Ik heb het niet één keer, maar wel honderd keer gehoord. "Hitler heeft aangevallen... Hitler heeft aangevallen..."'

Om haar de indruk te geven dat zij niet de primeur van dit nieuws had, zei hij: 'Dat was elk moment te verwachten.'

'Hopelijk blijft het ver weg, sidi.'

'Hebben ze alleen Hitler genoemd? Niet Mussolini? Heb je die naam niet gehoord?'

'Alleen de naam Hitler.'

Ver van ons weg? Wie zal het zeggen?

'God zij ons genadig. Als jullie horen roepen dat er een extra editie van *het Bulletin* of *al-Moekattam* is, koop die dan.'

De vrouw zei: 'Het is net als in de tijd van Wilhelm en Zeppelin, weet u nog, sidi? Geprezen zij Hij die eeuwig is.'

Het was een gewichtig en voltallig familiebezoek, zoals Khadiega achteraf zei.

Toen de deur van het appartement openging, werd de opening opgevuld door Jasien in een wit linnen pak, voorafgegaan door zijn rode roos en ivoren vliegemepper. Zijn reusachtige lichaam duwde de lucht voor zich uit. Hij werd gevolgd door Ridwaan, in zijn zijden pak een toonbeeld van elegantie en schoonheid; daarna kwam Zannoeba, in een grijze jurk die de ingetogenheid toonde die een onlosmakelijk deel van haar was geworden; en ten slotte Kariema, in een fraaie blauwe jurk die haar armen en het bovenste deel van haar borst onbedekt liet. Haar vrouwelijkheid begon te ontluiken – ze was pas dertien jaar –, en ze was een en al bekoorlijkheid. Zodra ze in de ontvangkamer bijeen waren, met Khadiega, Ibrahiem, Abd al-Moen'im en Ahmed, zei Jasien: 'Hebben jullie ooit zoiets gehoord? Mijn zoon secretaris van de minister, terwijl ik op hetzelfde ministerie niet meer ben dan chef van de archiefafdeling. Als hij voorbijloopt beeft de aarde, terwijl ik nauwelijks door iemand word opgemerkt.'

Hoewel zijn woorden protest moesten uitdrukken, begreep iedereen hoe trots hij op zijn zoon was. In mei van dit jaar had Ridwaan zijn *license* gehaald. Al in juni was hij tot secretaris van de minister benoemd, in de zesde rang, hoewel iemand die juist aan de universiteit was afgestudeerd gewoonlijk in de achtste ambtenarenrang werd benoemd. Abd al-Moen'im had tegelijkertijd zijn *license* gehaald, maar hij wist niet wat de toekomst zou brengen.

Khadiega, die niet gespeend was van jaloezie, zei met een glimlach: 'Ridwaan is bevriend met politici. Maar "het oog komt nooit hoger dan de wenkbrauw".'

Met een opgetogenheid die hij tevergeefs probeerde te verbergen, zei Jasien: 'Hebben jullie hem niet met de minister gezien in de *Ahraam* van gisteren? We weten niet meer hoe we hem moeten aanspreken.'

Ibrahiem Sjaukat wees naar Abd al-Moen'im en Ahmed en zei: 'Deze twee jongens stellen teleur. Ze hebben al hun tijd verspild met onzinnige, heftige discussies, en de enige gewichtige personen die ze hebben leren kennen zijn sjeik Ali al-Minoefi, het hoofd van de lagere school van al-Hoessein, en dat uitvaagsel Adli Kariem, de uitgever van het tijdschrift *Het licht*, of *Het donker*, of weet ik veel...'

Hoewel het niet aan hem te zien was, kookte Ahmed van woede. De trots van zijn oom Jasien en de opmerking van zijn vader hadden hem ziedend gemaakt. Wat Abd al-Moen'im betrof, het goede dat hij van dit hoge bezoek verwachtte overstemde de boosheid die in andere omstandigheden in hem zou zijn opgevlamd. Hij keek tersluiks naar Ridwaan en vroeg zich af wat zijn bedoeling was. Maar in zijn hart voorvoelde hij dat het bezoek iets goeds zou voortbrengen, anders had het waarschijnlijk niet plaatsgevonden.

In antwoord op Ibrahiems woorden merkte Jasien op: 'Als je mijn mening vraagt, zeg ik dat het twee prima knullen zijn. Het spreekwoord zegt immers: "Hij wordt sultan, die zich niet te dicht bij de poort van het paleis waagt."'

Jasien slaagde er niet in zijn vreugde te verhullen, zoals het hem ook niet lukte iemand ervan te overtuigen dat hij meende wat hij zei. Toch zei Khadiega, wijzend naar Ridwaan: 'God schenke hem voorspoed en bescherme hem tegen het kwaad.'

Eindelijk wendde Ridwaan zich tot Abd al-Moen'im: 'Ik hoop je binnenkort te kunnen feliciteren.'

Abd al-Moen'im keek hem vragend aan en bloosde. Ridwaan vervolgde: 'De minister heeft me toegezegd je te zullen benoemen op het bureau voor inspectie.'

Het gezin van Khadiega had smachtend uitgezien naar deze beslissing. Hun blikken vestigden zich op Ridwaan en vroegen om nog meer uitsluitsel. De jongeman voegde eraan toe: 'De eerste van de volgende maand, op zijn laatst.'

Jasien merkte op: 'Dat is een magistratuurfunctie. Bij ons op de archiefafdeling zijn twee jongens die hun *license* hebben gehaald in de achtste rang benoemd voor acht pond.'

Het was Khadiega geweest die Jasien had gevraagd eens met zijn zoon te praten over Abd al-Moen'im. Ze zei dankbaar: 'God zij gedankt, en jij ook, broer.'

Ze voegde eraan toe, zich tot Ridwaan richtend: 'En we zijn Ridwaan natuurlijk erkentelijk voor zijn hulp.'

Ibrahiem beaamde haar woorden: 'Natuurlijk, hij is als een broer voor hem, ja, zijn broer...'

Om zich in het gesprek te mengen, zei Zannoeba met een glimlach: 'Ridwaan is de broer van Abd al-Moen'im en Abd al-Moen'im is de broer van Ridwaan, dat spreekt vanzelf.'

Abd al-Moen'im, die zich nooit eerder zo verlegen had gevoeld tegenover Ridwaan, zei: 'Heeft hij je echt zijn woord gegeven?'

'Zijn woord als minister,' zei Jasien ernstig. 'En ik houd de zaak nauwlettend in het oog.'

Ridwaan zei: 'En ik zal de problemen bij de personeelsafdeling uit de weg ruimen. Ik heb daar veel vrienden, ook al hebben personeelsbeambten nooit vrienden.'

Ibrahiem Sjaukat verzuchtte: 'God zij geprezen. Hij heeft ons werk en personeelsambtenaren bespaard.'

'Je hebt geleefd als een vorst, Ibrahiem. Je doet je naam eer aan.'

Maar Khadiega zei spottend: 'Moge God niemand ertoe veroordelen dat hij thuis moet blijven zitten.'

Zoals gewoonlijk kwam Zannoeba uit hoffelijkheid tussenbeide: 'Thuis zitten is iets vreselijks. Behalve voor wie geld heeft, die leeft als een sultan.'

Met een boosaardige glimlach in zijn ogen zei Ahmed: 'Mijn oom Jasien heeft geld en een baan tegelijkertijd.'

Jasien lachte schaterend en zei: 'Een baan zeer zeker, maar geld... Dat was vroeger. Hoe kan iemand met een gezin als het mijne zijn geld behouden?'

'Je gezin?' riep Zannoeba ontsteld. Ridwaan, die dit gesprek onderbrak omdat het hem niet aanstond, zei tegen Ahmed: 'Hopelijk kunnen we jou volgend jaar van dienst zijn, wanneer jij je *license* hebt.'

'Dank je wel,' zei Ahmed. 'Maar ik word geen ambtenaar.'

'Waarom niet?'

'Een ambtenaarsbaan is dodelijk voor mensen als ik. Mijn toekomst ligt in de vrije sector.'

Khadiega stond op het punt protest aan te tekenen, maar ze gaf er de voorkeur aan het gevecht uit te stellen. Ridwaan zei glimlachend: 'Als je van mening verandert sta ik tot je dienst.'

Ahmed bewoog zijn hand naar zijn hoofd als teken van dank. De dienstbode bracht glazen limoensap met ijs. In de stilte die viel terwijl ze begonnen te drinken, viel Khadiega's blik op Kariema. Het was, nu ze niet meer in beslag werd genomen door de kwestie Abd al-Moen'im, alsof ze haar voor het eerst zag.

'Hoe gaat het, Kariema?' vroeg ze op vriendelijke toon. Met een melodieuze stem antwoordde het meisje: 'Goed, tante. Dank u.'

Khadiega was bijna begonnen haar schoonheid te prijzen, maar iets – misschien voorzichtigheid – weerhield haar. Het was niet de eerste keer dat Zannoeba haar meebracht sinds ze de lagere school had afgemaakt en binnenshuis bleef. Khadiega zei tegen zichzelf dat je dit soort zaken van grote afstand kon ruiken. Maar Kariema was niet alleen de dochter van Zannoeba, maar ook de dochter van Jasien, en daarom was het een delicate zaak. Abd al-Moen'im schonk Kariema niet de aandacht die haar toekwam, omdat hij met zijn eigen zaken bezig was, maar hij kende haar goed. Trouwens, hij was nog niet volledig hersteld van de gevolgen van het overlijden van zijn echtgenote. En Ahmed, die had geen plaats in zijn hart.

Jasien zei: 'Kariema vindt het nog steeds jammer dat ze niet naar de middelbare school is gegaan.'

'Dat doet mij nog meer verdriet,' zei Zannoeba met gefronst voorhoofd. Ibrahiem Sjaukat zei: 'Ik ben bang dat de inspanning van de studie te zwaar is voor meisjes. En uiteindelijk is een meisje toch voor haar huis bestemd. Binnen een of twee jaar zal Kariema met een geluksvogel trouwen.'

Wat een gezwam, zei Khadiega in zichzelf. Hij snijdt belangrijke onderwerpen aan zonder over de gevolgen na te denken. Wat een toestand. Kariema is de dochter van Jasien en de zuster van Ridwaan, die ons een dienst heeft bewezen. Misschien is deze bezorgdheid een ongegronde hersenschim. Maar waarom komt Zannoeba zo vaak bij ons op bezoek met Kariema aan de hand? Jasien heeft geen tijd om na te denken en iets te bekokstoven. Maar dat orkestmeisje...

Zannoeba zei: 'Dat soort dingen werden vroeger gezegd. Tegenwoordig gaan alle meisjes naar school.'

'In onze wijk gaan twee meisjes naar hogere scholen, maar ze zien eruit... God beware me...' zei Khadiega.

Jasien vroeg aan Ahmed: 'Zijn de meisjes op jouw faculteit ook lelijk?'

Ahmeds hart begon te bonzen. Het gezicht dat in zijn hart gegrift stond verscheen voor zijn ogen. Uiteindelijk antwoordde hij: 'Liefde voor de wetenschap blijft niet beperkt tot lelijke meisjes.'

Kariema zei met een glimlach, terwijl ze haar vader aankeek: 'Het is een zaak die van de vader afhangt.'

'Bravo, meisje,' zei Jasien lachend. 'Zo hoort een braaf meisje over haar vader te spreken. Zo sprak je tante ook over je grootvader.'

'De zaak hangt inderdaad van de vader af,' zei Khadiega schamper. Zannoeba onderbrak haar: 'Het meisje is verontschuldigd. Je moest eens horen wat hij in het bijzijn van zijn kinderen zegt.'

'Ik begrijp precies wat je bedoelt,' zei Khadiega. Jasien zei: 'Ik ben een man die zijn eigen opvattingen heeft over de opvoeding. Ik ben tegelijk vader en vriend. Ik houd er niet van dat de kinderen bibberen van angst in mijn aanwezigheid. Tot op de dag van vandaag voel ik me niet op mijn gemak tegenover mijn vader.'

Ibrahiem Sjaukat zei: 'God geve hem de kracht om te verdragen dat hij aan huis gekluisterd is. Sajjid Ahmed is een hele generatie in één persoon. Er is geen tweede zoals hij.'

'Zeg dat maar tegen hem,' zei Khadiega op afkeurende toon.

'Mijn vader is een hele generatie in één persoon,' zei Jasien vergoelijkend. 'Jammer genoeg zijn hij en zijn vrienden nu niet meer in staat hun huis te verlaten, terwijl vroeger de hele wereld voor hen te klein was.'

In een afzonderlijk gesprek zei Ridwaan tegen Ahmed: 'Nu Italië zich in de oorlog heeft gemengd is de situatie erg gevaarlijk voor Egypte geworden.'

'De schijnaanvallen kunnen in werkelijke aanvallen overgaan.'

'Maar zijn de Engelsen sterk genoeg om de te verwachten Italiaanse opmars tegen te houden? Hitler zal het vast en zeker aan Mussolini overlaten de controle over het Suez-kanaal te bemachtigen.'

'Blijft Amerika dan werkeloos toezien?' vroeg Abd al-Moen'im.

Ahmed zei: 'De sleutel ligt uiteindelijk in handen van Rusland.'

'Maar Rusland is de bondgenoot van Hitler.'

'Het communisme is de vijand van het nazisme. En bovendien loopt de wereld vele malen meer gevaar bij een overwinning van Duitsland dan bij een overwinning van de democratische landen.'

'Ze verwoesten de wereld, moge God hen verwoesten,' zei Khadiega. 'Wat is dat toch allemaal? Alarmsirenes, afweergeschut, zoeklichten... Dat hebben we nooit eerder gezien. De ene ramp na de andere, waar een mens voor zijn tijd grijs van wordt.'

Ibrahiem zei met goedaardige spot: 'Bij ons in huis wordt in elk geval niemand voortijdig grijs.'

'Dat geldt alleen voor jou.'

Ibrahiem was vijfenzestig jaar, maar in vergelijking met sajjid Ahmed, die maar drie jaar ouder was, leek hij tientallen jaren jonger.

Toen het bezoek ten einde liep, zei Ridwaan tegen Abd al-Moen'im: 'Kom bij me langs op het ministerie.'

Nadat ze waren weggegaan en de deur gesloten was, zei Ahmed tegen Abd al-Moen'im: 'Pas op dat je niet zonder te kloppen zijn kantoor binnengaat. Je moet leren hoe je je op bezoek bij een ministerssecretaris moet gedragen.'

Abd al-Moen'im gaf geen antwoord en keek niet in zijn richting.

Het kostte Ahmed geen noemenswaardige moeite de villa van Mister Forster, de professor in de sociologie, te vinden in al-Ma'adi. Toen hij er binnenging, begreep hij meteen dat hij iets te laat was en dat de meeste andere studenten er al waren. Ze waren net als hij uitgenodigd voor het feestje dat de professor had georganiseerd ter gelegenheid van zijn vertrek naar Londen. De professor begroette hem en stelde hem aan zijn echtgenote voor als een van de begaafdste studenten van de sectie. Daarna liep de jongeman naar de veranda, waar de anderen zaten. Het gezelschap bestond uit alle studenten van de sectie sociologie. Ahmed behoorde tot de kleine groep studenten die naar het laatste jaar waren overgegaan en met wie hij een gevoel van superioriteit en voornaamheid deelde. Van de meisjesstudenten was nog niemand aanwezig, maar hij twijfelde er niet aan dat ze zouden komen, of althans dat 'zijn vriendin' zou komen, aangezien die zelf in al-Ma'adi woonde. Hij keek naar de tuin en zag dat er een lange tafel was opgesteld op een grasveld dat werd omzoomd door wilgen en palmbomen. Op de tafel stonden potten thee en melk en schotels met versnaperingen.

Hij hoorde een student vragen: 'Houden we ons aan de Engelse etiquette of storten we ons als haviken op de tafel?'

Een ander antwoordde met enige spijt: 'Was Lady Forster er maar niet.'

Het was laat in de namiddag, en hoewel de junimaand meestal drukkend was, was het nu zacht weer. Weldra zag hij bij de ingang van de villa het verwachte groepje. Alsof ze het hadden afgesproken, kwamen alle vier de meisjesstudenten van de sectie tegelijk aan. Alwiyya Sabri schreed binnen in een stralendwitte, wijde jurk, waardoor haar fraaie verschijning één kleur had afgezien van haar diepzwarte haar. Op dat moment voelde Ahmed hoe iemand hem gekscherend met de voet aanstootte, als om hem te waarschuwen, mocht dat nodig zijn geweest. Zijn geheim had zich al lang geleden verspreid. Hij volgde hen met zijn blik totdat ze in de hoek van de veranda waren gaan zitten die voor hen was gereserveerd. Vervolgens kwamen Mister Forster en zijn vrouw aanlopen. De echtgenote richtte het woord tot de jongens en vroeg, naar de meisjes wijzend: 'Is het nodig dat ik jullie aan elkaar voorstel?'

Ze lachten. De professor, die, hoewel hij al bijna vijftig was, over een sprankelende spiritualiteit beschikte, zei: 'Je kunt beter mij aan hen voorstellen.'

Opnieuw klonk het gelach op. Mister Forster vervolgde: 'Elk jaar verlaten we om deze tijd Egypte om de vakantie in Engeland door te brengen. We weten niet of we deze keer Egypte nog zullen terugzien, of...'

Zijn echtgenote onderbrak hem: 'En zelfs niet of we Engeland zullen terugzien.'

Ze begrepen dat ze doelde op het gevaar van onderzeeboten. Meer dan een stem klonk op: 'Het ga u goed, mevrouw.'

De man zei: 'Ik zal goede herinneringen met me meenemen aan ons gezamenlijke leven aan de letterenfaculteit, en aan de rustige, mooie wijk al-Ma'adi, en aan jullie. Ik ben zelfs trots op jullie kwajongensstreken.'

Ahmed zei hoffelijk: 'En de herinnering aan u zal altijd in ons hart blijven en samen met ons verstand groeien.'

'Dank je.'

Hij wendde zich glimlachend tot zijn vrouw: 'Ahmed is zoals een jonge student behoort te zijn, ook al heeft hij ideeën die in zijn land gewoonlijk problemen veroorzaken.'

Een medestudent lichtte toe: 'Hij bedoelt dat hij communist is.'

Mevrouw Forster trok glimlachend haar wenkbrauwen op, terwijl haar man op veelbetekenende toon zei: 'Dat heb ik niet gezegd, maar een van zijn medestudenten.'

De professor stond op en zei: 'Het is tijd voor de thee. De tijd schiet voorbij. Daarna hebben we tijd genoeg om te praten en ons te amuseren.'

Personeel van Groppi* had de tafel gedekt en stond gereed om te bedienen. Lady Forster ging in het midden van de tafel zitten aan de kant van de meisjes, de professor tegenover haar aan de andere kant. Over de tafelschikking merkte hij op: 'We hadden het gezelschap liever iets meer gemengd, maar het leek ons beter de oosterse etiquette in acht te nemen, nietwaar?'

Een van de studenten antwoordde zonder aarzelen: 'Dat hebben we gezien, meneer, tot onze spijt.'

De bediende schonk de thee en de melk in en het feestmaal begon. Ahmed keek tersluiks naar Alwiyya Sabri en zag dat zij van haar medestudenten het minst verlegen was en het meest vertrouwd met de tafelmanieren. Ze was zo te zien gewend aan sociale omgang en het leek alsof ze thuis was. Het kwam hem voor dat het heerlijker was te zien hoe zij de versnaperingen tot zich nam dan de versnaperingen zelf te proeven. Ze was zijn dierbare vriendin, die zijn vriendschap en genegenheid beantwoordde zonder hem aan te moedigen de grenzen te overschrijden. Hij zei tegen zichzelf: Als ik vandaag de kans niet grijp, kan ik het vergeten.

De stem van Lady Forster klonk op: 'Ik hoop dat de oorlogsrestricties geen invloed hebben op jullie trek in versnaperingen.'

'Gelukkig zijn er nog geen verordeningen die beperkingen opleggen aan theedrinken,' zei een van de studenten.

Mister Forster boog zich naar Ahmed, die rechts van hem zat, en vroeg: 'Hoe ga jij je vakantie doorbrengen? Ik bedoel, wat ga je lezen?'

'Veel over economie en een beetje over politiek. En ik ga een paar artikelen voor tijdschriften schrijven.'

'Ik raad je aan door te gaan met je dissertatie na je *license*.'

Nadat hij zijn mond had leeggegeten, zei Ahmed: 'Misschien

* Befaamd Frans koffiehuis in Caïro.

later. Ik ga eerst in de journalistiek beginnen. Dat ben ik al heel lang van plan.'

'Uitstekend.'

Kijk, je dierbare vriendin converseert ongedwongen met Lady Forster. Wat heeft ze zich het Engels snel eigengemaakt. De rozen en andere bloemen bloeien in rood en allerlei andere kleuren, zoals een verliefd hart bloeit. In een vrije wereld bloeit de liefde op als bloemen. Alleen in een communistisch land is liefde een waarachtige, natuurlijke emotie.

Mister Forster zei: 'Het is jammer dat ik mijn studie Arabisch niet heb kunnen afmaken. Ik had *Madjnoen en Laila** willen lezen zonder jullie hulp.'

'Het is spijtig dat u ophoudt Arabisch te studeren.'

'Alleen als de omstandigheden het toelaten...'

Misschien zult u zich genoodzaakt zien Duits te leren. Zou het niet ironisch zijn als Londen het toneel zou worden van demonstraties die troepenevacuatie eisen en u daaraan deelneemt? Het Engelse karakter is zeker niet gespeend van charme, maar de charme van mijn dierbare vriendin is ongeëvenaard. Straks zal de zon ondergaan en zullen we voor het eerst 's avonds op één plaats samenzijn. Als ik vandaag de gelegenheid niet grijp, kan ik het vergeten.

Hij vroeg aan zijn professor: 'Wat gaat u doen na uw aankomst in Londen?'

'Ze hebben mij gevraagd om voor de radio te komen werken.'

'Dan zullen we uw stem blijven horen.'

Een hoffelijkheid die vergeeflijk is in een gezelschap waarin mijn vriendin prijkt. We luisteren hier alleen naar de Duitse radio. Ons volk houdt van de Duitsers, al is het alleen uit afkeer van de Engelsen. Het imperialisme is het laatste stadium van het kapitalisme. Deze bijeenkomst met onze professor creëert een situatie die het overdenken waard is. We rechtvaardigen hem met een verwijzing naar de geest van de wetenschap, maar er is een tegenspraak tussen onze genegenheid voor de professor en onze haat jegens zijn natie. Het is te hopen dat de oorlog de genadeslag toebrengt aan zowel het nazisme als het imperialisme. Dan kan ik me volledig aan de liefde wijden.

* Oude Arabische liefdesroman.

Ze gingen weer in de veranda zitten die met lantaarns was verlicht. Even later zei Lady Forster: 'De piano staat tot jullie beschikking. Als een van jullie iets voor ons wil spelen, ga je gang.'

'Speelt u iets voor ons,' vroeg een van de studenten.

Ze stond op, met de soepelheid van de jeugd die ze al jaren achter zich had gelaten. Ze nam achter de piano plaats, sloeg het muziekblad open en begon te spelen. Niemand van hen was een kenner of liefhebber van westerse muziek, maar uit beleefdheid luisterden ze aandachtig. Ahmed probeerde aan zijn liefde een mysterieuze kracht te ontlenen, waarmee hij de geheimen van de melodie zou kunnen ontsluieren, maar zodra hij naar het gezicht van zijn beminde gluurde, vergat hij de muziek. Een keer ontmoetten hun ogen elkaar. Ze wisselden een glimlach uit die velen niet ontging. In zijn blijdschap zei hij tegen zichzelf: Ja, als ik vandaag de kans niet grijp, kan ik het vergeten.

Toen Lady Forster haar spel beëindigd had, speelde een van de studenten een oosterse melodie. Daarna gaf men zich geruime tijd over aan conversatie, en om ongeveer acht uur 's avonds begonnen de studenten afscheid te nemen van hun professor.

Ahmed stelde zich bij de bocht in de straat onder de hoge bomen op, in een nacht van bijzondere schoonheid en tederheid. Na een tijdje zag hij haar alleen aankomen op weg naar huis. Hij sprong te voorschijn en versperde haar de weg. Ze bleef staan en vroeg verbaasd: 'Ben je niet met de anderen meegegaan?'

Hij haalde diep adem, alsof hij zuchtte om de druk in zijn gemoed te verlichten, en zei: 'Ik ben achtergebleven om jou te ontmoeten.'

'Wat zullen ze daarvan denken?'

'Dat moeten ze zelf weten,' zei hij geringschattend.

Ze liep langzaam verder en hij ging naast haar lopen. Toen wierp het geduld van vele dagen zijn vruchten af en hij zei: 'Ik wil je iets vragen voordat ik naar huis ga. Sta je me toe dat ik om je hand vraag?'

Ze hief haar mooie hoofd op alsof ze verrast was, maar ze sprak geen woord en het leek alsof ze niet wist wat ze moest zeggen. De straat was verlaten en het licht van de lantaarns ging schuil achter de blauwe verf. Hij vroeg: 'Sta je het me toe?'

Met zachte stem, waarin enig verwijt doorklonk, zei ze: 'Het komt door jouw manier om iets te zeggen, je overvalt me ermee...'

Hij lachte even en zei: 'Mijn verontschuldiging. Ik dacht dat door onze vriendschap mijn woorden geen verrassing meer zouden zijn.'

'Je bedoelt onze vriendschap en intellectuele samenwerking?'

Die woorden verontrustten hem, maar hij zei: 'Ik bedoel, mijn onverhulde gevoelens, die de vorm hebben aangenomen van vriendschap en intellectuele samenwerking, zoals jij het noemt.'

Met een geamuseerde glimlach, die niet vrij was van onzekerheid, vroeg ze: 'Je onverhulde gevoelens?'

Koppig en openhartig zei hij: 'Ik bedoel mijn liefde. Liefde laat zich niet verbergen. Meestal spreken we niet om onze liefde te verklaren, maar omdat het ons vreugde geeft ons onze liefde te horen verklaren.'

Om tijd te winnen, totdat ze haar kalmte had herkregen, zei ze: 'Het is allemaal een verrassing voor me.'

'Het spijt me dat te horen.'

'Waarom spijt het je? Ik weet niet wat ik moet zeggen...'

'Zeg: "Ik sta het je toe",' zei hij lachend. 'En laat de rest aan mij over.'

'Maar... maar... Ik weet niets over... Neem me niet kwalijk. We waren inderdaad vrienden, maar je hebt nooit met me gesproken over... Ik bedoel, de omstandigheden lieten nooit toe dat je me over jezelf vertelde.'

'Wist je niet wie ik was?'

'Natuurlijk wel, maar er zijn andere zaken die je moet weten...'

Bedoelt ze de 'gebruiken'? Vragen die bij een hart horen dat niet door liefde geketend is.

Hij voelde weerzin opkomen, maar zijn onverzettelijkheid nam toe en hij zei: 'Alles op zijn tijd.'

Ze had zichzelf weer in de hand en vroeg: 'Is dit niet het juiste moment?'

Hij glimlachte flauw en zei: 'Je hebt gelijk. Bedoel je de toekomst?'

'Natuurlijk.'

Dat 'natuurlijk' ergerde hem. Hij had gehoopt muziek te horen, maar hij hoorde een kille uiteenzetting. Hoe dan ook, zijn zelfvertrouwen mocht hem niet in de steek laten. De koele beminde besefte niet hoe gelukkig het hem zou maken om haar tevreden te stellen.

'Als ik afgestudeerd ben zal ik gaan werken.'

Na enige ogenblikken stilte: 'En ooit zal ik een aanzienlijk inkomen hebben.'

'Vage woorden,' zei ze verlegen. Terwijl hij zijn pijn achter kalmte probeerde te verbergen, zei hij: 'Mijn salaris zal het gewone tarief niet overschrijden. Mijn inkomen zal ongeveer tien pond bedragen.'

Stilte. Misschien overdenkt ze de zaak. Dit is de materiële interpretatie van de liefde.

Hij had gedroomd van zoete waanzin. Dit was iets heel anders. Dit is een vreemd land: in de politiek rent iedereen achter emoties aan, en in de liefde volgt men de nauwgezetheid van een boekhouder. Eindelijk klonk haar hoge stem: 'Laten we het inkomen niet meetellen. Het is verkeerd om je leven te organiseren op grond van het heengaan van degenen die je dierbaar zijn.'

'Ik wilde alleen zeggen dat mijn vader vermogend is.'

Met een moeite die de voorafgaande aarzeling verklaarde, zei ze: 'Laten we realistisch zijn...'

'Ik zei je al dat ik zal gaan werken. En jij zult ook werk vinden.'

Ze lachte vreemd: 'Nee, ik ga niet werken. Ik ben niet naar de universiteit gegaan om later een betrekking te nemen, zoals de andere meisjes.'

'Werken is geen schande.'

'Vanzelfsprekend, maar mijn vader... Wij zijn het er allemaal over eens dat ik niet zal gaan werken.'

Zijn emoties waren afgekoeld en in gedachten verzonken zei hij: 'Goed... Ik ga werken...'

Met een stem die nog zoeter bedoeld leek dan hij gewoonlijk al was, zei ze: '*Oestaaz* Ahmed, laten we dit gesprek uitstellen. Geef me tijd om na te denken.'

Hij lachte lusteloos en zei: 'We hebben de zaak van alle kanten bekeken. Je hebt zeker tijd nodig om je weigering te formuleren?'

'Ik moet met mijn vader spreken,' zei ze bescheiden.

'Dat spreekt vanzelf. Maar misschien kunnen wij al eerder tot een beslissing komen.'

'Even maar, niet lang...'

'Het is nu juni. Je gaat op vakantie en we zullen elkaar pas in oktober weer op de faculteit zien.'

'Ik heb tijd nodig om na te denken en te overleggen,' zei ze onvermurwbaar.

'Je wilt het niet zeggen...'

Ze bleef plotseling staan en zei op nadrukkelijke toon: '*Oestaaz* Ahmed, je wilt me hoe dan ook tot spreken dwingen. Ik hoop dat je dan ook met welwillend hart aanvaardt wat ik ga zeggen. Ik heb vroeger vaak over het huwelijk nagedacht, niet met betrekking tot jou, maar in het algemeen. Uiteindelijk ben ik tot de slotsom gekomen – en mijn vader stemt daarmee in –, dat ik alleen een passend leven kan leiden en aan mijn niveau kan vasthouden als mij minstens vijftig pond per maand ter beschikking staat.'

Hij slikte een bittere teleurstelling weg. Zelfs bij de somberste veronderstellingen had hij niet geloofd dat de bitterheid zo erg zou zijn. Hij vroeg: 'Heeft een ambtenaar, ik bedoel, op de leeftijd waarop hij trouwt, ooit zo'n enorm salaris?'

Ze deed er het zwijgen toe. Hij vervolgde: 'Je wilt dus een rijke echtgenoot?'

'Het spijt me zeer. Maar jij hebt me gedwongen mijn mening te geven.'

Met een hese stem zei hij: 'Dat is hoe dan ook het beste.'

Ze zei zacht: 'Het spijt me.'

Hij kookte van woede. Hij deed zijn best om de grenzen van beleefdheid in acht te nemen, maar hij kreeg een onweerstaanbare behoefte om haar kenbaar te maken hoe hij erover dacht. Hij vroeg: 'Sta je me toe dat ik je mijn mening geef?'

'Nee,' zei ze snel. 'Ik ken veel opvattingen van je. Ik hoop dat we vrienden blijven, zoals voorheen.'

Ondanks zijn woede had hij medelijden met haar. Dit was de naakte waarheid, voordat ze door de liefde werd verzacht. Een vrouw die met haar dienstknecht wegloopt is normaal, ook al wordt zij, vanuit het oogpunt van de traditie, als abnormaal beschouwd. In een onvolmaakte maatschappij lijkt het gezonde ziek en het zieke gezond. Hij was kwaad, maar zijn verdriet was sterker dan zijn woede. Ze had in elk geval vermoed wat zijn mening was, dat was een troost.

Ze stak haar hand uit om afscheid te nemen. Hij hield haar hand even vast, zodat hij de tijd had om te vragen: 'Je zei dat je niet naar de universiteit bent gegaan om later een betrekking te nemen. Dat is op zichzelf mooi gezegd. Maar in hoeverre heb je profijt gehad van de universiteit?'

Ze hief verbaasd haar hoofd op. Maar hij zei op enigszins ironische toon: 'Neem me mijn domheid niet kwalijk. Misschien komt het doordat je nog nooit verliefd bent geweest. Tot ziens.'

Hij draaide zich om en liep snel weg.

Isma'iel Latief zei: 'Misschien heb ik er verkeerd aan gedaan mijn vrouw mee naar Caïro te nemen om haar hier te laten bevallen. Elke nacht is er luchtalarm. In Tanta merkten we nauwelijks iets van de verschrikkingen van deze oorlog.'

Kamaal zei: 'Het zijn symbolische aanvallen. Als ze ons echt kwaad zouden willen doen kan niets of niemand hen tegenhouden.'

Rijaad Koeldoes lachte en zei tegen Isma'iel – het was de tweede keer dat zij elkaar ontmoetten in een jaar tijd: 'Je hebt het tegen iemand die zich niet bewust is van de verantwoordelijkheden van een echtgenoot.'

'Ben jij je er dan wel van bewust?' vroeg Isma'iel gekscherend.

'Ik ben inderdaad vrijgezel, net als hij, maar ik ben geen tegenstander van het huwelijk.'

Ze liepen op de Foeaad I straat, vroeg in de avond, in een duisternis die alleen werd getemperd door het zwakke schijnsel dat door de deuren van de openbare gebouwen drong. Desalniettemin was het druk op straat, vrouwen, mannen, en Britse soldaten in alle soorten en maten. Er stond een frisse herfstwind, maar de meeste mensen liepen in hun zomerkleren. Rijaad Koeldoes keek naar een groepje Indische soldaten en zei: 'Het is treurig dat iemand zich zo ver van zijn vaderland moet verwijderen om ten behoeve van iemand anders te vechten.'

Isma'iel Latief zei: 'Ik vraag me af hoe die ongeluksvogels ooit in staat zijn te lachen.'

'Net zoals wij in staat zijn te lachen in deze ongerijmde wereld,' zei Kamaal. 'Drank, verdovende middelen en wanhoop.'

Rijaad Koeldoes zei lachend: 'Je lijdt aan een zonderlinge crisis. Alles bij jou schudt op zijn grondvesten. IJdelheid en hersenschimmen, een smartelijk gevecht met de geheimen van het leven en de ziel, verveling, ziekelijkheid... Ik beklaag je.'

'Je moet trouwen,' zei Isma'iel Latief eenvoudig. 'Ik heb ook die verveling doorgemaakt kort voordat ik trouwde.'

'Zeg het tegen hem,' zei Rijaad Koeldoes.

Alsof hij zichzelf toesprak, zei Kamaal: 'Het huwelijk is de laatste overgave in deze uitzichtloze strijd.'

Isma'iel maakt een verkeerde vergelijking. Hij is een geciviliseerd dier... Maar rustig aan... Misschien is dat aanmatigend. Waarom zou je aanmatigend zijn als je op een berg van teleurstelling en mislukking ligt? Isma'iel weet niets van de wereld van het denken, maar hij put geluk uit zijn werk, zijn vrouw en zijn kinderen. Zou zulk geluk jou niet kunnen bespotten vanwege je minachting ervoor?

Rijaad zei: 'Als ik ooit besluit een roman te schrijven, zul jij een van de hoofdfiguren zijn.'

Kamaal wendde zich tot hem en vroeg met naïeve nieuwsgierigheid: 'Wat voor iemand zul je van me maken?'

'Dat weet ik nog niet. Maar je moet je erop voorbereiden dat je niet boos wordt. Veel mensen die zichzelf in mijn verhalen zijn tegengekomen werden kwaad.'

'Waarom?'

'Misschien omdat ieder mens een voorstelling heeft van zijn persoonlijkheid die hij zelf schept. En als een romanschrijver hem daarvan berooft, wijst hij dat af en wordt hij boos.'

Ongerust vroeg Kamaal: 'Heb je een ander idee over me dan je laat merken?'

Rijaad haastte zich hem gerust te stellen: 'Zeker niet. Maar een romanschrijver kan uitgaan van een persoon en hem vervolgens volledig vergeten terwijl hij een nieuwe figuur creëert die, afgezien van de inspiratie, geen enkele band heeft met de oorspronkelijke persoon. Jij inspireert me tot het personage van de oosterse man die niet kan kiezen tussen het oosten en het westen, die zoveel om zijn eigen as draait dat hij duizelig wordt.'

Hij heeft het over het oosten en het westen. Maar hoe zou

hij ooit Ajida kunnen kennen? Waarschijnlijk heeft ongeluk vele verschijningsvormen.

Isma'iel Latief zei opnieuw ongecompliceerd: 'Je hele leven schep je al problemen voor jezelf. Boeken zijn volgens mij de bron van je ellende. Waarom probeer je niet eens op een natuurlijke manier te leven?'

Ze kwamen op een kruispunt en sloegen de Imaad ad-Dienstraat in. Ze meden een grote groep Engelse soldaten die hen tegemoetkwam. Isma'iel Latief zei: 'Naar de hel gaan ze. Hoe komt het dat ze nog zoveel hoop hebben? Geloven ze zichzelf?'

'Het lijkt me dat de afloop van de oorlog al is beslist,' zei Kamaal. 'Hij duurt hoogstens tot volgend voorjaar.'

Rijaad Koeldoes zei met walging in zijn stem: 'Het nazisme is een reactionaire, onmenselijke beweging. Onder die ijzeren voeten zal de ellende in de wereld verveelvoudigen.'

'Kome wat komen gaat,' zei Isma'iel. 'Waar het om gaat is dat we de Engelsen in dezelfde positie zien die ze eerst aan de zwakke staten hebben opgelegd.'

'De Duitsers zijn niet beter dan de Engelsen,' zei Kamaal. Rijaad Koeldoes zei: 'Maar met de Engelsen hebben we het afgehandeld. Het Britse imperialisme is stokoud en is met enkele humane principes verzacht. Maar straks hebben we te maken met een jong imperialisme, hooghartig, gulzig, rijk en oorlogszuchtig. Wat kunnen we daartegen doen?'

Kamaal lachte en opperde op een voor hem ongewone toon: 'Zullen we een glas gaan drinken en dromen van een wereld die wordt bestuurd door een rechtvaardige regering?'

'Dan hebben we zeker meer dan één glas nodig.'

Ze bevonden zich voor een nieuwe taveerne die ze niet eerder hadden gezien. Misschien was het een van de 'duivelstaveernes' die door de oorlog als paddestoelen uit de grond waren geschoten. Kamaal keek naar binnen en zag een blanke vrouw met een oosters postuur die de zaak beheerde. Opeens verstijfden zijn benen en bewoog hij zich niet meer van zijn plaats. Of liever, hij was niet meer in staat zich voort te bewegen, zodat zijn twee metgezellen genoodzaakt waren te blijven stilstaan en te kijken waarnaar hij keek. Marjam! Het was niemand anders dan Marjam, de tweede echtgenote van Jasien. Marjam, het buurmeisje van een heel leven, ze stond in deze taveerne, nadat ze zo lang verdwenen was geweest... Marjam van wie hij had gedacht dat ze haar moeder achterna was gegaan.

'Wil je dat we hier gaan zitten? Kom, er zijn maar vier soldaten binnen.'

Hij aarzelde even, maar hij kon de moed niet opbrengen en zei, toen hij van zijn verbazing was bekomen: 'Nee, nee.'

Hij wierp een blik op de vrouw die hem aan haar moeder in haar laatste dagen deed denken. Daarna liepen ze verder. Wanneer had hij haar voor het laatst gezien? Minstens dertien of veertien jaar geleden. Zij was een van de onvergetelijke karakteristieken van het verleden. Zijn verleden, zijn geschiedenis, zijn wezen... Dat alles was een... Hij had haar in Paleis van Verlangen ontmoet bij zijn laatste bezoek aan het huis voor haar scheiding. Hij herinnerde zich nog hoe ze zich tegenover hem had beklaagd over de buitenissigheid van zijn broer en diens terugval in een leven van lichtzinnigheid, een klacht waarvan hij destijds de gevolgen niet kon voorzien, en die er nu op was uitgelopen dat ze in deze 'duivelskroeg' stond. Daarvoor was ze de dochter van sajjid Mohammed Ridwaan geweest, ze was zijn vriendin en hij had over haar gefantaseerd in zijn vroege kindertijd, de tijd waarin hij het oude huis gedompeld in vreugde en vredigheid had aanschouwd. Marjam was als een roos en Aisja was als een roos, maar de tijd was de aartsvijand van rozen. Het was ook mogelijk geweest dat hij haar in een van die huizen was tegengekomen, zoals dat van sitt Galiela. Dan had hij zich in een lastig dilemma bevonden. Zo was Marjam met de Engelsen begonnen en eindigde ze met de Engelsen.

'Ken je die vrouw?'

'Ja.'

'Waarvan?'

'Een van die vrouwen... Ze zal me wel vergeten zijn.'

'Ja, de taveernes zitten er vol mee, vroegere prostituées, weggelopen dienstbodes, alle soorten en maten.'

'Ja.'

'Waarom ga je niet naar binnen? Misschien trakteert ze ons uit respect voor jou.'

'Ze is niet jong meer en er zijn betere plekken.'

Hij was ouder geworden zonder het te beseffen. Midden dertig, en het leek alsof hij zijn deel van het geluk al had verbruikt. Als hij zijn tegenwoordige ongeluk vergeleek met dat van vroeger, wist hij niet welk van beide erger was. Maar wat voor belang had leeftijd als hij toch al genoeg had van het leven? De dood was waarlijk het heerlijkste van het leven. Maar wat was dat voor geluid?

'Luchtalarm.'

'Waar moeten we heen?'

'De schuilkelder bij café Rex.'

In de schuilkelder was geen plaats meer om te zitten, dus bleven ze staan. Er waren efendi's, *khawaga*'s, dames en kinderen en er werd gepraat in allerlei talen en dialecten. De mannen van de burgerwacht riepen buiten: 'Doof de lichten!'

Rijaads gezicht was bleek. Hij haatte het gedreun van geschut. Kamaal zei om hem te plagen: 'Misschien krijg je niet eens de kans om met mij te sollen in je roman.'

Hij lachte nerveus en zei, terwijl hij naar de mensen wenkte: 'De mensheid is evenredig vertegenwoordigd in deze schuilkelder.'

Kamaal zei spottend: 'Konden ze voor het goede maar net zo gemakkelijk bijeenkomen als wanneer ze bang zijn.'

Isma'iel fluisterde zenuwachtig: 'Op dit moment komt mijn vrouw de trap af en tast ze haar weg af in het donker. Ik overweeg in ernst om morgen terug te gaan naar Tanta.'

'Als we dan nog leven.'

'De bevolking van Londen is werkelijk te beklagen.'

'Maar zij zijn de oorzaak van alle ellende.'

Rijaad Koeldoes was nog bleker geworden, maar hij maskeerde zijn ongerustheid door te praten. Hij vroeg aan Kamaal: 'Ik heb je eens horen vragen waar het station van de dood is, zodat je uit de trein van het vervelende leven zou kunnen stappen. Zou je het nu niet erg vinden als we door een bom in de lucht vliegen?'

Kamaal glimlachte. Hij luisterde scherp met toenemende bezorgdheid en verwachtte van tijd tot tijd dat er weer een kanon met oorverdovend gedreun zou beginnen te schieten.

'Nee,' antwoordde hij, en hij voegde er op vragende toon aan toe: 'Misschien vanwege de angst voor pijn?'

'Of is er nog een ondoorgrondelijke hoop in het leven die zich in je binnenste roert?'

Waarom had hij geen zelfmoord gepleegd? Waarom leek zijn leven uiterlijk alsof het met geestdrift en geloof gevuld was?

Hij had al zo lang getwijfeld tussen twee tegengestelden, het warme nest en het ascetisme, maar een leven dat was gewijd aan gelijkmoedigheid en lust kon hij niet verdragen. Anderzijds was er diep in hem iets dat een afkeer had van de gedachte aan passiviteit en escapisme. Misschien was dit het wat hem verhinderde zelfmoord te plegen. Tegelijkertijd was dit vasthouden aan het grillige koord van het leven in tegenspraak met de essentie van zijn dodelijke twijfel. De essentie lag in twee woorden besloten: ontreddering en pijn.

Plotseling klonk er een salvo kanonschoten dat hun de adem benam. Iedereen keek ontzet om zich heen en niemand kon een woord uitbrengen. Maar het schieten duurde slechts enkele minuten. De mensen verwachtten dat het angstaanjagende gedreun opnieuw zou beginnen en de angst sneed hun de adem af. Maar er viel een diepe stilte. Isma'iel Latief vroeg: 'Ik probeer me voor te stellen hoe mijn vrouw er op dit moment aan toe is. Wanneer zou de aanval ophouden?'

'Wanneer zal de oorlog ophouden?' vroeg Rijaad Koeldoes. Niet lang daarna klonk de sirene ten teken dat het weer veilig was, en de schuilkelder slaakte een diepe zucht. Kamaal zei: 'Het is maar een plaagstootje van de Italianen.'

Als vleermuizen kwamen ze in het donker de schuilkelder uit. Het ene silhouet na het andere kwam uit de deuren te voorschijn en uit steeds meer ramen viel een bleek schijnsel. Weldra was er overal rumoer te horen.

Het lijkt alsof het leven, in dit vluchtige, donkere ogenblik, iedereen die het is vergeten eraan wil herinneren hoeveel waarde het heeft, een waarde die door niets in het bestaan wordt geëvenaard.

8

De aanblik van het oude huis was in de loop der jaren veranderd en toonde de sporen van verval en verwaarlozing. De tucht was verbroken en het koffieuur was uiteengevallen. Te zamen hadden zij de oorspronkelijke sfeer bepaald. De eerste helft van de dag was Kamaal naar school, Amiena deed haar spirituele ronde langs al-Hoessein en as-Sajjida en Oemm Hanafi daalde af naar de keuken. Sajjid Ahmed strekte zich intussen uit op de canapé in zijn kamer of ging op een stoel in de *masjrabiyya* zitten, terwijl Aisja tussen het dakterras en haar kamer doolde. De radio in de salon was het enige geluid dat te horen was. In de namiddag kwamen Amiena en Oemm Hanafi in de salon bijeen. Aisja bleef op haar kamer of kwam even bij hen zitten en ging dan weer weg. Sajjid Ahmed verliet zijn kamer niet en als Kamaal vroeg thuiskwam, trok hij zich in zijn studeerkamer op de bovenverdieping terug. De afzondering van sajjid Ahmed was aanvankelijk triest geweest, maar was allengs voor hemzelf en voor de anderen gewoon geworden. Het verdriet van Aisja was schrijnend geweest, maar ook daaraan waren zij en de anderen gewend geraakt.

Amiena was nog steeds de eerste die wakker werd, waarna ze Oemm Hanafi wekte, zich waste en het gebed verrichtte. Oemm Hanafi, die van hen allen de beste gezondheid had, begaf zich zodra ze was opgestaan naar de keuken. Op datzelfde moment opende Aisja haar ogen. Ze stond op om een paar kopjes koffie te drinken en sigaretten te roken, de een na de ander, totdat ze voor het ontbijt werd geroepen, waarvan ze maar een klein beetje nam. Ze was broodmager geworden en was nog slechts een skelet met een vale huid. Haar haar begon uit te vallen, zodat ze genoodzaakt was naar de dokter te gaan voordat ze helemaal kaal zou zijn. Ze was ten prooi aan allerlei kwalen en de dokter had haar geadviseerd haar tanden te laten trekken. Van de vroegere Aisja was alleen nog de naam over. Ze had haar gewoonte om in de spiegel te kijken niet opgegeven, niet om zich op te maken, maar deels uit gewoonte en deels om zich in haar verdriet te wentelen. Soms leek het alsof ze zich in milde berusting in haar lot schikte. Dan bleef ze lange tijd bij haar moeder zitten en nam deel aan het gesprek, waarbij zich soms een glimlach op haar verwelkte lippen vormde. Of ze bezocht haar vader om naar zijn gezondheid te vragen, of wandelde in de tuin op het dak en gooide graankorreltjes naar de kippen. Haar moeder zei dan hoopvol: 'Wat maak je me gelukkig, Aisja. Zag ik je maar altijd zoals nu.' Oemm Hanafi zei terwijl ze haar tranen droogde: 'Laten we naar de keuken gaan en iets lekkers maken.'

Maar om middernacht ontwaakte Amiena door het gehuil in Aisja's kamer. Ze spoedde zich naar haar toe, erop lettend dat ze de slapende sajjid Ahmed niet wakker maakte, en trof haar snikkend aan in de duisternis. Toen Aisja merkte dat haar moeder bij haar was, omarmde ze haar en riep: 'Had ze me maar nagelaten wat ze in haar buik had... een schaduw van haar... Nu heb ik lege handen, ik heb niets in de wereld...'

Haar moeder omhelsde haar en zei: 'Ik ken je verdriet beter dan wie ook, een verdriet dat te groot is voor troost. Had ik me maar in hun plaats kunnen opofferen. Maar God is almachtig en Zijn wijsheid is onmetelijk. Wat heeft het voor zin te treuren, arm kind?'

'Elke keer als ik in slaap val droom ik van hen, of van het leven van vroeger.'

'Bid tot God. Wat jij doormaakt heb ik ook lange tijd ondergaan. Ben je Fahmi vergeten? Maar een gelovige vraagt om steun in tijd van rampspoed. Waar is je geloof?'

Ze zei vol afkeer: 'Mijn geloof?'

'Ja, denk aan je geloof. Vraag je Heer dat Hij je genade schenkt, van een plaats die jij niet kent.'

'Genade? Waar is nog genade?'

'Zijn genade omvat alles. Volg mijn raad op en ga met me mee naar al-Hoessein. Leg je hand op de tombe en reciteer de *fatiha*, dan zal je vuur koud en ongevaarlijk worden, net als het vuur van onze heer Ibrahiem.'*

Haar houding ten opzichte van haar gezondheid was niet minder wisselvallig. Soms ging ze regelmatig naar de dokter, zodat ze de indruk wekte dat ze zich weer aan het leven vastklampte, maar dan verwaarloosde ze zich weer en sloeg ze alle

* Verwijzing naar de koran, soera 21, vers 69.

adviezen zozeer in de wind dat het grensde aan zelfmoord. Het bezoek aan de begraafplaats was de enige traditie die ze niet een keer oversloeg. Dan keek ze niet op geld en besteedde ze vrijgevig alles wat ze bezat van de erfenis van haar echtgenoot en haar dochter, zodat het graf na enige tijd omringd was met een weelderige tuin vol bloemen en geurplanten. Op de dag waarop Ibrahiem Sjaukat bij haar was gekomen om de formaliteiten voor de erfenis af te handelen, had ze een hysterische lach geslaakt en tegen haar moeder gezegd: 'Feliciteer me, ik heb geërfd van mijn dochter.'

Kamaal ging telkens bij haar langs wanneer hij zag dat ze rustig was. Hij ging even bij haar zitten en omringde haar met affectie en hartelijkheid. Hij nam haar lange tijd zwijgend op en haalde zich bedroefd het teloorgegane gezicht voor de geest, dat God zo prachtig had gemaakt, en bekeek dan wat ervan geworden was. Ze was niet alleen mager en ziek, maar door smart getroffen in alle betekenissen die dit woord in zich droeg. Het ontging hem niet dat er overeenkomsten waren in hun beider lot, want zij had haar nakomelingen verloren en hij had zijn hoop verloren. Zij was met lege handen achtergebleven, net als hij. Ja, haar kinderen waren nog van vlees en bloed geweest, maar zijn hoop was slechts een leugen en een illusie geweest. Op een dag zei hij tegen hen: 'Is het niet beter dat jullie naar de schuilkelder gaan als het luchtalarm gaat?'

'Ik ga niet uit mijn kamer,' zei Aisja. En Amiena zei: 'Het zijn ongevaarlijke aanvallen en het afweergeschut is net vuurwerk.'

Van binnen hoorde hij zijn vader zeggen: 'Als ik de kracht had om naar de schuilkelder te gaan, zou ik ook wel naar de moskee gaan of naar het huis van Mohammed Iffat.'

Op een dag kwam Aisja van het dakterras hollen en zei buiten adem tegen haar moeder: 'Er is iets raars gebeurd.'

Amiena keek haar aan met een blik waarin nieuwsgierigheid en hoop lagen. Nog steeds hijgend zei Aisja: 'Ik stond op het dakterras naar de zonsondergang te kijken. Ik was zo wanhopig als ik me nooit eerder had gevoeld. Plotseling ging er in de hemel een venster van fel licht open en ik riep zo hard als ik kon: "O Heer!"'

Amiena's ogen sperden zich open van verbazing. Was het de verwachte genade of een nieuwe afgrond van verdriet? Ze zei zacht: 'Misschien was het de genade van onze Heer, meisje.'

'Ja,' zei ze met stralend gezicht. 'Ik riep "O Heer" en alles was overdekt met licht.'

Ze begonnen er allemaal over na te denken en ze volgden de toestand met grote ongerustheid. Aisja stond urenlang roerloos op het dakterras in de hoop dat het licht opnieuw zou verschijnen, en Kamaal zei tegen zichzelf: Zou dit het einde zijn waarbij vergeleken de dood onbeduidend is?

Maar gelukkig voor iedereen begon ze het na enkele dagen te vergeten en sprak ze er niet meer over. Ze bleef dieper binnengaan in een eigen wereld die ze voor zichzelf schiep en waarin zij alleen leefde, of ze nu alleen op haar kamer was of bij hen zat, afgezien van enkele momenten wanneer ze tot hen terugkeerde als van een reis. Niet lang daarna zette ze dan de tocht weer voort. Ze nam een nieuwe gewoonte aan: ze sprak tegen zichzelf, vooral wanneer ze alleen was. Daarmee wekte ze grote bezorgdheid. Maar ze sprak tegen doden, terwijl ze besefte dat ze dood waren, zonder zich geesten of schimmen in te beelden, en daaruit putten zij die haar omringden troost.

Het is bitter koud deze winter. Hij doet denken aan een van de winters van vroeger, die de mensen een generatie lang bijbleef. De winter van welk jaar? Mijn Heer, waar is dat geheugen gebleven dat dat onthield? Maar ook al is die winter vergeten, mijn oude hart verlangt ernaar, want hij is een deel van het verleden, en de herinnering doet mijn tranen opwellen.

In die tijd werd hij vroeg wakker. Hij waste zich onder de douche, ongeacht de winterse kou, vulde zijn buik en betrad de wereld van de mensen, de wereld van beweging en vrijheid, die hij nu niet meer kende, afgezien van het weinige dat ze hem vertelden. Dan leek het alsof ze over een andere, ver weg gelegen wereld spraken. Hij had de vrijheid en de kracht om op de canapé in zijn kamer te zitten of op een stoel in de *masjrabiyya*, maar desondanks ergerde hij zich aan zijn gevangenschap in huis. Als het nodig was ging hij naar de badkamer of kleedde hij zich zelf om, maar desondanks vervloekte hij zijn opsluiting. Eén dag in de week mocht hij het huis uit, in een rijtuig of steunend op zijn stok. Dan bezocht hij al-Hoessein of het huis van een van zijn vrienden. Desondanks bad hij onophoudelijk tot God dat Hij hem uit zijn gevangenschap zou bevrijden.

Nu was hij echter niet meer in staat zijn bed te verlaten. De grenzen van zijn wereld reikten niet verder dan de randen van zijn matras. Hij ging zelfs niet naar de badkamer; in plaats daarvan kwam de badkamer naar hem toe. Een smerigheid die hij nooit voor mogelijk had gehouden. De bitterheid was op zijn lippen te lezen en nestelde zich in zijn speeksel. Op deze matras lag hij overdag, hij sliep er 's nachts, hij at er en deed er zijn behoefte. En dat terwijl vroeger zijn netheid spreekwoordelijk was geweest en hij met een welriekend parfum rondliep. Als hij nu in dit huis rondkeek, dat zich zijn leven lang naar zijn absolute gezag had gevoegd, ontmoette hij slechts medelijdende blikken. En als hij iets vroeg werd hij berispt als een kind.

Zijn dierbare vrienden waren kort na elkaar heengegaan, alsof ze het hadden afgesproken. Ze waren heengegaan en hadden hem alleen achtergelaten. Gods genade zij met je, Mohammed Iffat. De laatste keer dat hij hem had gezien was op een avond in *ramadan*, in de *salamlik* die uitkeek op de tuin. Hij had afscheid genomen en was weggegaan. Zijn luide lach had hem tot aan de deur vergezeld. Nauwelijks had hij zich in zijn kamer teruggetrokken of er werd op de deur geklopt. Ridwaan rende op hem af en zei: 'Grootvader Iffat is dood, opa...' Mijn God, wanneer? Hoe? Hebben we een paar minuten geleden niet nog samen gelachen? Maar hij was voorovergevallen terwijl hij naar zijn bed liep. Zo is de vriend van een heel leven heengegaan. En Ali Abd ar-Rahiem, die een doodsstrijd van drie hele dagen heeft gehad, en die zo moest hoesten dat we God smeekten zijn einde te verzachten en hem van de pijn te verlossen... Zo verdween Ali Abd ar-Rahiem, mijn hartsvriend, uit mijn wereld. Van deze twee dierbaren had hij nog afscheid kunnen nemen, maar bij Ibrahiem al-Faar was hem dat niet vergund. Een verheviging van zijn ziekte had hem aan bed gekluisterd en hem verhinderd hem te bezoeken. Zijn dienstbode kwam het nieuws van zijn dood brengen. Hij had zelfs de begrafenis niet kunnen bijwonen en Kamaal en Jasien waren in zijn plaats gegaan. God hebbe je ziel, je was de beste der mensen... Nog voor hen waren Hamidoe en al-Hamzawi gestorven, en tientallen vrienden en kennissen. Ze hadden hem alleen achtergelaten, alsof hij nooit iemand had gekend. Er kwam niemand op bezoek en er zou geen vriend op zijn begrafenis zijn. Het was hem zelfs onmogelijk het gebed te verrichten. Mocht hij alleen van reinheid genieten in de uren na het baden, die zijn verzorgers hem maar een keer per maand gunden? Zelfs het gebed werd hem ontzegd, terwijl hij er zo'n behoefte aan had met zijn Heer te spreken in deze afschuwelijke eenzaamheid. Zo verstreken de dagen. De radio stond aan en hij luisterde. Amiena kwam en ging. Wat was ze verzwakt. Maar ze was niet iemand die klaagde. Ze was zijn verpleegster en het ergste dat hij vreesde was dat ze straks zelf iemand nodig zou hebben om voor haar te zorgen. Ze was alles wat hij nog had. Jasien en Kamaal bleven een uur en gingen dan weer weg. Hij zou willen dat ze niet bij hem weggingen, maar dat was een wens die hij niet kon uitspreken en waaraan ze niet konden voldoen. Alleen Amiena had niet genoeg van hem. Als ze uitging om al-Hoessein te bezoeken, deed ze dat om voor hem te bidden. Afgezien daarvan was de wereld leeg.

Alleen de dag waarop Khadiega op bezoek kwam was het wachten waard. Ze kwam altijd met Ibrahiem Sjaukat, Abd al-Moen'im en Ahmed, zodat de kamer gevuld was met levenden en de troosteloosheid eruit verjaagd werd. Hij sprak maar weinig, maar zij spraken veel. Een keer zei Ibrahiem tegen hen: 'Bespaar sajjid Ahmed jullie geklets toch.' Maar hij had afkeurend gezegd: 'Laat ze praten, ik wil hen horen.' Hij bad om gezondheid en een lang leven voor zijn dochter en voor haar echtgenoot en zoons. Hij wist dat ze graag zelf over zijn rust had gewaakt, en hij ontwaarde in haar ogen een onovertroffen genegenheid.

Op een dag had hij met een glimlach op verlangende, nieuwsgierige toon aan Jasien gevraagd: 'Waar breng je je avonden door?'

Hij zei beschroomd: 'Tegenwoordig zijn er overal Engelsen, net als vroeger.'

Vroeger... De tijd van vitaliteit en fierheid, lachen tot de muren ervan schudden, de avonden in al-Ghoeriyya en al-Gamaliyya, de mensen van wie nog slechts de namen gebleven zijn... Zoebaida, Galiela, Haniyya... Denk je nog weleens aan je moeder, Jasien? En daar zitten Zannoeba en Kariema, naast haar vader. Je zult voortdurend om genade en vergeving vragen.

'Wie is er nog op je ministerie van onze oude kennissen, Jasien?'

'Ze zijn allemaal met pensioen. Ik weet niets meer van ze.'

En zij weten niets meer van ons. De hartsvrienden zijn gestorven. Waarom zouden we nog naar kennissen vragen? Maar wat is Kariema mooi. Ze is nog mooier dan haar moeder vroeger was. Toch is ze pas veertien. En Na'iema, was die niet ook een wonder van schoonheid?

'Jasien, als je Aisja zou kunnen overreden jullie een bezoek te brengen, doe dat dan. Haal haar uit haar afzondering, want ik ben bezorgd om haar.'

Zannoeba zei: 'Ik heb haar zo vaak gevraagd Paleis van Verlangen te bezoeken, maar ze... God sta haar bij.'

Er verscheen een sombere blik in de ogen van de man. Opeens vroeg hij aan Jasien: 'Kom je sjeik Mitwalli Abd as-Samad nog weleens tegen op straat?'

Glimlachend zei Jasien: 'Soms. Hij herkent bijna niemand meer, maar hij loopt nog steeds op twee sterke benen rond.'

Wat een man... Heeft hij nooit zin om mij te bezoeken? Of is hij mij vergeten, zoals hij al eerder de namen van mijn kinderen is vergeten?

Toen de vrienden waren heengegaan had hij Kamaal als vriend genomen. Deze was hierdoor nogal verrast. Het was niet meer de vader die hij gekend had, maar een vriend die hem in vertrouwen nam en die zijn gevoelens met hem wilde delen. Hij zei hoofdschuddend over Kamaal: 'Een vrijgezel van vierendertig jaar, die het grootste deel van zijn leven in zijn studeerkamer doorbrengt... God sta hem bij.' Hij voelde zich niet meer verantwoordelijk voor wat er van hem geworden was, want Kamaal had er vanaf het begin op gestaan zichzelf te ontplooien zoals hij wilde en nu was hij uiteindelijk een ongetrouwde onderwijzer die in zijn eentje in zijn kamer zat. Hij vermeed het hem met vragen over een huwelijk of privé-lessen lastig te vallen en bad slechts tot God dat Hij zijn vermogen toereikend zou laten zijn tot aan zijn laatste ademtocht, zodat hij niet van Kamaal afhankelijk zou worden.

Op een dag vroeg hij hem: 'Bevalt deze tijd je?'

Kamaal glimlachte hulpeloos en aarzelde bij zijn antwoord, zodat de oude man vervolgde: 'Vroeger, dat was nog eens een tijd. We leefden in overvloed, we waren sterk en gezond. We hebben Saad Zaghloel gezien en naar Si Abdoeh* geluisterd. Wat heeft jullie tijd te bieden?'

* Abdoeh al-Hammoeli, populair musicus (1845-1901).

Kamaal zei geïntrigeerd door de algemene strekking van de woorden: 'Elke tijd heeft zijn goede en slechte kanten.'

De man knikte met zijn hoofd, dat op een achter zijn rug gevouwen kussen steunde, en zei: 'Mooie woorden, meer niet.'

Na een poosje stilzwijgen zei hij prompt: 'Het is onverdraaglijk dat ik niet in staat ben het gebed te verrichten, want vroomheid is een troost bij eenzaamheid. Desondanks zijn er soms vreemde momenten, waarop ik alles wat me ontzegd is vergeet, eten, drinken, vrijheid, gezondheid... Dan is er een merkwaardige sereniteit in mijn ziel, waardoor ik het gevoel heb dat ik verbonden ben met de hemelen en dat er een onbekend geluk is dat het leven en alles wat ermee samenhangt minacht.'

Kamaal zei zacht: 'God schenke u een lang leven en geve u uw gezondheid terug.'

Hij knikte opnieuw gelaten.

'Dit is een goed ogenblik,' zei hij. 'Geen pijn in mijn borst, geen moeite met ademhalen, het abces op mijn been begint af te nemen... En het is tijd voor de luisteraarsverzoeken op de radio.'

Op dat moment klonk de stem van Amiena: 'Hoe gaat het met u, sidi?'

'Goed.'

'Zal ik het avondeten brengen?'

'Het avondeten? Noem je dat nog steeds avondeten? Breng de kom melk.'

Tegen het eind van de middag kwam Kamaal bij het huis van zijn zuster in de Suikersteeg aan. Het gezin zat voltallig bijeen in de salon. Hij gaf hun allemaal een hand en zei tegen Ahmed: 'Gefeliciteerd met je *license*.'

Op een toon die van elke vorm van blijdschap gespeend was, zei Khadiega: 'Bedankt, maar luister nu naar het laatste nieuws: Mijnheer de bey wil geen ambtenaarsbetrekking.'

Ibrahiem Sjaukat zei: 'Zijn neef Ridwaan is bereid om een baan voor hem te regelen als hij dat wil, maar hij weigert hardnekkig. Spreek met hem, *oestaaz* Kamaal. Misschien kun jij hem overtuigen.'

Kamaal zette zijn fez af, deed, vanwege de hitte, zijn witte jasje uit en hing dat over de rugleuning van de stoel. Hoewel hij een woordenwisseling had verwacht, zei hij met een glimlach: 'Ik dacht dat vandaag voor felicitaties gereserveerd was. Maar er is altijd ruzie in dit huis.'

Op trieste toon zei Khadiega: 'Het is mijn lot. Alle andere mensen zijn normaal, alleen wij zijn anders.'

'Het is heel eenvoudig,' zei Ahmed tegen zijn oom. 'Op dit moment is er alleen een klerkenbaan voor me. Ridwaan heeft gezegd dat ik nu benoemd kan worden op een vacante post op de archiefafdeling, bij oom Jasien. Hij heeft voorgesteld dat ik drie maanden wacht, tot het nieuwe studiejaar begint, dan kan ik misschien als leraar Frans op een school worden aangesteld. Maar ik wil geen ambtenaarsbetrekking, welke dan ook.'

'Zeg hem maar wat je wel wilt,' riep Khadiega. De jongen antwoordde onomwonden en op stellige toon: 'Ik ga als journalist werken.'

Ibrahiem Sjaukat zuchtte en zei: 'Journalist! Telkens als we het hoorden dachten we dat hij een grapje maakte. Maar hij weigert onderwijzer te worden, zoals jij, en wil journalist worden.'

Op ironische toon zei Kamaal: 'God bespare hem het kwaad van het leraarsberoep.'

Khadiega zei ongerust: 'Heb je dan liever dat hij als journalist gaat werken?'

Om de stemming te laten opklaren zei Abd al-Moen'im: 'Een ambtenaarsbaan is ook niet meer alles.'

'Maar jij bent zelf ambtenaar, si Abd al-Moen'im,' viel zijn moeder uit.

'In het hogere kader. Maar ik zou als ik hem was geen klerkenbaan aannemen. En oom Kamaal waarschuwt ook voor zijn beroep.'

Kamaal vroeg aan Ahmed: 'In welke soort journalistiek wil je werken?'

'*Oestaaz* Adli Kariem heeft ermee ingestemd me aan te nemen bij zijn tijdschrift, om het vak te leren. Ik zal eerst als vertaler werken, daarna als redacteur.'

'Maar *De Nieuwe Mens* is toch een cultureel tijdschrift met een beperkt budget, en het bestrijkt een beperkt terrein.'

'Het is een eerste stap om ervaring op te doen, totdat er een kans is op belangrijker werk. In elk geval kan ik daarop wachten zonder te verhongeren.'

Kamaal keek Khadiega aan en zei: 'Laat het maar aan hem over. Hij is volwassen, goed opgeleid en hij weet zelf het beste wat hij moet doen.'

Maar Khadiega legde zich niet zo gemakkelijk bij de nederlaag neer. Ze begon opnieuw te proberen haar zoon ervan te overtuigen dat hij de betrekking moest accepteren. Uiteindelijk begonnen ze tegen elkaar te schreeuwen, zodat Kamaal tussenbeide moest komen om de gemoederen tot bedaren te brengen. De atmosfeer was echter bedorven en er viel een zware stilte. Kamaal zei lachend: 'Ik ben gekomen in de hoop dat ik lekkere drankjes zou krijgen, en nu krijg ik alleen maar deze herrie.'

Intussen had Ahmed zich gekleed om het huis uit te gaan. Kamaal nam afscheid en ging samen met hem weg.

Ze liepen door de Azharstraat en Ahmed vertrouwde zijn oom toe dat hij op weg was naar de redactie van *De Nieuwe Mens*, om zijn werk ter hand te nemen, zoals *oestaaz* Adli Kariem hem had beloofd. Kamaal zei tegen hem: 'Doe wat je wilt, maar probeer je ouders niet te kwetsen.'

Ahmed zei lachend: 'Ik houd van hen en respecteer hen, maar...'

'Maar?'

'Het is verkeerd dat een mens ouders heeft.'

'Hoe kun je dat zo lichtvaardig zeggen?' vroeg Kamaal lachend.

'Ik bedoel het niet letterlijk, ik doel op alles waar ouders voor staan, in de tradities uit het verleden. Het vaderschap is over het algemeen iets dat afremt. En in Egypte hebben we daar geen behoefte aan. We lopen al met ketenen aan onze voeten.'

Hij dacht even na en vervolgde: 'Iemand als ik zal nooit de strijd in al zijn bitterheid leren kennen, omdat ik een dak boven mijn hoofd heb en een vader met een vermogen. Ik ontken niet dat het me een gevoel van zekerheid geeft, maar tegelijkertijd schaam ik me ervoor.'

'Wanneer verwacht je betaald te worden voor je werk?'

'Dat heeft de *oestaaz* niet precies gezegd.'

Bij al-Ataba gingen ze uiteen. Ahmed liep naar het tijdschrift, waar hij op een hartversterkende manier werd begroet door *oestaaz* Adli Kariem, die met hem meeging naar het secretariaat, waar hij de aanwezigen toesprak: 'Dit is jullie nieuwe collega, *oestaaz* Ahmed Ibrahiem Sjaukat.'

Vervolgens stelde hij zijn collega's aan hem voor: 'Juffrouw Sausan Hammaad, *oestaaz* Ibrahiem Rizk, *oestaaz* Joesoef al-Gamiel.'

Ze gaven hem een hand en heetten hem welkom. Ibrahiem Rizk zei hoffelijk: 'Zijn naam is bekend bij ons tijdschrift.'

Oestaaz Adli zei met een glimlach: 'Hij is de oudste zoon van *De Nieuwe Mens*.'

Hij wees naar het bureau van Joesoef al-Gamiel.

'Je zult aan dit bureau werken, want de eigenaar werkt vrijwel altijd buiten.'

Adli Kariem verliet het vertrek en Joesoef al-Gamiel nodigde Ahmed uit op een stoel naast zijn bureau te gaan zitten. Hij wachtte even tot Ahmed was gaan zitten en zei toen: 'Juffrouw Sausan zal je straks het werk laten zien dat aan je zal worden toevertrouwd. Nu kunnen we wel even een kopje koffie drinken.'

Hij drukte op een bel, terwijl Ahmed de gezichten en het vertrek opnam. Ibrahiem Rizk was een man van middelbare leeftijd, die er zo afgeleefd uitzag dat hij tien jaar ouder leek dan hij was. Joesoef al-Gamiel was in de laatste jaren van zijn jeugd. Hij zag er intelligent en alert uit. Ahmed keek naar Sausan Hammaad en vroeg zich af of zij zich hem nog herinnerde. Na de eerste ontmoeting in 1936 had hij haar niet meer gezien. Hun blikken kruisten elkaar en, gedreven door de wens zijn stilzwijgen te verbreken, zei hij glimlachend tegen haar: 'Ik heb u hier vijf jaar geleden ontmoet.'

In haar glinsterende ogen was te zien dat ze haar geheugen aftastte. Hij voegde eraan toe: 'Ik vroeg wat er met een artikel was gebeurd dat steeds niet werd gepubliceerd.'

'Ik herinner me u vaag,' zei ze glimlachend. 'Maar we hebben sindsdien zoveel artikelen van u gepubliceerd.'

Joesoef al-Gamiel merkte op: 'Artikelen die een goede progressieve geest ademen.'

'Tegenwoordig is het bewustzijn groter dan vroeger,' zei Ibrahiem Rizk. 'Overal waar ik kijk op straat lees ik op de muren de leus "Brood en vrijheid". Dat is de nieuwe lijfspreuk van het volk.'

'Een mooie lijfspreuk,' zei Sausan Hammaad ernstig. 'Vooral

in deze tijd, nu de wereld in duisternis gedompeld is.'

Ahmed begreep waarop ze doelde. Hij reageerde snel, verheugd en enthousiast op de hem omringende sfeer.

'De wereld is inderdaad in duisternis gedompeld. Maar zo lang als Hitler Groot-Brittannië niet aanvalt is er hoop op redding.'

Sausan Hammaad zei: 'Ik bekijk het van een andere kant. Denkt u niet dat het mogelijk is, wanneer Hitler Groot-Brittannië aanvalt, dat beide ten onder gaan, of althans dat het centrum van de macht naar Rusland verschuift?'

'En als het andere gebeurt? Ik bedoel, als Hitler het eiland overspoelt en de totale macht verovert?'

Joesoef al-Gamiel zei: 'Napoleon viel net als Hitler heel Europa aan, maar Rusland werd zijn graf.'

Er welde een energie en geestdrift in Ahmed op die hij niet eerder had gevoeld. Deze zuivere atmosfeer, deze onafhankelijk denkende collega's, deze scherpzinnige, stralend mooie collega... Om de een of andere reden moest hij aan Alwiyya Sabri denken en het jaar van pijn waarin hij met zijn onbeantwoorde liefde had geworsteld totdat hij die had bedwongen. Als hij destijds opstond en insliep vervloekte hij de liefde vanuit de grond van zijn hart, totdat de liefde in de lucht vervloog en in zijn ziel voor altijd een gevoel van bittere opstandigheid achterliet. Nu zat zij in haar huis in al-Ma'adi te wachten op een echtgenoot die over minstens vijftig pond per maand beschikte. Dit meisje echter, dat de overwinning voor Rusland bepleitte, waarop wachtte zij?

Sausan zwaaide met een stapel papier voor zijn gezicht en zei vriendelijk: 'Alsjeblieft.'

Hij stond op en liep naar haar bureau om met zijn nieuwe werk te beginnen.

Joesoef al-Gamiel kwam maar een of twee dagen per week op het tijdschrift, aangezien het grootste deel van zijn activiteiten op het werven van advertenties en abonnementen gericht was. Ibrahiem Rizk bleef eveneens nauwelijks langer dan een uur per dag op het secretariaat en ging dan bij de andere tijdschriften langs waarvoor hij werkte. De meeste tijd waren zij, Ahmed en Sausan, dus alleen.

Op een keer kwam het hoofd van de drukkerij langs om de

drukproeven te halen, en tot zijn verbazing hoorde Ahmed haar 'vader' tegen hem zeggen. Naderhand vernam hij dat er een verwantschapsband bestond tussen *oestaaz* Adli Kariem zelf en het hoofd van de drukkerij. Dat was even verrassend als interessant. Hij verbaasde zich nog meer over de gedrevenheid waarmee Sausan Hammaad haar werk deed. Ze was de spil en het centrum van de bedrijvigheid op de redactie. Toch deed ze nog meer dan het redigeren van het tijdschrift vereiste, want ze las en schreef onophoudelijk. Ze was serieus en toegewijd en uiterst intelligent. Hij had vanaf het begin gemerkt dat ze een krachtige persoonlijkheid had en het scheen hem soms toe – afgezien van haar verleidelijke zwarte ogen en haar bevallige, vrouwelijke lichaam –, dat hij tegenover een man stond met veel wilskracht en een groot organisatietalent. Onder invloed van haar ijver wijdde hij zich met onvermoeibare overgave aan zijn werk. Hij had de vertaling op zich genomen van een selectie uit de internationale culturele tijdschriften, en van nog enkele andere belangrijke artikelen.

Op een dag zei hij tegen haar: 'De censuur loert op ons.'

Met boosheid en minachting in haar stem zei ze: 'Je weet nog lang niet alles. Ons tijdschrift is "verdacht" in de hoogste kringen. En dat strekt het tot eer.'

Ahmed zei glimlachend: 'Je herinnert je ongetwijfeld de openingsartikelen van *oestaaz* Adli Kariem, voor de oorlog...'

'In de tijd van Ali Mahir is ons tijdschrift eens een verschijningsverbod opgelegd, naar aanleiding van een artikel waarin de Orabi-revolutie* werd herdacht. Daarin beschuldigde de *oestaaz* kedive Taufiek van verraad.'

Op een keer vroeg zij hem tijdens een terloops gesprek: 'Waarom heb je voor de journalistiek gekozen?'

Hij dacht even na. Hoe ver kon hij zich blootgeven tegenover dit meisje, dat uniek was vergeleken met de andere meisjes die hij kende?

'Ik ben niet naar de universiteit gegaan om een ambtenaarsbetrekking te krijgen. Ik wil mijn gedachten tot uitdrukking brengen en verspreiden. En daarvoor is er geen betere manier dan de journalistiek.'

Op een ernstige toon, die hem tot in het diepst van zijn hart

* Eerste nationalistische opstand tegen de Britten (1881).

verblijdde, zei ze: 'Ik heb niet aan de universiteit gestudeerd, of liever gezegd, ik heb er de kans niet voor gehad.'

Haar openhartigheid verheugde hem, omdat die voor hem bevestigde dat ze anders was dan de andere meisjes.

'Ik ben afgestudeerd aan de school van *oestaaz* Adli Kariem. Die doet in niveau niet onder voor de universiteit. Ik heb er gestudeerd nadat ik mijn baccalaureaat heb gehaald. Ik moet zeggen dat je de journalistiek juist hebt omschreven, of althans de journalistiek waarin wij werken. Maar tot nu toe heb je je gedachten alleen kunnen uitdragen door middel van anderen, ik bedoel door te vertalen. Heb je nooit overwogen een geschikte vorm te kiezen voor eigen geschriften?'

Hij zweeg nadenkend, alsof hij niet begreep wat ze wilde zeggen en vroeg toen: 'Wat bedoel je?'

'Artikelen, poëzie, proza, toneel...'

'Ik weet het niet. Artikelen... Dat is het eerste dat in me opkomt.'

Op veelbetekenende toon zei ze: 'Ja, maar in deze politieke omstandigheden zijn artikelen geen eenvoudige zaak meer. Daarom zijn vrijdenkers genoodzaakt hun mening in clandestiene geschriften te verspreiden. Het artikel is eerlijk en direct, maar daarom is het gevaarlijk, vooral nu aller ogen op ons gericht zijn. Het korte verhaal leent zich voor ontelbare listen. Het is een sluwe kunstvorm. Het is een literaire vorm die wijd verbreid is en die binnen afzienbare tijd het belangrijkst zal zijn in de wereld van de literatuur. Heb je niet gemerkt dat er geen enkele vooraanstaande auteur is die zich er niet op heeft toegelegd, al is het maar één keer?'

'Jawel, ik heb de meeste wel gelezen. Heb je weleens iets van *oestaaz* Rijaad Koeldoes gelezen, die voor het tijdschrift *al-Fikr* schrijft?'

'Hij is een van de velen, en niet de beste.'

'Misschien... Ik ben op hem opmerkzaam gemaakt door mijn oom, *oestaaz* Kamaal Ahmed Abd al-Gawwaad, die voor hetzelfde tijdschrift schrijft.'

'Is dat een oom van je?' vroeg ze glimlachend. 'Ik heb een aantal artikelen van hem gelezen, maar...'

'Maar...?'

'Neem me niet kwalijk, maar hij is een van die schrijvers die in het labyrint van de metafysica ronddwalen.'

Op enigszins verontruste toon vroeg hij: 'Vind je hem niet goed?'

'Daar gaat het niet om. Hij schrijft vaak over achterhaalde zaken, de geest, het absolute, kennistheorie... Dat is mooi, maar afgezien van intellectueel genoegen en geestelijke luxe dient het geen doel. Schrijven moet een middel zijn tot een bepaald doel. En het uiteindelijke doel moet zijn deze wereld te hervormen en de mens te laten stijgen op de ladder van de vooruitgang en de emancipatie. De mensheid is in een voortdurende strijd verwikkeld, en de schrijver die zijn naam eer aandoet moet aan het hoofd van de strijders staan. Het *élan vital* kunnen we wel aan Bergson overlaten.'

'Maar Karl Marx is zelf toch begonnen als een jong filosoof die in het labyrint van de metafysica ronddwaalde?'

'En hij is geëindigd bij de wetenschappelijke sociologie. Daar vangen wij aan, niet waar hij begonnen is.'

Geprikkeld doordat zijn oom op deze manier werd bekritiseerd, zei Ahmed met het doel hem vóór alles te verdedigen: 'Het is altijd zinvol de waarheid te kennen, wat die ook is, en wat men ook van de gevolgen vindt.'

Sausan zei geestdriftig: 'Dat is in tegenspraak met wat je schrijft. Ik wed dat je dat zegt uit loyaliteit aan je oom. Wanneer de mens lijdt, richt hij zijn aandacht op het wegnemen van de oorzaken van de pijn. Onze maatschappij lijdt hevig, dus moeten we allereerst de pijn wegnemen. Daarna kunnen we ons amuseren en filosoferen. Maar stel je eens iemand voor die onverstoorbaar filosofeert terwijl hij een wond heeft waaraan hij niet de minste aandacht schenkt. Wat zou je van zo iemand denken?'

Was zijn oom werkelijk zo? Maar hij moest erkennen dat haar woorden weerklank vonden in hemzelf, en dat ze mooie ogen had. En dat ze ondanks haar buitenissigheid en haar 'ernst' aantrekkelijk was... zeer aantrekkelijk...

'In werkelijkheid schenkt mijn oom niet bijzonder veel aandacht aan zulke zaken. Ik heb er vaak met hem over gesproken. Hij is iemand die zowel het nazisme als de democratie en het communisme bestudeert, maar hij wordt er niet warm of koud van. Ik heb nooit zijn standpunt kunnen ontdekken.'

'Hij heeft geen standpunt,' zei ze glimlachend. 'Het standpunt van een schrijver kan niet verborgen blijven. Hij is een voorbeeld van een bourgeois-intellectueel, die leest, zich ermee vermaakt en zich vragen stelt. Je kunt hem radeloos aantreffen tegenover het "absolute", en misschien gaat die radeloosheid zelfs over in lijden, maar hij loopt gedachteloos voorbij aan degenen die werkelijk lijden.'

'Zo is mijn oom niet,' zei hij lachend.

'Jij kent hem het beste. Met de verhalen van Rijaad Koeldoes is het net zo gesteld. Het zijn niet de verhalen waarop we wachten. Ze zijn realistisch, beschrijvend, analytisch, en gaan geen stap verder. Ze bevatten geen boodschap of richtlijn.'

Ahmed dacht even na en zei toen: 'Maar hij beschrijft vaak de toestand van de zwoegende arbeiders en boeren. Dat betekent dat hij de heldenrol in zijn verhalen aan de werkende klasse geeft.'

'Maar hij beperkt zich tot beschrijven en analyseren. Dat is een passieve daad vergeleken met de werkelijke strijd.'

Ziedaar... Een pittig meisje. En in alle ernst. Maar waar is de vrouw in haar?

'Hoe moet een auteur dan schrijven, volgens jou?'

'Heb je weleens iets gelezen van de nieuwste Russische literatuur? Maksim Gorki, bijvoorbeeld?'

Hij glimlachte zwijgend. Hij hoefde zich niet te schamen. Hij had sociologie gestudeerd, niet literatuur. Bovendien was ze een paar jaar ouder dan hij. Hoe oud zou ze zijn? Misschien al vierentwintig, of meer...

Ze vervolgde: 'Dat is de literatuur die je moet lezen. Ik zal je wat boeken lenen, als je wilt.'

'Graag.'

Ze glimlachte en zei: 'Maar de "vrije" mens kan niet volstaan met lezen of schrijven. Principes hangen voor alles samen met de wil. De wil komt op de allereerste plaats.'

Desondanks vond hij haar charmant. Ze had zich weliswaar niet opgemaakt, maar haar zorg voor haar uiterlijk en haar elegantie deden niet onder voor die van andere meisjes. En deze levendige boezem was even indrukwekkend en bekoorlijk als andere boezems. Maar rustig aan... Verschilde hij, vanwege de principes die hij aanhing, van andere mannen? Wij zijn een vreemd slag, wij kunnen maar op één manier naar een vrouw kijken.

'Ik ben blij dat ik je heb leren kennen. Ik denk dat er veel terreinen zijn waarop we kunnen samenwerken, als één hand.'

Ze zei glimlachend – en bij die glimlach leek ze voor alles een vrouw: 'Je vleit me.'

'Ik ben echt blij dat ik je heb leren kennen.'

Ja, dat was hij inderdaad. Maar hij mocht niet verkeerd begrijpen wat zijn hart beroerde, want misschien was het een natuurlijke reactie voor een adolescent als hij. Gedraag je behoedzaam, zodat je je niet in eenzelfde situatie stort als destijds in al-Ma'adi. Want het verdriet is nog niet uit het hart weggewist.

'Goedenavond, tante.'

Kamaal volgde Galiela naar haar geliefkoosde plaats in de salon. Zodra ze beiden op de canapé waren gaan zitten, riep de vrouw haar dienstbode, die de drankjes bracht. Ze keek toe hoe ze de tafel in gereedheid bracht. Toen ze klaar was en was weggegaan, zei Galiela tegen Kamaal: 'Neef, ik zweer je dat ik alleen nog maar met jou drink. Elke donderdagavond, net zoals ik ervan hield met je vader te drinken, vroeger. Maar in die tijd dronk ik ook met een heleboel anderen.'

Kamaal zei in zichzelf: Wat heb ik een behoefte aan drank. Ik weet niet hoe ik zonder drank zou moeten leven.

Hij zei tegen haar: 'Maar whisky is niet meer te krijgen, tante, net zo min als alle andere dranken waar niet mee geknoeid is. Ze zeggen dat de Duitsers met hun laatste luchtaanval op Schotland een internationale drankopslagplaats hebben getroffen, zodat er nu pure whisky door de rivieren stroomt.'

'God beware me voor zo'n luchtaanval. Maar zeg eens, voordat je dronken bent, hoe gaat het met sajjid Ahmed?'

'Hij gaat niet vooruit en niet achteruit. Maar het doet me werkelijk pijn, sitt Galiela, dat hij bedlegerig is. God zij mild voor hem.'

'Wat zou ik hem graag een bezoek willen brengen. Kun jij niet de moed opbrengen hem van mij de groeten te doen?'

'Dat zou wat zijn... Dat is het enige dat ontbreekt om de Dag des Oordeels te laten aanbreken.'

De oude vrouw lachte en zei: 'Denk je dat een man als sajjid Ahmed zich kan voorstellen dat een mens brandschoon is, zeker als hij van hem afstamt?'

'Zelfs dan nog, sieraad der vrouwen. Op uw gezondheid.'

‘Op je gezondheid. Atia komt waarschijnlijk iets later, want haar zoon is ziek.’

Op enigszins ongeruste toon zei Kamaal: ‘Maar de vorige keer was er nog niets aan de hand.’

‘Nee, maar haar zoon is afgelopen zaterdag ziek geworden. Haar zoon is alles voor haar. Als hem iets overkomt raakt ze helemaal van streek.’

‘Het is een zachtaardige vrouw, die veel tegenspoed heeft. Door haar omstandigheden ben ik er steeds van overtuigd dat ze dit leven alleen leidt omdat ze ertoe gedwongen is.’

Galiela zei met een glimlach, of ironisch: ‘Als zelfs eerzame mensen als jij klagen over hun beroep, hoe zou zij dan tevreden kunnen zijn met het hare?’

De dienstbode bracht een brander die een aangename wierookgeur verspreidde. De frisse herfstlucht stroomde de salon binnen door het venster aan het andere eind. De drank was bitter, maar had een sterke uitwerking. De woorden van Galiela over zijn beroep brachten hem iets in herinnering dat hij bijna vergeten was.

‘Ik was bijna overgeplaatst uit Caïro, tante,’ zei hij. ‘Als het was doorgegaan, had ik nu mijn koffers moeten pakken om naar Assioet te gaan.’

Galiela sloeg op haar borst en zei: ‘Assioet, met zijn dadels... Assioet! Mogen je vijanden erheen gestuurd worden. Wat is er gebeurd?’

‘Het is gelukkig niet doorgegaan.’

‘De kennissen van je vader zitten overal in de ministeries, talrijk als mieren.’

Hij knikte zonder iets te zeggen. Ze zag zijn vader nog altijd in de halo van zijn oude glorie. Ze wist niet dat zijn vader, toen hij vernam dat er was besloten hem over te plaatsen, bedroefd had gezegd: ‘Niemand kent ons meer. Waar zijn onze vrienden toch?’ Daarvoor was hij naar zijn oude vriend Foeaad Gamiel al-Hamzawi gegaan. Misschien kende die een hooggeplaatst persoon in het ministerie van Onderwijs. Maar de gewichtige rechter had gezegd: ‘Het spijt me erg, Kamaal, maar als rechter kan ik niemand om een gunst vragen.’ Uiteindelijk had hij zijn toevlucht gezocht bij zijn neef Ridwaan, hoewel hij zijn schaamte daarvoor moest onderdrukken. Nog dezelfde dag was zijn overplaatsing ongedaan gemaakt. Wat een invloedrijke jongeman! Ze waren allebei ambtenaar bij hetzelfde ministerie, met dezelfde rang, maar hij was vijfendertig, terwijl de jongen tweeëntwintig was. Maar wat kon een schoolmeester anders verwachten? Hij kon geen troost meer putten uit de filosofie, of zich daarop beroepen. Wie alleen maar de woorden van andere filosofen napraatte, als een papegaai, was geen filosoof. Tegenwoordig kon iedereen die afstudeerde aan de letterenfaculteit schrijven wat hij schreef, en zelfs beter. Hij had gehoopt dat een uitgever zijn artikelen in een boek zou bundelen, maar zulke didactische essays hadden geen noemenswaardige waarde meer. Wat verschenen er veel boeken tegenwoordig. In die oceaan stelde hij niets voor. De wrevel steeg hem naar de keel. Wanneer zou zijn trein het station van de dood aandoen? Hij keek naar het glas in de hand van zijn 'tante', en daarna naar haar gezicht, dat haar gevorderde leeftijd toonde, en hij kon slechts bewondering voelen.

'Wat drijft u ertoe te drinken, tante?' vroeg hij. Ze glimlachte, zodat haar gouden tanden te zien waren, en zei: 'Denk je dat ik nu nog "drink"? Die tijd is voorbij. Tegenwoordig smaakt het niet meer en het heeft geen effect, niet meer of minder dan koffie. Vroeger ben ik weleens op een bruiloft in Biergoewaan zo dronken geworden dat het orkest me aan het eind van de avond naar mijn rijtuig moest dragen. God behoede je daarvoor.'

Toch is de drank het beste van alles waar niets goeds in schuilt.

'Het toppunt van genot, kent u dat? Vroeger bereikte ik het al na twee glazen. Nu heb ik er acht glazen voor nodig, en morgen misschien nog wel meer. Maar drank is onmisbaar, tante. Door drank danst het gekortwiekte hart van vreugde.'

'Jouw hart heeft geen drank nodig om verheugd te zijn, neef.'

Was zijn hart verheugd? En deze vertrouwde droefheid dan? En de as die is achtergelaten door de verbrande hoop? Hij was zo terneergeslagen dat hij zich alleen nog kon volgieten met alcohol, hier in deze salon, of straks in die kamer, als de vrouw kwam die nu haar zoon verzorgde. Hij en zij stonden op dezelfde wijze in het leven, het leven van hen die geen leven hadden.

'Ik ben bang dat Atia niet meer komt.'

'Ze komt zeker. Ziekte kost geld.'

Wat een antwoord. Maar ze gaf hem niet de gelegenheid om na te denken, want ze boog zich met een ernstig gezicht naar hem toe, keek hem even aan en zei toen met zachte stem: 'Ik heb nog maar een paar dagen.'

Zonder de betekenis van wat ze zei te begrijpen, zei hij: 'God geve u een lang leven en behoude u voor mij.'

Ze zei glimlachend: 'Ik ga dit leven verlaten.'

Geschokt ging hij rechtop zitten.

'Wat zegt u?'

Ze lachte en zei met een ondertoon van spot in haar stem: 'Wees maar niet bang. Atia zal je meenemen naar een ander huis dat net zo discreet is als dit.'

'Maar wat is er gebeurd?'

'Ik ben oud geworden, neef. God heeft me meer rijkdom gegeven dan ik nodig heb. Gisteren is er beslag gelegd op een huis hier vlakbij en de eigenares is meegenomen naar het politiebureau. Het is genoeg geweest. Ik denk erover tot inkeer te komen. Ik kan zo niet voor mijn Heer verschijnen.'

Hij dronk zijn glas in een teug leeg en vulde het opnieuw. Toen zei hij, alsof hij niet kon geloven wat hij had gehoord: 'Het ontbreekt er nog aan dat u de boot neemt naar Mekka.'

'Moge God me de kracht geven het goede te doen.'

Toen hij van zijn verbazing was bekomen, vroeg hij: 'Is dat allemaal zomaar opeens gekomen?'

'Nee, nee. Ik onthul een geheim altijd pas wanneer het moment daar is om tot handelen over te gaan. Ik heb er lang over nagedacht.'

'Meent u het?'

'Zeer zeker. God helpe ons.'

'Ik weet niet wat ik moet zeggen. Maar God geve u de kracht om het goede te doen.'

'Amen.'

'Maar wees gerust, ik zal dit huis pas sluiten als ik weet dat ik me geen zorgen hoef te maken over je toekomst.'

Hij barstte in lachen uit en zei: 'Waar kan ik ooit een huis vinden waar ik me zo op mijn gemak voel als hier?'

'Ook als ik in Mekka ben, zal ik me verplichten je aan te bevelen bij de nieuwe patronne.'

Het lijkt lachwekkend, maar de drank zal het oriëntatiepunt

blijven van de bedroefden. De omstandigheden zijn veranderd. Foeaad Gamiel al-Hamzawi is opgeklommen, Kamaal Abd al-Gawwaad is afgedaald. Maar de drank blijft de glimlach van de ellendigen. De ene dag draagt Kamaal Ridwaan op de schouders om met hem te ginnegappen, dan komt de dag waarop Ridwaan Kamaal moet dragen om hem overeind te helpen. Maar de drank blijft de redding voor de smachtenden. Zelfs sitt Galiela overweegt om berouw te tonen, op het moment waarop jij een nieuw bordeel zoekt. Maar de drank blijft het laatste toevluchtsoord. De zieke heeft genoeg van alles, zelfs van zijn weerzin. Maar de drank blijft de sleutel tot de verlossing.

'Het zal me verheugen goed nieuws over u te horen.'

'God leide je en schenke je geluk.'

'Misschien kan ik beter gaan...'

Ze legde haar vinger op haar mond en zei: 'God vergeve je. Zolang dit huis van mij is ben je er welkom. En waar ik ook verblijf, je zult er altijd welkom zijn, neef.'

Was hij ertoe veroordeeld voor een oude, onbekende vloek te boeten? Hoe kon hij ontkomen aan de vertwijfeling die zijn leven overschaduwde? Zelfs Galiela dacht er in ernst over haar leven te veranderen, waarom nam hij geen voorbeeld aan haar? De drenkeling heeft een rots nodig om zich aan vast te klampen, anders verdrinkt hij. Als het leven geen betekenis heeft, waarom geven wij het dan geen betekenis?

'Misschien is het een vergissing om in deze wereld naar een betekenis te zoeken, en is het onze eerste taak er zelf een betekenis aan te geven.'

Galiela keek hem bevreemd aan en even later besefte hij wat hem ontglipt was. Galiela lachte en vroeg: 'Ben je nu al dronken?'

Hij verborg zijn verlegenheid met een luide lach.

'Die oorlogsdrank is puur vergif,' zei hij. 'Neem me niet kwalijk. Wanneer zou Atia komen?'

Tegen halftwee 's nachts verliet Kamaal het huis van Galiela. Het was overal donker, en de duisternis was in stilte gehuld. Hij liep op zijn gemak naar de Sikka al-Gadieda en sloeg toen af naar al-Hoessein. Tot wanneer zou hij in deze heilige wijk blijven leven, nu hij er geen enkele band meer mee had? Hij glimlachte zwak. Van de drank was alleen nog de kater over. Wat zijn lichaam betrof, het vuur was uitgedoofd en hij liep lusteloos en krachteloos voort. Op zo'n moment van apathie was er meestal in zijn binnenste iets dat schreeuwde. Geen schuldgevoel of berouw, maar iets dat hunkerde naar zuivering en smeekte om voor eeuwig te worden verlost van de zucht naar genot, alsof de golf van zijn lust zich terugtrok en verborgen rotsen van onthouding toonde. Hij hief zijn hoofd naar de hemel, alsof hij naar de sterren luisterde. Maar opeens klonk in de stilte de alarmsirene. Zijn hart begon te bonzen. Hij keek een ogenblik voor zich uit met slaperige ogen en rende toen in een impuls naar de dichtstbijzijnde muur. Hij liep langs de muur verder en keek nogmaals naar de lucht. Hij zag hoe de zoeklichten de hemel razendsnel afspeurden. Soms kruisten ze elkaar, dan weken ze weer snel uiteen. Hij versnelde zijn pas zonder de muur te verlaten, en er welde een troosteloos gevoel van eenzaamheid in hem op, alsof er niemand anders op aarde was dan hij. Opeens klonk er een schel gefluit dat hij nooit eerder had gehoord, gevolgd door een luide explosie die de grond onder zijn voeten deed beven. Was het dichtbij of ver weg? Hij kreeg niet de tijd om zijn kennis over luchtaanvallen te raadplegen, want de ontploffingen volgden elkaar met adembenemende snelheid op. Het afweergeschut vuurde het ene salvo na het andere af en de lucht lichtte op door flitsen waarvan hij de herkomst of aard niet kende, zodat het hem toescheen dat de aarde aan stukken vloog.

Zonder om zich heen te kijken begon hij naar de Kirmizsteeg te rennen, in de hoop onder de oude tunnel een schuilplaats te vinden. De kanonnen vuurden in razernij en de bommen verwoestten hun doel. De grond daverde. In enkele angstaanjagende ogenblikken had hij de tunnel bereikt, waar een grote hoeveelheid mensen was samengedromd die de duisternis er nog ondoordringbaarder maakte. Buiten adem glipte hij tussen hen in. Er heerste paniek en overal in de dichte duisternis klonken kreten van angst. De toegangen tot de tunnel lichtten van tijd tot tijd op door de lichtflitsen in de lucht.

Het bombardement hield op, althans, dat dachten ze. De kanonnen gingen onverminderd door en joegen de harten evenveel schrik aan als de bommen. Allerlei stemmen vermengden zich, geschreeuw van vrouwen, gehuil van kinderen en gesnauw van mannen.

'Dit is een nieuw soort luchtaanval, anders dan de vorige.'

'Kan deze wijk nog meer van zulke luchtaanvallen overleven?'

'Houd op met dat geklets en bid liever tot de Heer.'

'We bidden allemaal.'

'Stil, stil. God bescherme je.'

Toen de ingang van de tunnel werd verlicht, zag Kamaal dat er een nieuwe groep bij kwam, en het kwam hem voor dat hij de gestalte van zijn vader tussen hen in zag. Zijn hart bonsde heftig. Was het werkelijk zijn vader? Hoe had hij de afstand naar de tunnel kunnen afleggen? Hoe was hij in staat geweest zijn bed uit te komen? Hij baande zich een weg door de onrustige mensenmassa naar de andere kant van de tunnel, en kon in het opflakkerende licht zijn hele familie onderscheiden, zijn vader, zijn moeder, Aisja en Oemm Hanafi. Hij liep naar hen toe, ging bij hen staan en fluisterde: 'Ik ben het, Kamaal. Is alles goed met jullie?'

Zijn vader gaf geen antwoord. Hij stond uitgeput met zijn rug tegen de muur van de tunnel geleund tussen Amiena en Aisja. Amiena zei: 'Kamaal? God zij dank. Het was vreselijk, jongen, niet zoals de andere keren. We dachten dat het huis op ons hoofd zou instorten. Onze Heer heeft je vader kracht gegeven, zodat hij kon opstaan en met ons mee kon komen. Ik weet niet hoe hij hier is gekomen, of hoe wij hier zijn gekomen.'

Oemm Hanafi prevelde: 'God zij ons genadig. Wat een verschrikking. God zij mild voor ons.'

Plotseling riep Aisja: 'Wanneer houden die kanonnen op?'

Het leek Kamaal dat haar stem een zenuwinzinking aankondigde. Hij ging naast haar staan en nam haar hand in de zijne. Het was alsof hij iets van zijn tegenwoordigheid van geest had hervonden nu hij zich tegenover mensen bevond die zijn steun nodig hadden. Het geschut vuurde nog steeds in razernij, maar ongemerkt begon de beklemming af te nemen. Kamaal boog zich naar zijn vader en vroeg: 'Gaat het vader?'

Hij hoorde hem zwak fluisteren: 'Waar was je, Kamaal? Waar was je toen het bombardement begon?'

'Ik was vlak bij de tunnel,' zei hij om hem gerust te stellen. 'Hoe gaat het?'

Met hortende stem antwoordde hij: 'Alleen God weet hoe ik uit bed ben gekomen en over straat heb gehold. God weet het... Ik heb het niet gemerkt... Wanneer wordt het weer rustig?'

'Zal ik mijn jasje uitdoen, zodat u erop kunt gaan zitten?'

'Nee, nee, ik kan blijven staan. Maar wanneer wordt het weer rustig?'

'Zo te zien is het bombardement afgelopen. En maakt u er zich geen zorgen over dat u zo plotseling bent opgestaan. Plotselinge gebeurtenissen doen vaak wonderen bij zieken.'

Nauwelijks was hij uitgesproken of de aarde schudde door drie opeenvolgende explosies. Het razende afweergeschut barstte weer los en de tunnel daverde van het gekrijs.

'Het is boven ons!'

'Er is maar een God...'

'Houd op met die wanhoopskreten!'

Kamaal liet Aisja's hand los en pakte de handen van zijn vader vast. Hij deed dit voor het eerst in zijn leven. Zijn vaders handen beefden, net als Kamaals eigen handen. Oemm Hanafi was op de grond gaan liggen en jammerde. De nerveuze stem riep opnieuw woedend: 'Houd op met schreeuwen. Wie schreeuwt maak ik af!'

Het geschreeuw verhevigde, de kanonschoten volgden elkaar op en in spanning wachtten ze op een volgende beving. Maar alleen het afweergeschut ging door, en het wachten op nieuwe explosies werd verstikkend.

'Het bombardement is afgelopen.'

'Het houdt op en barst dan weer los.'

'Het is ver weg. Als het dichtbij was geweest, hadden de huizen om ons heen er niet meer gestaan.'

'Nee, de bommen zijn op an-Nahhasien gevallen.'

'Dat lijkt zo, maar ze kunnen net zo goed op het wapendepot zijn gevallen.'

'Luister, neemt het afweergeschut niet af?'

Het schieten verminderde inderdaad. Even later hoorden ze het alleen nog in de verte, onderbroken en met steeds langere tussenpozen. Op een gegeven moment verstreek er een hele minuut tussen het ene schot en het volgende, en ten slotte bleef het stil. De stilte werd langer en dieper, de tongen waren verstijfd. Langzaam klonk er angstig en hoopvol gefluister op. Sommigen begonnen zich weer van alles te herinneren, ze kwamen opnieuw tot leven en haalden opgelucht maar behoedzaam adem. Nu de lichtflitsen waren opgehouden en alles weer in duisternis was gehuld, probeerde Kamaal tevergeefs het gezicht van zijn vader te zien.

'Vader, het wordt weer rustig.'

De man antwoordde niet, maar bewoog zijn handen, die in die van zijn zoon lagen, alsof hij hem duidelijk wilde maken dat hij nog leefde.

'Gaat het?'

Hij bewoog zijn handen opnieuw. Kamaal voelde een verdriet in zich opkomen dat hem bijna in tranen deed uitbarsten.

De sirene klonk ten teken dat het alarm was opgeheven. Aan alle kanten steeg gejuich op, als het gejubel van kinderen na het afschieten van kanonnen op feestdagen. Alles om hem heen kwam luidruchtig in beweging, slaande deuren en ramen, zenuwachtige stemmen... Ten slotte begonnen de mensen die in de tunnel samengedrukt stonden weg te gaan.

Kamaal zei met een zucht: 'Laten we naar huis gaan.'

Zijn vader legde zijn ene arm over Kamaals schouder en de andere over Amiena's schouder en liep stapje voor stapje tussen hen in. Ze begonnen zich af te vragen hoe het met hem ging en wat de gevolgen voor hem waren van dit gevaarlijke avontuur. Sajjid Ahmed bleef echter staan en zei met zwakke stem: 'Ik voel dat ik moet gaan zitten.'

'Laat me je dragen,' zei Kamaal. Met uitgeputte stem zei de oude man: 'Dat kun je niet.'

Maar Kamaal sloeg zijn ene arm om zijn rug en legde de andere onder zijn benen en tilde hem op. Het was geen lichte last, maar wat er nog restte van zijn vader was niettemin onbeduidend. Hij liep uiterst langzaam, terwijl de anderen hem ongerust volgden. Aisja barstte opeens in snikken uit en haar vader zei met vermoeide stem: 'Er is geen reden om opschudding te veroorzaken.'

Ze hield haar hand voor haar mond. Toen ze bij het huis kwamen, hielp Oemm Hanafi sajjid Ahmed te dragen en ze liepen langzaam en voorzichtig met hem de trap op. Hij gaf zich eraan over, maar zijn onophoudelijk gefluisterde gebeden verrieden zijn verdriet en ergernis. Ze legden hem voorzichtig op zijn bed. Toen het licht in de kamer aanging, zagen ze dat het gezicht van sajjid Ahmed doodsbleek was, alsof de inspanning het bloed eraan onttrokken had. Zijn borst ging heftig op en neer en hij had zijn ogen van uitputting gesloten. Toen begon hij te kreunen en opnieuw te kreunen, maar hij verbeet zijn pijn en ten slotte slaagde hij erin geen geluid te maken. Ze stonden allen in een rij naast het bed en keken angstig en ongerust naar hem. Na een tijdje vroeg Amiena met bevende stem: 'Hoe gaat het, sidi?'

Hij opende zijn ogen en keek lange tijd naar de gezichten. Het leek of hij ze niet herkende. Vervolgens zuchtte hij en zei met bijna onhoorbare stem: 'Goed.'

'Ga maar slapen, sidi, ga maar slapen, dan rust u uit.'

Ze hoorden de bel van de buitendeur rinkelen en Oemm Hanafi liep weg om open te doen. Ze keken elkaar vragend aan. Kamaal zei: 'Waarschijnlijk is het iemand uit de Suikersteeg of Paleis van Verlangen, die komt vragen of alles goed met ons is.'

Zijn veronderstelling bleek juist te zijn en weldra kwamen Abd al-Moen'im en Ahmed binnen, gevolgd door Jasien en Ridwaan. Ze liepen naar het bed van sajjid Ahmed en groetten de aanwezigen. De man sloeg een zwakke blik naar hen op en, alsof hij niet meer in staat was te spreken, volstond hij ermee zijn magere hand op te heffen bij wijze van groet. Kamaal vertelde hun in het kort wat zijn vader in deze nare nacht had doorstaan. Amiena fluisterde: 'Het was een afschuwelijke nacht, God geve dat zoiets nooit weer gebeurt.'

Oemm Hanafi zei: 'Het lopen heeft hem een beetje vermoeid, maar met rust zal hij er wel bovenop komen.'

Terwijl hij zich over zijn vader heen boog zei Jasien: 'U moet gaan slapen. Hoe voelt u zich?'

De man keek hem met uitgebluste blik aan en stamelde: 'Goed. Ik voel me slap aan de linkerkant.'

'Zal ik de dokter halen?' vroeg Jasien. Zijn vader gebaarde geërgerd met zijn hand en fluisterde: 'Nee, ik kan beter gaan slapen.'

Jasien wenkte de anderen dat ze weg moesten gaan. Hij liep iets achteruit, en de oude man hief opnieuw zijn magere hand op. Ze verlieten de kamer één voor één en alleen Amiena bleef bij hem achter. Toen ze in de salon bijeen waren, vroeg Abd al-Moen'im aan zijn oom Kamaal: 'Wat hebben jullie gedaan? Wij zijn naar het ontvangpaviljoen op de binnenplaats gerend.'

'Wij zijn naar het appartement van de buren op de begane grond gegaan,' zei Jasien. Kamaal zei op trieste toon: 'De inspanning heeft papa's krachten uitgeput.'
'Maar als hij heeft geslapen wordt hij wel weer beter.'
'Wat moeten we doen als er weer een luchtaanval komt?'
Niemand gaf antwoord en er viel een zware stilte. Na een tijdje zei Ahmed: 'Onze huizen zijn oud, ze kunnen niet tegen luchtaanvallen.'
Op dat moment wilde Kamaal de sombere wolken die hen overschaduwden en die zijn zenuwen hadden afgemat verdrijven, en hij zei terwijl hij met moeite glimlachte: 'Als onze huizen instorten, dan kunnen ze er prat op gaan dat ze volgens de modernste wetenschappelijke methoden zijn verwoest.'

Kamaal vergezelde de late bezoekers tot aan de buitendeur. Nauwelijks was hij terug bij de ingang van het trappenhuis, of hij hoorde boven een verontrustend lawaai. Gespannen rende hij met sprongen de trap op. De salon was leeg en de kamer van zijn vader was gesloten. Van achter de dichte deur klonken allerlei stemmen door elkaar. Hij snelde naar de kamer, duwde de deur open en ging naar binnen. Hij voorvoelde iets ergs waaraan hij niet durfde te denken.
Zijn moeder riep hees: 'Sidi...'
Aisja zei met rauwe stem: 'Papa...,' terwijl Oemm Hanafi als verstijfd bij het hoofdeinde van het bed stond te prevelen. Hij keek naar het bed en gevoelens van schrik, wanhoop en droeve berusting welden in hem op. Het onderlichaam van zijn vader lag uitgestrekt op bed, zijn bovenlichaam lag tegen de borst van zijn moeder, die achter zijn rug zat. Zijn borst ging met een werktuiglijke beweging op en neer en bracht een vreemd gerochel voort dat niet tot de geluiden van deze wereld behoorde. In zijn geopende ogen lag een troebele, ongewone blik, die niets zag, die zich van niets bewust was en die niet bij machte was uiting te geven aan wat zich erachter afspeelde. Kamaal bleef als aan de grond genageld staan achter de spijlen van het bed. Zijn tong was verlamd en zijn ogen waren als versteend. Hij wist niet wat hij moest zeggen of doen en was ten prooi aan een overweldigend besef van absolute onmacht, absolute wanhoop en absolute onbeduidendheid, alsof niets meer tot hem doordrong, behalve dat zijn vader afscheid nam

van het leven. Aisja liet haar blik heen en weer gaan tussen haar vader en Kamaal, en riep: 'Vader... Hier is Kamaal... Hij wil met je praten.'

Oemm Hanafi hield op met haar geprevel en zei met verscheurde stem: 'Haal de dokter.'

'Welke dokter, wees niet zo dom,' kreunde Amiena op tegelijkertijd verdrietige en boze toon.

Zijn vader maakte een beweging, alsof hij probeerde te gaan zitten, en de stuiptrekkingen van zijn borst werden heviger en onrustiger. Hij stak zijn rechterwijsvinger uit en daarna zijn linkerwijsvinger. Toen Amiena dat zag vertrok haar gezicht van smart. Ze boog zich naar zijn oor, sprak hardop de geloofsbelijdenis uit en herhaalde die totdat zijn handen tot rust waren gekomen. Kamaal begreep dat zijn vader, nu hij niet meer kon spreken, aan Amiena had gevraagd de geloofsbelijdenis in zijn plaats op te zeggen, en dat de essentie van dit laatste uur tot in eeuwigheid geheim zou blijven. Het te omschrijven als pijn of angst was slechts gissen, maar het kon hoe dan ook niet voortduren. Het was te ontzaglijk, te groots om in gewone woorden te worden uitgedrukt. Tegenover dit alles hadden zijn zenuwen het begeven. Hij schaamde zich ervoor dat hij enige tijd had getracht de toestand te analyseren en te bestuderen, alsof de dood van zijn vader voedsel zou kunnen geven aan zijn bespiegelingen en iets aan zijn kennis zou kunnen toevoegen. Zijn pijn en verdriet namen toe.

De beweging van de borst werd heftiger en het gerochel werd luider. Wat gebeurde er? Probeerde hij op te staan? Wilde hij iets zeggen? Of sprak hij tegen iets onzichtbaars? Had hij pijn? Of was hij bang? Ach...

Zijn vader slaakte een diepe zucht en zijn hoofd zakte op zijn borst.

Aisja begon uit alle macht te schreeuwen: 'Papa... Na'iema... Oethmaan... Mohammed...'

Oemm Hanafi holde naar haar toe en duwde haar zachtjes voor zich uit naar de salon. Amiena hief haar bleke gezicht op naar Kamaal en gebaarde dat hij weg moest gaan. Maar toen hij niet van zijn plaats bewoog, fluisterde ze terneergeslagen: 'Laat me mijn plicht tegenover je vader doen.'

Hij kwam in beweging en liep de kamer uit.

Aisja lag jammerend op de canapé. Hij liep naar de canapé

ertegenover en ging zitten. Oemm Hanafi ging naar de kamer om haar meesteres te helpen en sloot de deur achter zich. Het gehuil van Aisja werd onverdraaglijk. Hij stond op en begon in de salon heen en weer te lopen zonder iets tegen haar te zeggen. Af en toe keek hij naar de gesloten deur van de kamer en klemde dan zijn lippen opeen. Hij vroeg zich af waarom de dood ons als zoiets vreemds voorkwam. Telkens als hij zijn gedachten had vergaard, vielen ze weer uiteen en werd hij door emotie overmand. Zelfs toen hij aan bed gekluisterd was, had zijn vader dit leven beheerst, en het zou niet merkwaardig zijn als het huis morgen anders was dan het huis dat hij had gekend, en het leven anders dan hij gewend was. Hij moest zich zelfs vanaf nu op een nieuwe rol gaan voorbereiden.

Hij ergerde zich steeds meer aan het geweeklaag van Aisja, en een ogenblik overwoog hij haar te vragen om stil te zijn. Maar hij deed het niet. Het verbaasde hem hoe zij aan al die emotie kwam, omdat ze altijd een vreemde onverschilligheid tegenover alles toonde. Hij begon weer na te denken over het heengaan van zijn vader uit dit leven. Hij kon het zich nauwelijks voorstellen. Daarna dacht hij aan zijn laatste momenten en het verdriet knaagde aan zijn hart. Hij herinnerde zich hoe zijn vader er vroeger uitzag, toen hij nog al zijn kracht en schoonheid bezat, een beeld dat in zijn geheugen gegrift stond. Hij voelde een intens medelijden met alle levende wezens. Maar wanneer hield Aisja op met huilen? Kon ze niet huilen zonder tranen, zoals hij?

De deur van de kamer ging open en Oemm Hanafi kwam naar buiten. Voordat de deur weer dichtging, hoorde hij zijn moeder huilen en hij begreep dat ze klaar was met het vervullen van haar plicht en zich nu aan haar verdriet kon overgeven. Oemm Hanafi liep naar Aisja en zei met rauwe stem: 'Genoeg gehuild, mevrouw.'

Toen wendde ze zich tot hem en zei: 'Het is al bijna ochtend, sidi. Ga slapen, al is het maar even. Morgen wordt het een zware dag.'

Ze barstte in snikken uit, en terwijl ze de salon uitliep, zei ze met door tranen verstikte stem: 'Ik ga naar de Suikersteeg en Paleis van Verlangen om het trieste nieuws te brengen.'

Jasien kwam aansnellen met Zannoeba en Ridwaan achter zich aan. Toen hoorden ze het gejammer van Khadiega in de geruisloze straat. Door de komst van Khadiega werd het vuur in het hele huis ontstoken, en van alle kanten klonk gejammer, geweeklaag en gehuil. De mannen konden niet langer op de eerste verdieping blijven en begaven zich naar de bibliotheek op de bovenverdieping, waar ze bedroefd gingen zitten. Ze waren in somber stilzwijgen gehuld, totdat Ibrahiem Sjaukat zei: 'Er is geen macht noch kracht dan bij God. De luchtaanval heeft hem de genadeslag gegeven. God zij hem genadig. Hij was een bijzonder man.'

Jasien kon zich niet langer beheersen en barstte in tranen uit, onmiddellijk gevolgd door Kamaal. Ibrahiem Sjaukat vervolgde: 'Belijd de eenheid van God. Hij heeft jullie als volwassen mannen achtergelaten.'

Ridwaan, Abd al-Moen'im en Ahmed staarden treurig en enigszins verwonderd naar de huilende mannen. Dezen droogden al snel hun tranen en zwegen.

'De ochtend breekt al aan,' zei Ibrahiem Sjaukat. 'We moeten bedenken wat ons te doen staat.'

Jasien zei met trieste bondigheid: 'Het is niets nieuws. We hebben het al eerder meegemaakt.'

'De begrafenis moet recht doen aan zijn positie,' zei Ibrahiem Sjaukat. Jasien beaamde: 'Dat is het minste.'

Op dat moment zei Ridwaan: 'De straat voor het huis is te smal, daar is geen plaats voor een geschikt rouwpaviljoen. Laten we het paviljoen op het Bait al-Kadi-plein neerzetten.'

Ibrahiem Sjaukat wierp tegen: 'Maar het is de gewoonte dat het rouwpaviljoen voor het huis van de overledene wordt opgericht.'

'Dat is niet zo belangrijk, vooral omdat er ministers en sjeiks en parlementsleden naar het paviljoen zullen komen.'

Ze begrepen dat hij op zijn eigen kennissen doelde en Jasien zei onverschillig: 'Laten we het maar daarginds neerzetten.'

Ahmed dacht na over de rol die hem was toebedeeld en zei: 'We kunnen het overlijdensbericht niet meer in de ochtendkrant laten plaatsen.'

'De avondkranten verschijnen om ongeveer drie uur vanmiddag,' zei Kamaal. 'Laten we de begrafenis vaststellen om vijf uur.'

'Dat kan. De begraafplaats is vlakbij.'

Kamaal volgde het gesprek met enige verwondering. Vandaag om vijf uur had zijn vader op zijn bed gelegen en naar de radio geluisterd, en morgen om dezelfde tijd... naast Fahmi en de twee zoontjes van Jasien. Wat zou er van Fahmi zijn overgebleven? Met de tijd was zijn vroegere wens om in het graf te kijken niet minder geworden. Wilde zijn vader werkelijk iets zeggen, toen hij daartoe aanstalten leek te maken? Wat wilde hij zeggen? Jasien vroeg aan hem: 'Was jij erbij toen hij stierf?'

'Ja, het was vlak nadat jullie waren weggegaan.'

'Had hij pijn?'

'Dat weet ik niet. Wie kan dat weten, broer? Maar het duurde niet langer dan vijf minuten.'

Jasien zuchtte en vroeg toen: 'Heeft hij niets gezegd?'

'Nee, waarschijnlijk kon hij niet meer spreken.'

'Heeft hij de geloofsbelijdenis nog uitgesproken?'

Terwijl hij zijn blik neersloeg om zijn ontroering te verbergen, zei Kamaal: 'Dat heeft moeder in zijn plaats gedaan.'

'God zij hem genadig.'

'Amen.'

Er viel een stilte die werd verbroken door Ridwaan: 'Het paviljoen moet groot genoeg zijn om de bezoekers te ontvangen.'

'Natuurlijk,' zei Jasien. 'We hebben veel vrienden.'

Hij keek naar Abd al-Moen'im en voegde eraan toe: 'En dan nog de afdeling van de Moslim Broeders...'

En hij besloot met een zucht: 'Leefden zijn vrienden nog maar, dan hadden die de baar op hun schouders kunnen dragen.'

De begrafenis verliep zoals ze zich hadden voorgenomen. De vrienden van Abd al-Moen'im waren het talrijkst, de vrienden van Ridwaan waren het voornaamst. Enkelen van hen trokken de aandacht doordat ze een bekende persoonlijkheid waren over wie kranten en tijdschriften geregeld schreven. Ridwaan was zo trots op hen dat zijn trots bijna zijn verdriet verdrong. De inwoners van de wijk namen afscheid van hun 'levenslange buurman', zelfs degenen die om de een of andere reden geen persoonlijke banden met hem hadden gehad. Alleen de vrienden van de overledene zelf ontbraken op de begrafenis, omdat die hem naar het hiernamaals waren voorgegaan.

Bij de Baab an-Nasr verscheen sjeik Mitwalli Abd as-Samad op straat. Hij schuifelde van ouderdom, hief zijn hoofd op naar de baar, kneep zijn ogen toe en vroeg: 'Wie is dat?'

Een van de mensen uit de wijk zei: 'De overleden sajjid Ahmed Abd al-Gawwaad.'

Het gezicht van de man bewoog in een soort stuiptrekking naar rechts en naar links. Hij keek verbaasd. Opeens vroeg hij: 'Waar komt hij vandaan?'

Terwijl hij bedroefd zijn hoofd schudde, zei de man: 'Uit deze wijk. Hoezo, kent u hem niet? Herinnert u zich sajjid Ahmed Abd al-Gawwaad niet meer?'

Maar blijkbaar herinnerde hij zich niets. Hij wierp een laatste blik op de baar en liep verder.

Nu sidi er niet meer is, is het niet meer hetzelfde huis, waar ik meer dan vijftig jaar heb gewoond. Iedereen om me heen huilt. Khadiega wijkt niet van mijn zijde, zij is mijn hart, vol verdriet en vol herinneringen. Zij is ieders hart. Ze is mijn dochter, mijn zuster en soms mijn moeder. De meeste tranen vergiet ik heimelijk, wanneer ik alleen ben, want ik moet hen aansporen te vergeten. Het valt me zwaar hen te zien treuren, of, God verhoede het, hen gebukt te zien gaan onder verdriet. Als ik alleen ben vind ik slechts troost in huilen, dan huil ik tot mijn tranen zijn opgedroogd. Als Oemm Hanafi dan binnenkomt en mij ziet, zeg ik: 'Laat me alleen, God zij je genadig.' Dan zegt ze: 'Hoe kan ik u in deze toestand alleen laten? Ik weet hoe u zich voelt. Maar u bent een gelovige dame, ja, het gelovigst van iedereen, dus bij u leren wij wat troost is, en berusting in Gods lot.' Mooie woorden, Oemm Hanafi, maar hoe kan een treurend hart de betekenis ervan doorgronden? Ik heb geen belang meer in deze wereld, ik heb geen taak meer. Elk uur van mijn dag zal aan een herinnering aan sidi gekoppeld zijn. Ik ken alleen een leven waarin hij de spil is waarom alles draait. Hoe kan ik het leven verdragen nu er geen spoor van hem achtergebleven is? Ik heb als eerste voorgesteld de inrichting van de dierbare kamer te veranderen. Wat kan ik anders, iedereen die er binnengaat vestigt zijn blik op de lege plek en barst in huilen uit... Sidi verdient de tranen die voor hem vloeien, maar ik kan hun geschrei niet verdragen, ik ben bezorgd om hun hart. Dus troost ik hen op dezelfde manier als Oemm Hanafi mij troost en vraag ik hun te berusten in Gods wil. Daarom heb ik de oude meubels uit de kamer laten weghalen en ben ik naar de kamer van Aisja verhuisd, en opdat de kamer niet verlaten en troosteloos wordt heb ik er meubels uit de salon neergezet en houd ik er het koffieuur. Dan komen we bijeen rond de stoof en praten we veel, onderbroken door tranen.

Niets houdt ons zo bezig als de voorbereiding voor het bezoek aan de begraafplaats. Ik zie zelf toe op het klaarmaken van de *rahma*,* want dat is de enige taak die ik niet aan Oemm Hanafi heb overgedragen. Al het andere doet zij, die dierbare, trouwe vrouw, die het waard is in onze familie te zijn opgenomen. Wij bereiden samen de *rahma*, huilen samen en halen herinneringen op aan de mooie dagen van weleer. Zij is altijd bij me met haar ziel en haar geheugen. Gisteren, toen het gesprek op de avonden in de ramadan kwam, begon ze te vertellen over sidi's gewoonten in de ramadan, vanaf het uur waarop hij wakker werd, 's ochtends vroeg, tot het ogenblik waarop hij voor het verbreken van de vasten thuiskwam. Ik herinnerde mij op mijn beurt hoe ik altijd naar de *masjrabiyya* holde om het rijtuig te zien dat hem thuisbracht en te luisteren naar het gelach van de inzittenden, zijn vrienden, die één voor één tot God zijn heengegaan, zoals die heerlijke dagen zijn heengegaan, zoals de jeugd, gezondheid en kracht zijn heengegaan. God geve onze kinderen een lang leven en verheuge hen met het geluk des levens. Vanochtend zag ik onze poes op de grond snuffelen onder het bed, waar ze haar kleintjes had gezoogd die ik aan de buren heb gegeven. Het was hartverscheurend haar zo verdrietig en ontredderd te zien, en ik riep God aan uit de grond van mijn hart: 'God schenke je troost, Aisja.' Aisja, het arme kind, de dood van haar vader heeft haar verdriet weer opgerakeld en nu huilt ze om haar vader, haar dochter, haar twee zoons en haar echtgenoot. Wat een brandende tranen. En ik, die vroeger de bitterheid heb geproefd een kind te verliezen, zodat mijn hart bloedde, vandaag rouw ik om het overlijden van sidi. Hij was alles in mijn leven, maar nu is mijn leven

* Maaltijd die aan de armen wordt verstrekt ter ere van een overledene.

van hem beroofd. De enige taak die me nu nog rest is het klaarmaken van de *rahma* en hem ophalen in de Suikersteeg en Paleis van Verlangen. Dat is alles wat me rest.

Nee, jongen, kies in deze tijd een ander gezelschap dan het onze, zodat je niet met onze droefheid besmet raakt. Waarom ben je zo somber en stil? Droefheid past mannen niet, want een man kan niet tegelijkertijd de lasten dragen en de smarten. Ga naar je kamer en vermaak je met lezen en schrijven, zoals altijd, of ga naar je vrienden om uit te gaan. Vanaf het begin van de schepping hebben de mensen hun dierbaren verloren, en als zwelgen in verdriet de regel was, zou er geen levende ziel meer op aarde zijn. Ik ben niet zo verdrietig als je denkt, en een gelovige mag niet treurig zijn. We moeten verder leven als God het wil en we moeten vergeten, want alleen wanneer God het wil kunnen we de dierbaren weerzien die ons zijn voorgegaan. Dat zeg ik tegen hem, waarbij ik me moeite geef om de moed en flinkheid voor te wenden die ik niet bezit. Alleen wanneer Khadiega, het levende hart van ons gezin, er is en ontelbare tranen vergiet, kan ik me niet inhouden en barst ik in snikken uit.

Aisja zei dat ze haar vader in haar droom had gezien. Met de ene hand hield hij de arm van Na'iema vast, met de andere de arm van Mohammed, en op zijn schouder droeg hij Oethmaan. Hij zei haar dat hij het goed maakte en dat zij het ook goed maakten. Ze vroeg hem wat de betekenis was van het venster dat ze in de hemel had zien oplichten en dat daarna voorgoed was verdwenen. Er kwam een misprijzende blik in zijn ogen en hij zei geen woord. Ze vroeg me wat de droom betekende. Je moeder weet het niet, Aisja... Maar ik zei dat de dierbare aan haar dacht toen hij stierf en dat hij haar daarom in haar droom had bezocht. Hij had haar kinderen uit het paradijs meegenomen, zodat het haar zou verblijden hen te zien en ze hun zielerust niet zou verstoren door zich over te geven aan verdriet. Kon de Aisja van vroeger maar terugkeren, al was het maar een uur. Konden de anderen maar genezen van hun verdriet, zodat ik niet word afgeleid van mijn plicht tot diepe rouw.

Ik heb Jasien en Kamaal bij me geroepen en gezegd: 'Wat doen we met de dierbare spullen die hij nagelaten heeft?' Jasien zei: 'Ik neem de ring wel, want die past om mijn vinger.

Neem jij het horloge, Kamaal. En het bidsnoer is voor jou, mama.' 'En de *goebba*'s en kaftans?' Ik dacht aan sjeik Mitwalli Abd as-Samad, de enige overgebleven herinnering uit de tijd van de geliefde overledene. Maar Jasien zei: 'Met hem is het afgelopen, hij loopt versuft rond.' En Kamaal zei met gefronst voorhoofd: 'Hij kende vader niet meer. Hij was zijn naam vergeten en keerde de baar onverschillig de rug toe.' Ik schrok en zei: 'Wat vreemd, sinds wanneer is dat? Tot op de laatste dag vroeg sidi naar hem. Hij heeft altijd van hem gehouden, hoewel hij hem maar een of twee keer heeft gezien sinds zijn bezoek op de bruiloft van Na'iema. Maar, mijn Heer, waar is Na'iema? Waar is die tijd?' Jasien stelde voor de kleren aan de bodes van zijn kantoor te geven en aan de conciërges op Kamaals school, want niemand had er meer recht op dan armen zoals zij, die zouden bidden om genade voor hem in zijn laatste rustplaats. Het dierbare bidsnoer zal mijn hand pas verlaten wanneer ik dit leven verlaat. En het graf, wat is het heerlijk het te bezoeken, ook al doet het pijn. Ik ben er onafgebroken heen gegaan sinds de geliefde martelaar erheen is gebracht. Sindsdien beschouw ik het als een kamer van ons huis, maar gelegen in een uithoek van onze wijk. Het graf brengt ons allen bijeen, zoals vroeger het koffieuur. Khadiega weeklaagt tot ze aan het eind van haar krachten is. Dan vragen we om stilte om eerbiedig naar de koran te luisteren. Ten slotte praten ze een tijdje met elkaar en ik verheug me over alles wat mijn dierbaren hun verdriet doet vergeten. Ridwaan, Abd al-Moen'im en Ahmed raken in een lange discussie verwikkeld, waarin soms Kariema zich mengt, wat Kamaal er weer toe verleidt ook aan het gesprek deel te nemen en de somberheid van de plek te laten opklaren. Abd al-Moen'im vraagt naar zijn oom, de martelaar, Jasien vertelt verhalen, het leven van die voorbije tijd herleeft en weggezonken herinneringen komen weer boven. Mijn hart bonst en ik weet niet hoe ik mijn tranen moet verbergen. Vaak zie ik Kamaal zwijgend zitten en dan vraag ik wat er is. Dan zegt hij: 'Ik raak het beeld van zijn gezicht niet kwijt, vooral het moment waarop hij stierf. Had hij maar een zachter einde gehad.' Ik zei vriendelijk tegen hem: 'Je moet dat allemaal vergeten.' Maar hij vroeg: 'Hoe kan ik dat vergeten?' 'Met het geloof.' Hij glimlachte mistroostig en zei: 'Wat was ik bang voor hem toen ik nog klein was. Maar de laatste tijd heb ik hem als een ander mens leren kennen, zelfs als een vriend. Niemand was zo charmant, beminnelijk en zachtaardig als hij. Hij was uniek.' Jasien moet telkens huilen als de herinnering in hem opkomt. Kamaal treurt in somber stilzwijgen, maar de grote Jasien huilt als een kind. Hij zei tegen mij: 'Hij was de enige man in mijn leven die ik heb liefgehad.' Ja, hij was zijn vader en zijn moeder tegelijk, want Jasien heeft alleen van hem genegenheid en zorgzaamheid ondervonden. Zelfs zijn strengheid was een genade. Ik zal nooit de dag vergeten waarop hij me vergaf en me terug naar huis liet komen. Mijn moeder – God hebbe haar ziel – had het juist aangevoeld en bleef tegen me zeggen dat sajjid Ahmed er niet de man naar was de moeder van zijn kinderen te verstoten. Vroeger bracht zijn liefde ons bijeen, nu is het de herinnering aan hem. Ons huis wordt overspoeld met bezoekers, maar mijn hart komt pas tot rust als ik Khadiega en Jasien en hun gezin om me heen heb. Zelfs Zannoeba... Haar verdriet was oprecht. De kleine, mooie Kariema zei tegen me: 'Oma, kom bij ons, want deze dagen is het geboortefeest van al-Hoessein en voor ons huis worden *dzikrs** gehouden. Daar houd je toch zo van?' Ik gaf haar dankbaar een kus en zei: 'Meisje, je grootmoeder brengt de nacht niet buiten haar huis door.' Ze weet niets van de huisregels van haar grootvader in die vervlogen tijd. Wat een mooie herinnering. De *masjrabiyya* was de uiterste grens van mijn wereld, waar ik wachtte tot sidi laat in de nacht thuiskwam. Wanneer hij uit het rijtuig stapte beefde de aarde bijna door zijn kracht, en daarna vulde hij de kamer met zijn grote gestalte, terwijl de vitaliteit van zijn gezicht straalde. Maar nu komt hij niet meer thuis. Hij zal nooit meer thuiskomen. Eerst begon hij te verzwakken, hij bleef thuis, hield het bed, en zijn lichaam werd magerder. Hij verloor zoveel gewicht dat hij met één hand kon worden opgetild. Mijn verdriet zal nooit ophouden. Aisja zei boos dat de kleinkinderen niet treurden om hun grootvader. 'Ze weten niet wat verdriet is.' Ik zei tegen haar: 'Ze hebben wel getreurd, maar ze zijn jong en het is door Gods genade dat ze niet ondergaan in verdriet.' Ze zei: 'Kijk naar Abd al-Moen'im, hij blijft maar discussiëren. Hij heeft niet

* Geloofsritueel waarin de deelnemers door meditatie, dansen en zingen in trance geraken.

om mijn dochter gerouwd en is haar meteen weer vergeten, alsof ze er nooit is geweest.' 'Hij heeft wel lange tijd om haar gerouwd en hij heeft veel gehuild. Het verdriet van mannen is anders dan dat van vrouwen, en een moederhart is anders dan alle andere harten. En wie vergeet er niet, Aisja? Het overkomt ons zelf ook dat we ons in een gesprek vermaken, of dat we glimlachen. Er zal een dag komen waarop er geen tranen vloeien.' En Fahmi dan? Oemm Hanafi zei: 'Waarom gaat u niet meer uit om al-Hoessein te bezoeken?' Ik zei: 'Mijn ziel is verslapt door het vele dat ik heb liefgehad. Ik zal mijn heer bezoeken wanneer de wond genezen is.' Ze zei: 'Kan de wond op een andere manier genezen dan door een bezoek aan uw heer?' Zo zorgzaam is Oemm Hanafi voor me. Ze is de meesteres van ons huis. Zonder haar hadden we geen huis gehad. O mijn Heer, Heer van allen, U bent mijn Rechter, tegen Uw oordeel is geen weerwoord mogelijk. Tot U richt ik mijn gebed. Ik had gehoopt dat U sidi zijn kracht zou laten behouden tot het einde, want niets heeft me zo pijn gedaan als hem aan bed gekluisterd te zien, terwijl vroeger de hele wereld te klein voor hem was. Hij kon zelfs het gebed niet meer verrichten. Wat heeft zijn zwakke hart daaronder geleden. En toen hij naar huis werd gedragen als een kind... Daardoor begonnen mijn tranen te stromen en verdiepte mijn verdriet zich.

DEEL TWEE

9

'Ik ben van plan, vertrouwend op God, de hand van mijn nicht Kariema te vragen.'

Ibrahiem Sjaukat sloeg verbaasd zijn ogen op naar zijn zoon. Ahmed boog zijn hoofd met een glimlach die verried dat het nieuws hem niet verraste, terwijl Khadiega de sjaal die ze aan het borduren was liet vallen, hem ongelovig aanzag, naar haar echtgenoot keek en vroeg: 'Wat zei hij?'

Abd al-Moen'im herhaalde: 'Ik ben van plan, vertrouwend op God, de hand van mijn nicht Kariema te vragen.'

Khadiega spreidde wanhopig haar handen en zei: 'Is er dan helemaal geen fatsoen meer in de wereld? Is dit het geschikte moment om over een verloving te praten, nog afgezien van degene om wie het gaat?'

Abd al-Moen'im zei glimlachend: 'Elk moment is geschikt voor een verloving.'

Ze schudde onthutst haar hoofd en vroeg: 'En je grootvader dan?'

Ze liet haar ogen tussen Ahmed en Ibrahiem heen en weer gaan en voegde eraan toe: 'Hebben jullie ooit zoiets gehoord?'

Abd al-Moen'im zei op enigszins heftige toon: 'Een verloving is geen huwelijk en geen bruiloft. Er zijn al vier maanden voorbijgegaan sinds de dood van grootvader.'

Terwijl hij een sigaret opstak zei Ibrahiem Sjaukat: 'Kariema is nog jong. Ik denk dat ze er ouder uitziet dan ze is.'

'Ze is vijftien,' zei Abd al-Moen'im. 'En het huwelijk zal pas over een jaar worden voltrokken.'

Op sarcastische toon zei Khadiega: 'Heeft Zannoeba hanoem je het geboortecertificaat soms laten zien?'

Ibrahiem Sjaukat en Ahmed moesten lachen, maar Abd al-Moen'im zei ernstig: 'Er zal pas over een jaar iets gebeuren. Dan zal er ongeveer anderhalf jaar verstreken zijn na grootvaders dood en zal Kariema de huwbare leeftijd hebben bereikt.'

'Waarom val je ons er dan nu mee lastig?'

'Omdat er niets tegen is de verloving meteen bekend te maken.'

Khadiega vroeg spottend: 'Wordt een verloving soms zuur als je hem een jaar uitstelt?'

'Houd alsjeblieft op met grappen maken.'

'Als het gebeurt is het een schandaal,' riep Khadiega. Abd al-Moen'im zei zo kalm als hij kon: 'Laat mij maar met grootmoeder spreken. Ze zal mij beter begrijpen dan jij. Ze is niet alleen mijn grootmoeder, maar ook die van Kariema.'

Ze zei op grove toon: 'Ze is niet Kariema's grootmoeder.'

Abd al-Moen'im zweeg. Zijn gezicht versomberde. Zijn vader zei snel: 'Het is een kwestie van goede smaak. Het is beter even te wachten.'

Khadiega riep woedend: 'Betekent dat dat het tijdstip je enige bezwaar is?'

'Is er dan nog een bezwaar?' vroeg Abd al-Moen'im met een naïeve uitdrukking op zijn gezicht. Khadiega gaf geen antwoord en deed alsof ze druk bezig was met het borduren van de sjaal. Abd al-Moen'im vervolgde: 'Kariema is toch de dochter van je broer Jasien?'

Khadiega liet de sjaal los en zei bitter: 'Ja, ze is de dochter van mijn broer, maar dan moet je ook haar moeder noemen.'

De mannen wisselden ongeruste blikken. Maar Abd al-Moen'im antwoordde prompt: 'Haar moeder is de echtgenote van je broer.'

'Dat weet ik,' zei ze met stemverheffing. 'En dat is betreurenswaardig.'

'Dat is verleden tijd. Wie herinnert zich dat nu nog? Ze is nu een respectabele dame, net als jij.'

Met rauwe stem zei ze: 'Ze is niet zoals ik en dat zal ze ook nooit worden.'

'Wat valt haar te verwijten? Van jongs af aan hebben we haar als een respectabele dame gekend, in de volle betekenis van het woord. Als een mens berouw toont en zijn leven betert, wordt de bladzijde van zijn verleden uitgewist. Daarna wordt hij er alleen aan herinnerd door...'

Hij hield zijn mond. Terwijl ze triest haar hoofd schudde, zei ze: 'Nou? Zeg het maar! Scheld je moeder maar uit, uit eerbied voor die vrouw, die erin geslaagd is je in te palmen. Ik heb me al zo vaak afgevraagd wat er achter die uitnodigingen voor feestmaaltijden in Paleis van Verlangen stak. En jij bent er met open ogen ingetrapt.'

Abd al-Moen'im keek kwaad naar zijn vader en zijn broer en vroeg: 'Zijn dat woorden die ons waardig zijn? Zeg me wat jullie ervan vinden.'

Ibrahiem Sjaukat zei geeuwend: 'Het is onnodig zoveel te praten. Abd al-Moen'im gaat toch vandaag of morgen trouwen, en dat wil jij ook. En Kariema is als onze eigen dochter. Ze is een knap en lief meisje. Er is geen reden om zoveel heibel te maken.'

'Jij bent altijd de eerste die oom Jasien een plezier wil doen, mama,' zei Ahmed. Khadiega zei heftig: 'Jullie zijn allemaal tegen me, zoals gewoonlijk. En jullie argument is oom Jasien. Jasien is mijn broer. Zijn grootste fout is geweest dat hij niet wist hoe hij moest trouwen. En zijn neef heeft die rare karaktertrek van hem geërfd.'

Abd al-Moen'im zei verbaasd: 'Je bent toch bevriend met de vrouw van mijn oom? Wie jullie met elkaar ziet kletsen zou denken dat jullie zusters zijn.'

'Wat kan ik doen tegen een vrouw die net zo geraffineerd is als Allenby? Maar als het aan mij lag of als ik geen rekening zou hoeven te houden met Jasien, zou ik haar verbieden mijn huis binnen te komen. Wat is het resultaat? Ze heeft je ingepalmd met die maaltijden met bijbedoelingen. Voor wat hoort wat.'

Op dat moment zei Ahmed tegen zijn broer: 'Verloof je maar wanneer je wilt. Mama praat veel, maar ze heeft een goed hart.'

Ze lachte nerveus en zei: 'Bravo, jongen. Jullie verschillen over alles van mening, religie, levensovertuiging, politiek... Maar tegen mij slaan jullie de handen ineen.'

Ahmed zei opgewekt: 'Oom Jasien is je het dierbaarst van iedereen. En je zult zijn dochter met open armen ontvangen. Maar je wilt liever een vreemde bruid, zodat je die, als schoonmoeder, kunt tiranniseren. Goed. Ik zal die hoop voor je verwezenlijken. Ik zal een vreemde bruid meebrengen op wie je je kunt botvieren.'

'Het zou me niet verbazen als je morgen met een danseres thuiskomt. Waar lachen jullie om? Deze *sjeik al-islam** verbindt zich met een zangeres, wat moet ik dan van jou verwachten, jij met je verdachte geloof? God beware me.'

* Traditioneel het hoogste religieuze gezag binnen islamitische staat.

'We kunnen inderdaad wel een danseres gebruiken.'

Opeens zei Khadiega, alsof haar iets belangrijks te binnen schoot: 'Mijn Heer, wat zal Aisja van ons denken?'

Abd al-Moen'im wierp tegen: 'Wat kan ze dan denken? Mijn echtgenote is vier jaar geleden overleden. Wil ze dan dat ik mijn leven lang weduwnaar blijf?'

'Maak van een muis geen olifant,' zei Ibrahiem Sjaukat geprikkeld. 'Het is allemaal niet zo moeilijk. Kariema is de dochter van Jasien, Jasien is de broer van Khadiega en Aisja... Dat is alles. Oef... Jullie maken om alles ruzie, zelfs om bruiloften.'

Ahmed keek zijn moeder glimlachend aan en bleef haar volgen toen ze boos opstond en de salon uitliep. Hij zei tegen zichzelf: Deze bourgeoisie is een klasse die uit complexen bestaat. Er is een bekwame psychoanalyticus voor nodig om haar van haar kwalen te genezen, een psychoanalyticus die even sterk is als de geschiedenis zelf. Als het lot het me had toegestaan, was ik eerder dan mijn broer getrouwd. Maar dat andere bourgeois-meisje heeft een inkomen van minstens vijftig pond als voorwaarde gesteld. Zo worden harten verwond door zaken die niets met het hart te maken hebben. Wat zou Sausan Hammaad zeggen als ze over mijn mislukte avontuur zou horen?

Het was snerpend koud en het vochtige Khaan al-Khalieli was geen aangename plaats in de winter. Maar het was Rijaad Koeldoes zelf geweest die had geopperd om die avond naar het koffiehuis Khaan al-Khalieli te gaan, dat op de plaats van het koffiehuis van Ahmed Abdoeh was gebouwd, maar dan bovengronds. Hij had gezegd: 'Kamaal heeft me eindelijk geleerd hoe ik van rariteiten moet houden.' Het was een klein koffiehuis. De ingang was aan de kant van de Hoessein-wijk en vandaar strekte het zich langwerpig uit als een gang met aan weerskanten tafeltjes, totdat het eindigde op een houten balkon dat uitkeek op het nieuwe Khaan al-Khalieli. De vrienden zaten op de rechtervleugel van het balkon, dronken thee en rookten om beurten de waterpijp. Isma'iel Latief zei: 'Ik heb vakantie om voorbereidingen te treffen. Daarna vertrek ik.'

Kamaal vroeg droevig: 'Blijf je drie jaar weg?'

'Ja, ik moet het avontuur wagen. Een enorm salaris... Ik kan me niet voorstellen dat ik hier ooit zoveel zou verdienen. En Irak is een Arabisch land, dat niet veel van Egypte verschilt.'

Je zult een leegte achterlaten. Je was nooit mijn geestesvriend, maar wel de vriend van een heel leven.

Rijaad Koeldoes vroeg lachend: 'Hebben ze in Irak geen vertalers nodig?'

'Zou jij ook weggaan als je net zo'n kans kreeg als Isma'iel?' vroeg Kamaal.

'Als het vroeger was gebeurd had ik niet geaarzeld, maar nu...'

'Wat is het verschil dan tussen het heden en het verleden?'

'Voor jou is er geen verschil,' zei Rijaad lachend. 'Maar voor mij is alles anders. Het lijkt erop dat ik me binnenkort bij de schare der getrouwde mannen ga voegen.'

Kamaal was verrast door het nieuws, dat hem plompverloren werd meegedeeld, en hij werd gegrepen door een paniek waarvan hij de aard niet doorgrondde.

'Werkelijk? Daar heb je zelfs nooit op gezinspeeld.'

'Nee, het heeft zich plotseling voorgedaan, na onze laatste ontmoeting. Tijdens die ontmoeting wist ik nog van niets.'

Isma'iel Latief lachte triomfantelijk. Terwijl hij probeerde te glimlachen vroeg Kamaal: 'Hoe kan dat?'

'Hoe dat kan? Zoals dat elke dag gebeurt. Een onderwijzeres kwam bij haar broer op bezoek op de vertaalafdeling, en ze stond me aan. Ik polste hem en iedereen zei "Ga je gang".'

Isma'iel pakte de slang van de waterpijp aan van Kamaal en vroeg lachend: 'Wanneer zou deze hier – hij wees naar Kamaal – eens gaan polsen?'

Zo was Isma'iel. Hij zou nooit een gelegenheid voorbij laten gaan om dit onderwerp aan te snijden. Maar er was iets belangrijkers: alle vrienden die getrouwd waren zeiden dat het huwelijk een 'gevangenis' was. Het was heel goed mogelijk dat hij Rijaad nog maar zelden zou zien. Misschien zou hij veranderen en een correspondentievriend worden. Hij was zo zachtmoedig en aardig, hij zou zich gemakkelijk laten ringeloren. Maar hoe moest hij zonder hem verder leven? En als het huwelijk hem tot een nieuwe persoon maakte, zoals Isma'iel, dan was het met alle plezier in het leven gedaan.

Hij vroeg: 'Wanneer ga je trouwen?'

'Komende winter op zijn laatst.'

Het leek alsof hij ertoe veroordeeld was telkens een vriend van zijn gekwelde geest te verliezen.

'Vanaf dat moment zul je een andere Rijaad Koeldoes zijn.'

'Waarom? Wat ben je toch een fantast.'

'Fantast? De Rijaad van nu is iemand met een onverzadigbare geest, die tevreden is met niets in zijn beurs. Een echtgenoot heeft een onverzadigbare beurs en heeft geen tijd voor spirituele zaken.'

'Wat een kwetsende omschrijving van de echtgenoot. Maar ik ben het niet met je eens.'

'Net als Isma'iel, die genoodzaakt is naar Irak te emigreren. Ik spot er niet mee, want het is niet alleen iets natuurlijks, maar zelfs iets heldhaftigs. Maar tegelijkertijd is het vreselijk. Stel je voor dat je tot over je oren in de dagelijkse beslommeringen verzonken bent. Je denkt alleen nog aan de problemen om de kost te verdienen. Je berekent je tijd in piasters en *milliems*. De poëzie van het leven wordt tijdverspilling.'

Rijaad zei onverschillig: 'Fantasieën ingegeven door angst.'

'Als je eens wist hoe het is om echtgenoot en vader te zijn,' zei Isma'iel Latief. 'Tot nu toe heb je de waarheid van het leven nog niet leren kennen.'

Het was niet onwaarschijnlijk dat hij gelijk had. En als het waar was, dan was zijn leven een stompzinnige tragedie. Maar wat was geluk, en wat beoogde hij precies? Wat hem nu echter zorgen baarde, was dat hij opnieuw met een angstaanjagende eenzaamheid werd bedreigd, zoals destijds, toen Hoessein Sjaddaad uit zijn leven was verdwenen. Was het maar mogelijk om een echtgenote te vinden met het lichaam van Atia en de geest van Rijaad... Dat was wat hij eigenlijk wilde, het lichaam van Atia en de geest van Rijaad in één persoon, met wie hij zou trouwen. Dan zou hij tot de dood niet door gevoelens van eenzaamheid worden bedreigd. Dat was het probleem.

Opeens zei Rijaad geërgerd: 'Laten we ophouden over het huwelijk te praten. Voor mij is de zaak afgedaan, nu ben jij aan de beurt, Kamaal. Het dunkt me dat er belangrijke politieke gebeurtenissen zijn die meer aanspraak op onze aandacht kunnen maken.'

Kamaal deelde deze mening, maar hij was niet in staat de verrassing van zich af te zetten en reageerde met duidelijke onverschilligheid op het laatste voorstel. Hij hulde zich in stilzwijgen. Isma'iel Latief zei lachend: 'An-Nahhaas heeft wraak weten te nemen voor zijn ontslag in december 1937 en heeft het Abdien-paleis bestormd aan het hoofd van een colonne Britse tanks.'*

Rijaad wachtte even om Kamaal in de gelegenheid te stellen hierop te antwoorden, maar deze maakte geen aanstalten om iets te zeggen. Dus zei Rijaad op sombere toon: 'Wraak? Blijkbaar heb je in je fantasie een beeld van de zaak dat volstrekt niet met de werkelijkheid overeenkomt.'

'Wat is de werkelijkheid dan?'

Rijaad wierp een blik op Kamaal, alsof hij hem wilde aansporen te spreken, maar toen hij niet reageerde, vervolgde hij: 'An-Nahhaas is er niet de man naar om met de Engelsen samen te spannen om weer aan de macht te komen. Ahmed Mahir is gek. Hij is het die het volk verraden heeft en achter de koning is gaan staan. Vervolgens wilde hij zijn wankele positie verhullen met die stomme verklaring die hij voor de pers heeft gehouden.'

Hij keek naar Kamaal, nieuwsgierig naar diens mening. Het gesprek over politiek had eindelijk enige aandacht getrokken, maar hij voelde de behoefte Rijaad tegen te spreken, al was het maar weinig.

'Het lijdt geen twijfel dat an-Nahhaas de situatie heeft gered. Ik twijfel volstrekt niet aan zijn patriottisme. Op die leeftijd verandert een mens niet in een verrader om een functie te bemachtigen die hij vijf of zes maal heeft bekleed. Maar was zijn handelwijze de ideale?'

'Je bent een onverbeterlijke twijfelaar. Wat zou de ideale handelwijze zijn geweest?'

'Volharden in de weigering een ministerschap te aanvaarden, om zich niet in het Britse ultimatum te schikken, en dan zien wat er gebeurt.'

'En als de koning dan was afgezet en het gezag over het land aan de Britse militaire gouverneur was overgedragen?'

'Wat dan nog?'

Rijaad verzuchtte boos: 'Wij praten als tijdverdrijf bij de waterpijp, maar politici hebben een zware verantwoordelijkheid. Hoe zou an-Nahhaas, in deze delicate oorlogsomstandigheden, kunnen accepteren dat de koning wordt afgezet en het

* In 1942 hielpen de Britten Moestafa an-Nahhaas aan de macht om zeker te zijn van een pro-Brits regime in Egypte.

land door een Engelse militair wordt bestuurd? En als de geallieerden de overwinning behalen – en met die mogelijkheid moeten we rekening houden – dan zouden wij ons aan de kant van de verslagen vijanden bevinden. Politiek is geen poëtisch idealisme, maar verstandig realisme.'

'Ik heb nog steeds vertrouwen in an-Nahhaas. Maar misschien doe ik daar verkeerd aan. Ik zeg niet dat hij heeft samengezworen of verraad heeft gepleegd.'

'De verantwoordelijkheid ligt bij de schurken die achter de rug van de Engelsen gemene zaak maken met de fascisten, alsof de fascisten onze onafhankelijkheid zouden respecteren. We hebben toch een verdrag met de Engelsen? Verplicht ons eergevoel ons niet ons woord te houden? En bovendien, zijn wij niet democratisch gezind, zodat het in ons belang is dat de democratie het nazisme overwint, dat ons in de lijst van naties en rassen op de laagste plaats zet en aanzet tot haat tussen de volken, rassen en godsdiensten?'

'Dat ben ik allemaal met je eens, maar nu we ons hebben geschikt in het Britse ultimatum is onze onafhankelijkheid een hersenschim.'

'De man heeft tegen het ultimatum geprotesteerd en de Engelsen hebben zich erbij neergelegd.'

Isma'iel barstte in lachen uit en zei: 'Dat is nogal wat, zo'n "Anglo-Egyptian" protest.'

Maar hij liet er meteen heftig op volgen: 'Ik steun hem in wat hij heeft gedaan. In zijn plaats had ik hetzelfde gedaan. Een man die aan de kant is gezet, hoewel hij de meerderheid achter zich had, en is verguisd, en die erin is geslaagd zich te wreken... In werkelijkheid is er geen sprake van onafhankelijkheid, alle mooie woorden ten spijt. Ten behoeve waarvan zou de koning dan moeten aftreden en zou een Engelse militair ons moeten regeren?'

Rijaad keek nog somberder. Kamaal glimlachte en zei met merkwaardige kalmte: 'De anderen hebben de fout gemaakt en niet an-Nahhaas. Hij heeft de situatie gered. Hij heeft de troon en het land gered. En het gaat om het resultaat. En als de Engelsen zich na de oorlog herinneren wat hij heeft gedaan, zal niemand meer denken aan het ultimatum van vier februari.'

Terwijl hij in zijn handen klapte om verse kooltjes voor de

waterpijp te vragen, zei Isma'iel gekscherend: 'Als de Engelsen zich herinneren wat hij heeft gedaan? Ik zeg je nu al dat ze hem voor die tijd hebben afgezet.'

Rijaad zei vol overtuiging: 'De man heeft de zwaarste verantwoordelijkheid op zich genomen in de meest penibele omstandigheden.'

Kamaal zei met een glimlach: 'Zoals jij ook de zwaarste verantwoordelijkheid in je leven op je gaat nemen.'

Rijaad lachte. Toen stond hij op, verontschuldigde zich en liep naar het toilet. Op dat moment boog Isma'iel zich naar Kamaal en zei met een glimlach: 'Vorige week kreeg mijn moeder bezoek van een "gezelschap" dat jij je ongetwijfeld nog herinnert.'

Kamaal keek hem nieuwsgierig aan en vroeg: 'Wie dan?'

Met een veelbetekenende glimlach zei de ander: 'Ajida.'

De naam klonk hem vreemd in de oren, waardoor alle emoties die hij had kunnen oproepen werden overstemd. Even leek het alsof de naam uit zijn eigen binnenste kwam, niet uit de mond van zijn vriend. Hij had alles verwacht, maar dit niet. Er gingen enige ogenblikken voorbij, waarin het was alsof de naam geen betekenis voor hem had. Wie was Ajida? Welke Ajida? Wat een oude geschiedenis. Hoeveel jaar was er verstreken zonder dat hij deze naam had horen noemen? Was het 1926 geweest? Of 1927? Zestien jaar, ofwel de leeftijd van een rijpe jongeman, die al had liefgehad en een ontgoocheling te verwerken had gekregen. Hij was inderdaad oud geworden. Ajida? Wat zou deze herinnering in hem teweegbrengen? Niets... Alleen affectieve belangstelling, vermengd met enige emotie, als iemand die het litteken aanraakt van een vroegere operatie en zich herinnert hoe ernstig die was. Het was verleden tijd, voorbij.

'Ajida?' vroeg hij zacht.

'Ja, Ajida Sjaddaad. Herinner je je haar nog? De zuster van Hoessein Sjaddaad.'

Hij voelde zich in het nauw gedreven door de blik van Isma'iel en hij zei ontwijkend: 'Hoessein! Hoe zou het met hem gaan?'

'Wie zal het zeggen?'

Hij besefte hoe dom zijn reactie was. Maar wat kon hij anders, nu hij ondanks de hevige februarikou zijn gezicht voelde gloeien? De liefde kwam hem nu, hoe vreemd de vergelijking ook was, voor als voedsel... We worden het duidelijk gewaar als het op tafel staat, maar zodra het zich in de maag bevindt en gedeeltelijk in de ingewanden en gedeeltelijk in het bloed terechtkomt, waar het wordt opgenomen in de cellen die zich na verloop van tijd weer vernieuwen, blijft er geen spoor meer van over. Maar misschien blijft er nog een echo in het hart achter, die we vergetelheid noemen. En soms wordt de mens met een oude stem geconfronteerd, die deze vergetelheid in de richting duwt van het bewustzijn, zodat hij op de een of andere manier de echo hoort. Waar kwam anders die verwarring vandaan? Of misschien was het genegenheid voor Ajida, niet in haar hoedanigheid als vroegere geliefde – want dat was onherroepelijk afgelopen –, maar als symbool van de liefde, waarvan hij het lange uitblijven betreurde. Niet meer dan een symbool, als een verlaten ruïne die grootse historische herinneringen opriep.

Isma'iel zei: 'We hebben lang met elkaar gepraat, Ajida, mijn moeder, mijn echtgenote en ik. Ze vertelde dat ze met haar man en met alle diplomatieke vertegenwoordigers voor de Duitse legers uit was gevlucht en zich in Spanje had gevestigd. Ten slotte werden ze naar Iran overgeplaatst. Daarna hebben we het over vroeger gehad en erg gelachen.'

Ook al was zijn liefde gestorven, in zijn hart herleefde een bedwelmende genegenheid, en de ruw gebroken snaren van zijn wezen begonnen uiterst zacht treurige tonen voort te brengen.

Hij vroeg: 'Hoe ziet ze er nu uit?'

'Ze is waarschijnlijk veertig. Nee, ik ben twee jaar ouder dan zij. Ajida is zevenendertig. Ze is iets dikker geworden, maar ze is nog even slank, en haar gezicht is nog ongeveer hetzelfde, hoewel haar blik zo te zien serieuzer is geworden. Ze zei dat ze een zoon heeft van veertien en een dochter van tien.'

Het was dus Ajida. Ze was geen droom, en de herinnering aan haar was geen drogbeeld. Soms leek het een paar ogenblikken alsof dat verleden nooit had bestaan. Ze was echtgenote en moeder, haalde herinneringen uit het verleden op en lachte veel, maar wat was haar ware gezicht? Wat was er van die waarheid in het geheugen overgebleven? Wat ondergingen beelden een verandering, terwijl ze in het geheugen werden bewaard. Hij wilde een indringende blik op dat menselijke wezen werpen, misschien zou hij dan het geheim ontdekken dat hij vroeger in staat had gesteld zoveel invloed op hem uit te oefenen.

Rijaad kwam weer terug. Kamaal was bang dat Isma'iel op een ander onderwerp zou overgaan, maar hij vervolgde: 'En ze vroegen naar jou.'

Rijaad keek van de een naar de ander en begreep dat zij een persoonlijk gesprek voerden. Hij concentreerde zich op de waterpijp. Kamaal had het gevoel dat de woorden 'Ze vroegen naar jou' zijn afweersysteem ondermijnden als de meest vernietigende microben. Terwijl hij zijn uiterste best deed om natuurlijk over te komen, vroeg hij: 'Waarom?'

'Ze vroegen naar allerlei vrienden van vroeger en toen naar jou. Ik zei: "Hij is onderwijzer aan de Silahdaar-school, en een groot filosoof die artikelen schrijft die ik niet begrijp, in het tijdschrift *al-Fikr*, dat ik nooit lees." Ze lachten en vroegen: "Is hij getrouwd?" Ik zei: "Nee."'

Hij hoorde zichzelf vragen: 'En wat zeiden ze daarvan?'

'Ik weet niet meer wat ons toen op een ander onderwerp heeft gebracht.'

De oude ziekte dreigde weer door te breken. Wie ooit aan tuberculose heeft geleden moet oppassen voor de kou. De woorden 'Ze vroegen naar jou' lijken veel op de *saba*-melodieen* in hun eenvoud en indringendheid. Door een onvoorziene omstandigheid kan het hart opnieuw van een teloorgegane emotionele toestand doordrongen raken, met dezelfde kracht als in het verleden, waarna hij weer verdwijnt. Als regen buiten het seizoen. Zo had hij dit vluchtige moment het gevoel dat hij weer de minnaar van vroeger was geworden, dat hij de liefde weer in levenden lijve meemaakte met al haar verblijdende en treurige melodieën. Maar hij liep niet werkelijk gevaar, want hij was als iemand met een onrustige droom, die echter het verzachtende besef heeft dat wat hij ziet een droom is en geen werkelijkheid. Niettemin hoopte hij op dat moment dat er een hemels wonder zou gebeuren en hij haar zou ontmoeten, al was het maar een paar minuten, zodat zij hem kon bekennen dat ze zijn gevoelens een dag of een deel van een dag had gedeeld en dat alleen het verschil in leeftijd, of iets anders,

* Treurig Arabisch muziekgenre.

hen uiteen had gedreven. Als dat wonder zou gebeuren, zou ze hem troosten voor al zijn pijnen van vroeger en nu en zou hij zichzelf als gelukkig beschouwen en aannemen dat het leven niet tevergeefs was voorbijgegaan. Maar dat was een vals ontwaken, zoals het ontwaken van de dood. Hij kon zich beter tevredenstellen met vergetelheid, daarin school de overwinning, al lag de nederlaag erin besloten. Hij moest er troost uit putten dat hij niet de enige mens was die teleurgesteld was in het leven.

Hij vroeg: 'Wanneer vertrekken ze naar Iran?'

'Ze zouden gisteren weer vertrekken, althans, dat zei ze tijdens het bezoek.'

'En hoe heeft ze de tegenslag in haar familie verwerkt?'

'Dat onderwerp heb ik natuurlijk vermeden, en zij heeft het er niet over gehad.'

Opeens riep Rijaad Koeldoes, terwijl hij voor zich uit wees: 'Kijk...'

Ze keken naar de linkervleugel van het balkon en zagen een merkwaardig uitgedoste vrouw. Ze was een jaar of zeventig, mager, blootsvoets, en had een mannen-*galabiyya* aan. Op haar hoofd droeg ze een mutsje waar geen spoor van haar onderuit kwam, dus ze moest kalend of helemaal kaal zijn. Haar gezicht was dik opgemaakt, tegelijkertijd lachwekkend en beklagenswaardig, en ze had geen voortanden meer. Ze keek rond met een minzame en smekende blik.

'Een bedelares?' vroeg Rijaad geïnteresseerd. Isma'iel zei: 'Getikt, zul je bedoelen.'

Ze bleef staan kijken naar de lege stoelen in de linkervleugel, en koos uiteindelijk een zitplaats. Toen ze was gaan zitten merkte ze de naar haar starende blikken op. Ze glimlachte breed en zei: 'Goedenavond, heren.'

Haar begroeting deed Rijaad genoegen en hij zei op hartelijke toon: 'Goedenavond, *hagga*.'

Er ontsnapte haar een lachje dat Isma'iel deed denken aan – in zijn woorden – al-Azbakiyya in zijn glorietijd. Ze zei: '*Hagga*? Ja, dat ben ik zeker, als je de moskee van de ontucht bedoelt.'

Ze lachten. Daardoor vatte ze moed en zei op verleidelijke toon: 'Bestel maar thee en een waterpijp voor me, God zal het jullie terugbetalen.'

Rijaad klapte in zijn handen om te bestellen wat ze gevraagd had. Hij fluisterde tegen Kamaal: 'Sommige verhalen beginnen zo.'

De oude vrouw lachte blij en zei: 'Dat is de vrijgevigheid van vroeger. Oorlogsprofiteurs, jongens?'

'Wij zijn eerder oorlogsslachtoffers,' zei Kamaal lachend. 'Dat wil zeggen, ambtenaren, *hagga*.'

'Wat is uw naam?' vroeg Rijaad.

Ze hief haar hoofd op met komische trots en zei: 'Soeltana Zoebaida in eigen persoon.'

'Soeltana?'

'Ja.'

Ze voegde er lachend aan toe: 'Maar mijn onderdanen zijn gestorven.'

'God zij hun ziel genadig.'

'God zij de levenden genadig. De doden zijn al bij God, dat is voldoende. En wie bent u?'

De kelner kwam met de waterpijp en de thee. Hij kwam glimlachend naar het tafeltje van de drie vrienden en vroeg: 'Kent u haar?'

'Wie is ze dan?'

'Zoebaida, de zangeres. De beroemdste zangeres van haar tijd. Door de ouderdom en de cocaïne is ze zo geworden als ze nu is.'

Het kwam Kamaal voor dat hij deze naam niet voor het eerst hoorde. Rijaad, wiens nieuwsgierigheid toenam, begon zijn vrienden aan te sporen zich voor te stellen, zoals ze had gevraagd, in de hoop dat ze een gesprek zou beginnen. Isma'iel zei: 'Isma'iel Latief.'

Terwijl ze van haar thee nipte voordat die was afgekoeld, zei ze lachend: 'Namen zijn meestal niet aan hun eigenaar besteed.'*

Ze lachten. Isma'iel vervloekte haar in stilte. Rijaad zei: 'Rijaad Koeldoes.'

'Een ongelovige? Ik heb ooit een van jullie als minnaar gehad. Het was een koopman in al-Moeski, zijn naam was Joesoef Ghattaas. Het was me een kerel... Ik kruisigde hem op het bed tot het krieken van de ochtend.'

* Latief betekent letterlijk 'aardig', 'lief'.

Ze lachte met hen mee, met een gezicht dat straalde van plezier. Toen keek ze naar Kamaal, die zei: 'Kamaal Ahmed Abd al-Gawwaad.'

Ze bracht juist haar glas thee naar haar mond, maar opeens bleef haar hand steken. Ze keek hem alert aan en vroeg: 'Wat zei je?'

'Kamaal Ahmed Abd al-Gawwaad,' antwoordde Rijaad in zijn plaats. Ze nam een trek van de waterpijp en zei alsof ze zichzelf toesprak: 'Ahmed Abd al-Gawwaad... Wat zijn er veel namen, net zoveel als er vroeger piasters waren.'

Ze vervolgde tegen Kamaal: 'Is je vader de koopman in an-Nahhasien?'

'Ja,' zei Kamaal verbaasd. Ze stond op en liep naar hen toe. Ze bleef voor hem staan, barstte in een gelach uit dat de krachten van haar gestel ver te boven ging en riep uit: 'Jij bent een zoon van Abd al-Gawwaad! De zoon van mijn dierbare kameraad. Maar je lijkt helemaal niet op hem. Die neus wel, maar hij was als de volle maan in een heldere nacht. Je moet hem beslist Soeltana Zoebaida noemen en hij zal je alles over me vertellen.'

Rijaad en Isma'iel barstten in lachen uit. Kamaal glimlachte, terwijl hij zijn verlegenheid probeerde te overwinnen. Nu pas herinnerde hij zich wat Jasien ooit verteld had, zijn verhalen over hun vader en Zoebaida de zangeres.

Ze vroeg: 'Hoe gaat het met sajjid Ahmed? Ik ben al zo lang weg uit jullie wijk, die me heeft uitgestoten. Ik woon nu in de wijk van de Imaam as-Sjafi'i, maar ik heb heimwee naar al-Hoessein en ik breng er af en toe een bezoek. Ik ben ziek geweest, zo lang dat de buren er genoeg van kregen. Als het niet afkeurenswaardig was geweest, hadden ze me levend in mijn graf gegooid. Hoe gaat het met sajjid Ahmed?'

Op enigszins sombere toon zei Kamaal: 'Hij is vier maanden geleden overleden.'

Ze fronste haar voorhoofd even en zei: 'God zij hem genadig. Wat een verlies. Hij was een buitengewoon man.'

Ze ging terug naar haar tafeltje. Opeens barstte ze in lachen uit. Weldra verscheen de eigenaar van het koffiehuis in de ingang van het balkon en zei op waarschuwende toon: 'Genoeg gelachen. Als je er niets van zegt komen ze straks met hun ezel binnen. Bedank de beys voor hun vriendelijkheid, maar als je weer herrie schopt is daar het gat van de deur.'

Ze zweeg totdat de man weg was. Toen keek ze hen glimlachend aan en vroeg aan Kamaal: 'Ben je net als je vader, of niet?'

Ze maakte een zonderling gebaar met haar hand. De vrienden lachten en Isma'iel zei: 'Hij is nog niet eens getrouwd.'

'En dat moet ik geloven?' zei ze met gespeelde achterdocht. Ze lachten. Rijaad stond op, ging naast haar zitten en zei: 'U hebt ons al veel eer betoond, soeltana, maar ik zou u graag horen vertellen over de tijd van uw heerschappij.'

10

Over twintig minuten zou de lezing beginnen. De Ewartzaal was bijna vol. Mister Rogers was, om met Rijaad Koeldoes te spreken, een gewichtige professor, en hij was op zijn gewichtigst als hij over Shakespeare sprak. Er werd zelfs gezegd dat de lezing aan het eind enige politieke propaganda zou bevatten, maar wat gaf dat, zo lang als de lezing gegeven werd door Mr. Rogers en het onderwerp William Shakespeare was. Rijaad zag er echter somber en bezorgd uit, en als hij het niet was geweest die Kamaal had uitgenodigd de lezing bij te wonen, was hij niet gegaan. Hij was somber, zoals een man paste, wiens aandacht zo volledig door de politiek in beslag werd genomen. Met onverhulde geëmotioneerdheid fluisterde hij Kamaal in het oor: 'Makram is uit de Wafd gezet! Hoe kan zoiets schandaligs gebeuren?'

Kamaal, die eveneens nog niet was bijgekomen van het nieuws, knikte somber en zweeg.

'Het is een nationale ramp, Kamaal. Zo diep hadden ze nooit mogen zinken.'

'Inderdaad, maar wie is ervoor verantwoordelijk?'

'An-Nahhaas. Makram is misschien een impulsief iemand, maar de corruptie die in de regering is geslopen is een feit waarover niet mag worden gezwegen.'

'Houd op over de corruptie van de regering,' zei Kamaal met een glimlach. 'De revolte van Makram was minder tegen de corruptie gericht dan tegen zijn eigen verlies aan invloed.'

Met enige gelatenheid in zijn stem vroeg Rijaad: 'Zou Makram de strijder zich voor een voorbijgaand sentiment verkwanselen?'

Kamaal kon zijn lachen niet inhouden.

'Jij hebt jezelf ook voor zo'n voorbijgaand sentiment verkwanseld.'

Zonder te glimlachen zei Rijaad: 'Geef me antwoord.'

'Makram is impulsief, een dichter, een zanger... Bij hem is het alles of niets. Hij zag dat zijn legendarische invloed slonk en kwam in opstand. Toen heeft hij in de ministerraad openlijk het nepotisme bekritiseerd. Daardoor was het onmogelijk om met hem samen te werken en tot een compromis te komen. Een spijtige gebeurtenis.'

'En wat is het resultaat?'

'Het paleis zal ongetwijfeld van deze nieuwe splitsing in de Wafd profiteren. Ze zullen Makram op het geschikte moment inlijven, zoals ze dat voor hem met anderen hebben gedaan. We zullen zien dat Makram voortaan een nieuwe rol vervult, samen met de politieke minderheden en de mannen van het paleis. Of dat, of hij zal van het politieke toneel verdwijnen. Misschien haten ze hem net zo als an-Nahhaas, of nog meer. Er zijn mensen die de Wafd haten alleen vanwege Makram, maar die hem toch zullen opnemen om de Wafd te vernietigen. Over de toekomst daarna valt niets te voorspellen.'

Rijaad zei met gefronst voorhoofd: 'Wat een afschuwelijk vooruitzicht. Ze begaan allebei een vergissing, an-Nahhaas en Makram. Ik ben pessimistisch over deze manoeuvre.'

Met nog zachtere stem vervolgde hij: 'De Kopten zullen onbeschermd zijn, of ze moeten bescherming zoeken in de vesting van hun aartsvijand, de koning, en die zal hun niet lang vergund zijn. Als de Wafd ons net zo onderdrukt als de andere partijen, hoe moet dat dan aflopen?'

Kamaal hield zich van den domme.

'Waarom draaf je zo door?' vroeg hij. 'Makram staat niet gelijk aan "de Kopten" en "de Kopten" zijn niet hetzelfde als Makram. Er is een persoon weggegaan, maar het nationalistische principe van de Wafd zal nooit verdwijnen.'

Rijaad schudde met een mistroostige glimlach zijn hoofd en zei: 'Dat zullen de kranten waarschijnlijk schrijven. Maar ik heb het over de realiteit. De Kopten hebben het gevoel dat ze uit de Wafd zijn verjaagd. Ze zijn op zoek naar zekerheid, en ik ben bang dat ze die nooit zullen krijgen. De politiek heeft me de laatste tijd een nieuw dilemma bezorgd, vergelijkbaar met het religieuze dilemma. Ik heb de godsdienst afgezworen met mijn verstand, hoewel ik eraan gehecht blijf met mijn hart, als een gemeenschappelijke etnische band. Zo zweer ik de Wafd af met mijn hart, hoewel ik er met mijn verstand aan gehecht blijf. Als ik zou zeggen "Ik ben wafdist", zou ik mijn hart verloochenen, en als ik zou zeggen "Ik ben een tegenstander van de Wafd", zou ik mijn verstand verraden. Het is een ramp die ik niet had voorzien. Blijkbaar zijn wij Kopten ertoe veroordeeld eeuwig met een gespleten persoonlijkheid te leven. Als wij als geheel één persoon zouden zijn, zou die persoon krankzinnig worden.'

Kamaal voelde een bittere pijn. Op dat moment schenen de verschillende categorieën mensen hem toe als acteurs in een satirisch toneelstuk met tragische afloop. Hij zei met een stem waarin geen overtuiging doorklonk: 'Misschien is het een fictief probleem als jullie Makram zien als een politicus, niet als de hele Koptische gemeenschap.'

'Zien de moslims hem dan op die manier?'

'Zo zie ik hem.'

Ondanks zijn bezorgdheid glimlachte Rijaad.

'Ik vroeg naar de moslims, wat heb jij daarmee te maken?'

'Wij hebben toch dezelfde positie, jij en ik?'

'Jawel, maar met een klein verschil, namelijk dat jij niet tot een minderheid behoort.' Hij voegde er glimlachend aan toe: 'Als ik in de tijd van de islamitische verovering had geleefd en in de toekomst had kunnen kijken, had ik de Kopten opgeroepen allemaal tot de islam over te gaan.'

Toen zei hij op berispende toon: 'Je luistert niet naar me.'

Inderdaad. Kamaals ogen waren op de ingang van de zaal gericht. Rijaad volgde zijn blik en zag een meisje in de bloei van haar jeugd, gekleed in een eenvoudige grijze jurk, als een studente. Ze ging op de voorste rij zitten die voor dames was gereserveerd.

'Ken je haar?'

'Ik weet het niet...'

Er was geen gelegenheid meer om te praten, omdat de professor op het podium verscheen en de zaal in luid applaus losbarstte. Daarna viel er een stilte waarin zelfs kuchen onbetamelijk leek. De directeur van de Amerikaanse Universiteit introduceerde de professor met een passend woord waarna deze met zijn lezing begon. Het grootste deel van de tijd keek Kamaal nieuwsgierig en verbaasd naar het meisje. Hij had haar bij toeval gezien, toen ze binnenkwam, en haar aanblik had hem meteen getroffen. Ze had hem uit zijn gedachtenstroom gerukt, hem naar twintig jaar geleden teruggeworpen en hem daarna weer buiten adem in het heden gezet. Eerst dacht hij dat hij Ajida zag, maar ze was Ajida niet, dat leed geen twijfel.

Dit meisje kon niet ouder zijn dan twintig. Hij kreeg niet voldoende tijd om haar gelaatstrekken op te nemen, maar het geheel van haar uiterlijk toonde genoeg: de vorm van het gezicht, het figuur, de uitstraling en de heldere ogen... Ja, die ogen had hij nooit in een ander gezicht gezien dan dat van Ajida. Was het haar zuster? Dat was de eerste gedachte die in hem opkwam. Boedoer... deze keer was hij de naam niet vergeten. Hij herinnerde zich haar vriendschap voor hem, in het verre verleden, maar het was uitgesloten – als ze het inderdaad was –, dat zij hem zou herkennen. Haar verschijning had echter zijn hart gewekt. Ze had hem, al was het maar even, een glimp van dat rijke, overweldigende leven teruggegeven, dat zo intensief was geweest. In verwarring gebracht luisterde hij een paar minuten naar de lezing van de professor, waarna hij weer vrijwel onafgebroken naar het meisje keek. Hij werd overspoeld door herinneringen en liet alle gevoelens die in zijn binnenste woelden en kolkten in alle rust tot zich doordringen.

Ik moet haar volgen om te weten te komen wie ze is. Ik beoog er niets mee, maar de verveling rukt op. Ik hunker naar iets dat die dikke laag roest op mijn ziel kan verwijderen.

Hij begon zijn plan uit te denken. Zou de lezing nog lang duren? Dat wist hij niet. Maar aan het eind vertelde hij zijn plan aan Rijaad, nam afscheid van hem en liep achter het meisje aan. Hij volgde haar manier van lopen oplettend. Ze liep elegant en had een tenger postuur. Hij kon haar manier van lopen niet met die van de ander vergelijken, omdat hij zich die van Ajida niet meer precies voor de geest kon halen. Maar aan haar postuur te oordelen was zij het. De ander had haar haar 'à la garçonne', maar zij had dik, gevlochten haar. De zwarte kleur was echter bij beiden hetzelfde, dat was zeker. Toen ze bij de tramhalte stonden, was hij nog niet in staat haar gezicht te bestuderen, door de grote menigte mensen die van de lezing kwamen. Ze nam tram tien naar al-Ataba en drong zich in het vrouwencompartiment. Hij stapte eveneens in en vroeg zich af of ze op weg was naar al-Abbasiyya. Of waren zijn veronderstellingen niet meer dan verwarde droombeelden? Ajida had nooit in haar leven de tram genomen. Ze had twee auto's tot haar beschikking. Maar dit arme kind... Hij voelde zich weer net zo bedroefd als op de dag waarop hij over het faillissement en de zelfmoord van Sjaddaad Bey had gehoord. In al-Ataba loosde de tram het grootste deel van zijn vracht en hij zocht een plaats niet ver van haar op het trottoir bij de halte. Ze keek in de richting vanwaar ze de tram verwachtte, zodat hij haar lange, ranke hals kon zien. Die tijd van vroeger... Toen viel het hem op dat haar huid graanblank was, neigend naar wit. Ze was niet bruin, zoals het vervlogen beeld. Voor het eerst sinds hij haar had gevolgd voelde hij zich teleurgesteld. Het was alsof hij haar volgde om iemand anders te zien. De tram naar al-Abbasiyya arriveerde en ze maakte aanstalten om in te stappen. Toen ze zag dat het vrouwencompartiment vol was, stapte ze in de tweede klasse-wagon. Hij talmde niet en volgde haar op de voet. Ze ging zitten en hij nam naast haar plaats. Al snel raakten de zitplaatsen aan weerskanten bezet en stond het middenpad vol met mensen. Hij was opgelucht dat het hem was gelukt naast haar te gaan zitten, hoewel het feit dat ze tussen de mensen in de tweede klasse zat hem opnieuw bedroefde, waarschijnlijk vanwege het contrast wanneer hij de twee beelden vergeleek: het oude, vereeuwigde beeld, en het beeld naast zich. Zijn schouder raakte de hare zachtjes wanneer de tram een plotselinge beweging maakte, vooral als hij stopte en optrok. Hij begon haar te bekijken wanneer hij ook maar de kans kreeg. Die zwarte, kalme ogen, de in elkaar overlopende wenkbrauwen, de bevallige rechte neus, het knappe gezicht... Het was alsof hij Ajida zag. Werkelijk? Nee, er was het onderscheid in huidkleur en hier en daar een klein verschil, waarvan hij zich niet meer herinnerde of het om iets ging dat ontbrak of iets dat juist was toegevoegd. Hoewel het verschil tussen hen gering was, was het voor zijn gevoel heel groot, net zoals één graad het verschil uitmaakt tussen ziekte en gezondheid. Maar tegelijkertijd bevond hij zich nu tegenover het meest gelijkende evenbeeld van Ajida, die hij zich, zo stelde hij zich voor, duidelijker dan ooit herinnerde aan de hand van dit mooie gezicht. Haar lichaam was vast ook hetzelfde. Wat had hij zich daar veel over afgevraagd. Misschien zag hij het nu. Het was slank en tenger, met een uiterst bescheiden boezem. Over het geheel leek het in niets op het mollige lichaam van Atia, waar hij zo verzot op was. Was zijn smaak in de loop der tijd bedorven? Of was zijn vroegere liefde een vorm van opstandigheid tegen zijn verborgen instinct? Toch was het een gelukkige, dromerige liefde, en zijn hart zwijmelde bij de herinneringen.

Door de vluchtige aanrakingen nam zijn vervoering toe en hij verzonk steeds meer in zijn overpeinzingen. Hij had Ajida nooit aangeraakt, hij had haar altijd als ongenaakbaar gezien. Maar dit meisje liep over straat, zat bescheiden tussen de mensen in de tweede klasse... Wat deed het hem verdriet... En dat onbeduidende verschil maakte hem woedend, het deed zijn hoop teniet en veroordeelde zijn vroegere liefde ertoe voor altijd een raadsel te blijven.

De conducteur kwam dichterbij en riep: 'Kaartjes en abonnementen.'

Ze maakte haar tas open, haalde er een abonnement uit en wachtte tot de man bij haar zou komen. Hij keek tersluiks naar de kaart en zag de naam staan: 'Boedoer Abd al-Hamied Sjaddaad; studente aan de Faculteit der Letteren'. Nu is alle twijfel weggenomen. Mijn hart bonst te hard. Kon ik die kaart maar stelen, om het beeld te bewaren dat Ajida het meest benadert. Ja, was dat maar mogelijk. Een onderwijzer van zesendertig die een studente aan de letterenfaculteit besteelt? Dat was nog eens een kop waar de kranten blij mee zouden zijn. Een mislukte filosoof van tegen de veertig... Hoe oud zou Boedoer zijn? In 1926 was ze nog geen vijf, dus was ze nu in het eenentwintigste jaar van haar gelukkige leven. Gelukkig? Geen villa, geen auto, geen dienstboden, geen personeel... Ze was al veertien toen die ramp haar familie overkwam, een leeftijd waarop ze de draagwijdte ervan kon beseffen en de pijn ervoer. Het arme kind heeft pijn geleden en is geschokt. Ze heeft die meedogenloze gevoelens ondergaan waarmee ik zo vertrouwd ben geraakt. Ook al was het in verschillende perioden, we zijn verenigd door de pijn, zoals we vroeger door onze vergeten vriendschap verenigd waren.

De conducteur kwam bij haar en hij hoorde haar zeggen 'Alstublieft', terwijl ze hem de kaart gaf. De stem klonk in zijn oren als een oude, geliefde melodie die lange tijd in vergetelheid gehuld was geweest en nu weer bovenkwam in al haar zoetheid en met al haar herinneringen en die een hemelse periode deed herleven. Zijn oor vertoefde door deze warme, welluidende tonen vol betovering in het goddelijke koninkrijk van de extase op zoek naar de dromen van een voorbije tijd. Laat me die stem horen, want het is jouw stem niet, mijn ongelukkige vriendin van weleer. Gelukkig geniet de eigenlijke eigenares van deze stem nog steeds van een leven als destijds. De smarten waarin haar familie gedompeld is hebben haar niet kunnen genaken. Maar jij bent tot ons niveau gezonken, dat van ons, de mensen in de tweede klasse. Ken je je vriend niet meer, die je omhelsde en kussen gaf? Hoe leef je nu, mijn kleintje? Zul je uiteindelijk net als ik als onderwijzeres op een lagere school werken?

De tram kwam langs de plaats waar vroeger de villa had gestaan en waar nu een nieuw, groot gebouw stond. Hij had het hiervoor maar een paar keer gezien, als hij in al-Abbasiyya kwam nadat hij er destijds mee gebroken had, vooral nu hij regelmatig het huis van Foeaad Gamiel al-Hamzawi bezocht. Al-Abbasiyya is niet minder veranderd dan jullie huis, meisje. De villa's en tuinen die mijn liefde en treurnis hebben aanschouwd zijn verdwenen. Ervoor in de plaats zijn grote gebouwen gekomen volgepakt met bewoners, winkels, koffiehuizen en bioscopen. Ahmed, die ervan houdt om de klassenstrijd te volgen, is er blij om, maar ik... Hoe kan ik leedvermaak hebben over de villa's en de bewoners als mijn hart onder hun puinhopen bedolven ligt? Hoe kan ik het fraaie schepsel verachten dat nooit een leven van zwoegen of mensengedrang heeft gekend, als ze voor mij de essentie van schoonheid is en mijn hart aan haar voeten ligt?

Toen de tram stopte bij de volgende halte bij al-Wajili, stapte ze uit. Hij volgde haar en keek haar na vanaf de halte. Hij zag haar de weg oversteken naar de Ibn Zaidoenstraat recht tegenover de halte. Het was een smalle straat met aan weerskanten oude middenklassehuizen. Op het effen, geasfalteerde oppervlak lagen overal stof, stenen en weggegooid papier. Ze ging het derde huis aan de linkerkant in door een smalle deur, naast een strijkerszaak. Hij bleef naar de straat en het huis staan kijken, in somber stilzwijgen gehuld. Dat was het huis waar tegenwoordig Sania hanoem, de weduwe van Sjaddaad Bey, woonde, een appartement met een huur van ten hoogste drie pond. Kwam Sania hanoem maar even naar buiten, op het balkon, zodat hij een blik op haar kon werpen en de ongetwijfeld ingrijpende verandering die ze had ondergaan kon beoordelen. Hij was nog niet vergeten hoe kostelijk zij er had uitgezien, toen ze uit de *salamlik* kwam aan de arm van haar echtgenoot en naar de auto liep die stond te wachten. Ze schreed voort in haar gerieflijke mantel en keek met soevereine, bedaarde blik om zich heen. Nooit zou de mens een verwoestender vijand ontmoeten dan de tijd. In dit appartement verbleef Ajida wanneer ze in Caïro was. Misschien zat ze soms in de namiddag op het bouwvallige balkon. Waarschijnlijk deelde ze een bed met haar moeder en haar zuster. Dat zou zeker het geval zijn. Had ik destijds maar geweten dat ze er was. Had ik haar maar gezien na zo lange tijd. Ik had haar moeten zien, nu ik bevrijd ben van haar tirannie, zodat ik haar had leren kennen zoals ze in werkelijkheid is, en mezelf zoals ik in werkelijkheid ben. Maar die zeldzame kans is vervlogen.

Kamaal nam plaats tussen de studenten en studentes van de sectie Engels van de letterenfaculteit om naar een college te luisteren dat door de Engelse professor zou worden gegeven. Het was niet de eerste keer dat hij dit college bijwoonde en het zou niet de laatste keer zijn, naar hij verwachtte. Het had hem geen noemenswaardige moeite gekost toestemming te krijgen om als toehoorder avondcolleges te volgen die drie keer per week werden gegeven. De professor had hem zelfs met open armen ontvangen, toen hij vernam dat hij Engels onderwees. Het was weliswaar enigszins ongewoon dat hij de colleges aan het eind van het studiejaar nog wilde volgen, maar hij had zich daarvoor bij de professor verontschuldigd zeggend dat hij met een onderzoek bezig was dat vereiste dat hij deze colleges bijwoonde, hoewel hij al een deel had gemist. Hij had van Rijaad Koeldoes vernomen dat Boedoer aan deze sectie studeerde. Die had het op zijn beurt gehoord van een vriend die secretaris van de faculteit was.

Zijn nette pak, zijn vergulde bril, zijn lange, magere gestalte, zijn dikke snor, zijn grote neus en de grijze haartjes die op zijn grote hoofd glinsterden, dat alles trok de aandacht, vooral omdat hij tussen een klein aantal jongemannen zat. Ze zagen er zo verbaasd uit en staarden hem zo aan, dat hij zich niet op zijn gemak voelde en dacht dat hij de opmerkingen en aanmerkingen die in hen omgingen kon horen. Hij kende ze beter dan wie ook. Hij was zelf verbaasd over de zonderlinge stap, die hij had gezet zonder stil te staan bij de ongemakken en verlegenheid die ermee gepaard zouden gaan. Wat waren zijn werkelijke drijfveren en wat beoogde hij? Hij wist het niet precies, maar zodra hij een sprankje licht had gezien in de dichte duisternis van zijn leven, stoof hij het achterna zonder aandacht te schenken aan wat dan ook, gedreven door de enorme kracht van zijn wanhoop, zijn verlangens en zijn hoop. Hij hield geen rekening met de hindernissen die hij zou tegenkomen op een weg die gemarkeerd was enerzijds door puritanisme en tradities, en anderzijds door spotlustige jongelui. Hij was in wanhoop en lusteloosheid verzonken en joeg gretig dit ene na, dat ongetwijfeld enige verstrooiing zou bieden en, hoe dan ook, een leven. Het volstond voor hem dat hij zich weer om de tijd bekommerde, hoop opbouwde en op vreugde hoopte. Zijn hart, dat voorheen dood was geweest, klopte zelfs weer. Hij had het gevoel dat de tijd drong, want het studiejaar liep tegen het onvermijdelijke einde.

Zijn poging was niet tevergeefs, want Boedoer had hem, net als de anderen, opgemerkt. Ze nam vermoedelijk deel aan het gefluister over hem. Meer dan eens kruisten hun blikken elkaar en misschien ontwaarde ze in zijn ogen de nieuwsgierigheid en bewondering die in hem brandden. Afgezien van dat alles, namen ze na afloop allebei de tram naar Gizeh en daarna de tram naar al-Abbasiyya, en vaak zaten ze in hetzelfde gedeelte. Ze moest hem dus inmiddels goed kennen. Dat was een groot succes voor iemand die niet in haar wijk woonde, vooral omdat hij een onderwijzer was die hechtte aan de uiterlijke kentekenen van zijn beroep en de waardigheid en het fatsoen die het vereiste. Wat zijn doel met dit alles betrof, hij deed geen overdreven moeite het vast te stellen. Er was weer leven in hem gekropen nadat hij dood was geweest, en daar stortte hij zich op. Met alle kracht in zijn gekwelde ziel verlangde hij naar de terugkeer van die mens in wiens gemoed gevoelens worstelden, wiens verstand wemelde van gedachten en voor wiens zintuigen allerlei beelden verschenen. Met deze betovering wilde hij zijn bitterheid en passiviteit vergeten, en zijn hulpeloosheid tegenover onoplosbare raadsels. Het was alsof zij drank was, maar met intenser genot en mildere nawerking.

Vorige week was er iets gebeurd dat zijn hart hevig had beroerd. Hij had het toezicht gekregen over de sporttraining op de Silahdaar-school, waardoor hij niet in staat was op tijd op de faculteit te zijn. Hij was de collegezaal te laat binnengekomen, en toen hij op zijn tenen naar binnen liep om geen lawaai te maken, ontmoetten hun ogen elkaar. Het was een vluchtig, magisch moment, waarna zij meteen, schijnbaar verlegen, haar ogen neersloeg. Het waren dus niet neutrale blikken geweest die elkaar toevallig kruisten. Hij dacht veeleer dat ze enige schroom voelde. Was dat gebeurd als zijn blikken hun uitwerking hadden gemist? Het meisje werd verlegen onder zijn blik, dus misschien begon ze te begrijpen dat het geen onschuldige blikken waren die zich toevallig op iets richtten. Dit wekte vele herinneringen en allerlei beelden in hem op, en uiteindelijk merkte hij dat hij aan Ajida dacht en over haar fantaseerde. Maar hij begreep niet waarom, want Ajida had tegenover hem nooit haar blik neergeslagen uit verlegenheid. Misschien was er iets anders dat hem aan haar herinnerde, een gebaar, een oogopslag, of dat magische geheim dat we 'de ziel' noemen.

Eergisteren was er nog iets gebeurd dat ook van belang was.

Zie je hoe ze je het leven heeft teruggegeven? Hiervoor was er nooit iets dat belang had, althans, je hechtte alleen belang aan die vruchteloze raadsels, zoals 'de wil' bij Schopenhauer, 'het absolute' bij Hegel en het '*élan vital*' bij Bergson. Het hele leven was doof, zonder belang. En zie hoe nu een blik, een gebaar of een glimlach de hele aarde doet schudden...

Het gebeurde toen hij naar de faculteit liep, kort voor vijven 's avonds. Hij doorkruiste het Oermaan-park en opeens zag hij Boedoer met drie meisjes op een bank zitten wachten tot het college zou beginnen. Ze keken naar hem en hun ogen ontmoetten elkaar even intens als die eerste keer. Hij wilde hen groeten als hij langs hen zou lopen, maar het pad waarop hij liep maakte een bocht van hen af, alsof het weigerde mee te doen aan het geïmproviseerde romantische komplot. Toen hij zich iets had verwijderd, keek hij om en zag hij hen giechelend iets in haar oor fluisteren, terwijl zij met haar hoofd op haar handen steunde alsof ze haar gezicht wilde verbergen. Wat betekende dat fraaie tafereel? Als Rijaad bij hem was geweest had die het zonder moeite kunnen interpreteren en verklaren, maar hij had de scherpzinnigheid van Rijaad niet nodig. Het leed geen twijfel dat ze iets over hem tegen haar fluisterden en dat ze haar gezicht verborg uit verlegenheid. Kon het iets anders betekenen? Misschien hadden zijn ogen de liefde verraden. Misschien was hij zonder het te beseffen te ver gegaan en werd er over hem geroddeld. Wat zou er van hem worden als het gefluister veranderde in insinuerende grappen, van die duivelse studenten? Hij overwoog in ernst om niet meer naar de faculteit te gaan. Maar die avond ging zij onverwachts naast hem zitten in de tram naar al-Abbasiyya, zoals die eerste dag waarop hij haar was gevolgd. Hij wachtte af tot zij zich naar hem zou omdraaien. Hij zou haar groeten, wat de gevolgen ook zouden zijn. Toen het wachten nogal lang duurde, draaide hij zich om, deed alsof hij verrast was haar naast zich te zien en zei beleefd: 'Goedenavond.'

Ze keek hem aan alsof ze verbaasd was – Ajida had hem geen enkele herinnering aan vrouwelijke geaffecteerdheid nagelaten –, en zei toen: 'Goedenavond.'

Twee collega's die elkaar groetten, daar was niets tegen. Tegenover haar zuster had hij die stoutmoedigheid niet opgebracht. Maar die was ouder dan hij, en hij was destijds jong en naïef.

'U komt uit al-Abbasiyya, veronderstel ik?'

'Ja.'

Ze wil zelf niet het initiatief nemen tot een gesprek.

'Het is jammer dat ik pas kort geleden de colleges ben gaan volgen.'

'Ja.'

'Ik hoop dat ik later kan inhalen wat ik heb gemist.'

Ze glimlachte zonder iets te zeggen. Laat me meer van je stem horen, de enige klank uit het verleden die de tijd niet heeft veranderd.

'Wat bent u van plan te gaan doen na de *license*? Het Instituut voor Pedagogie?'

Voor het eerst toonde ze enige aandacht.

'Dat is niet nodig, want het ministerie heeft dringend onderwijzers en onderwijzeressen nodig vanwege de oorlog en de recente uitbreiding van het onderwijs.'

Hij had gevraagd om een enkele toon en kreeg een hele melodie.

'U zult dus als onderwijzeres gaan werken.'

'Ja, waarom niet?'

'Het is een zwaar beroep. Ik kan het weten.'

'U bent onderwijzer, naar ik heb gehoord?'

'Ja... O, ik ben vergeten me voor te stellen. Kamaal Ahmed Abd al-Gawwaad.'

'Aangenaam.'

Glimlachend zei hij: 'Maar u heeft zich nog niet voorgesteld.'

'Boedoer Abd al-Hamied Sjaddaad.'

'Zeer vereerd, juffrouw.'

Alsof hij plotseling door iets buitengewoons werd getroffen, zei hij: 'Abd al-Hamied Sjaddaad? Uit al-Abbasiyya? Bent u misschien de zuster van Hoessein Sjaddaad?'

Haar ogen glinsterden nu belangstellend.

'Inderdaad.'

Kamaal lachte alsof hij versteld stond van dit zonderlinge toeval en zei: 'Wel heb ik ooit! Hij was mijn beste vriend. We hebben samen een heel gelukkige tijd gehad. Mijn Heer, bent u soms zijn kleine zusje dat altijd in de tuin speelde?'

Ze keek hem nieuwsgierig aan. Het was uitgesloten dat ze zich hem herinnerde. In die tijd was je net zo verliefd op mij als ik op je zuster.

'Dat herinner ik me natuurlijk niet meer.'

'Natuurlijk niet, dat is lang geleden. Het moet in 1923 zijn geweest en daarna, tot 1926, toen Hoessein naar Europa vertrok. Wat doet hij nu?'

'Hij woont in Frankrijk, in het zuidelijke gedeelte, waar de Franse regering naar is overgebracht na de Duitse inval.'

'Hoe gaat het met hem? Ik heb al zo lang niets meer van hem gehoord en geen brieven meer van hem gekregen...'

'Goed.'

Ze sprak het uit op een toon die aangaf dat ze niet verder op het onderwerp wilde doorgaan. Toen de tram langs de plaats van de vroegere villa kwam, vroeg hij zich af of het geen vergissing was geweest zich bekend te maken als een vroegere vriend van haar broer. Beperkte dat niet zijn vrijheid om te bereiken wat hij beoogde? Bij de volgende halte in al-Wajili groette ze hem en stapte uit. Hij bleef zitten alsof hij zichzelf vergeten was. De hele weg had hij haar bekeken telkens wanneer de gelegenheid zich voordeed, in de hoop dat hij misschien tot het geheim zou doordringen dat hem destijds had betoverd. Maar hij ontdekte het niet, ook al had hij enkele keren het gevoel dat hij er dichtbij was. Ze zag er lief en zachtaardig uit en ze leek binnen handbereik. Maar opeens voelde hij een merkwaardige teleurstelling over zich komen, en een droefheid waarvan de oorzaak onduidelijk was. Als hij met dit meisje wilde trouwen, was daar geen overwegend bezwaar tegen. Ze maakte zelfs een inschikkelijke en volgzame indruk, ondanks het aanzienlijke verschil in leeftijd, of misschien juist daardoor. De ervaring had hem geleerd dat zijn uiterlijk geen beletsel voor een huwelijk vormde, als hij dat wilde. Als hij met haar zou trouwen, zou hij, voor zover dat mogelijk was, lid worden van de familie van Ajida. Maar waar kwam die stomme fantasie vandaan? Wat was Ajida nu voor hem? Hij wilde niet Ajida, maar hij liet niet af te trachten haar geheim te weten te komen, misschien alleen om zichzelf ervan te overtuigen dat hij de mooiste tijd van zijn leven niet had verkwist. Hij voelde de behoefte opkomen, die hij zo vaak in verschillende perioden in zijn leven had gehad, om in zijn dagboek te kijken en het bakje snoep te voorschijn te halen dat hij op de bruiloft van Ajida had gekregen. Heimwee welde op in zijn borst en hij vroeg zich af of het mogelijk was dat een mens verliefd werd terwijl hij de liefde had doorgrond en de biologische, sociale en psychologische bestanddelen ervan had ontleed. Maar wordt de chemicus door zijn kennis van vergiften ervoor behoed eraan te sterven, net zoals de andere slachtoffers? Waarom welden die gevoelens in hem op? Ondanks de teleurstelling die hij had ervaren, ondanks het grote verschil tussen het heden en het verleden, hoewel hij niet wist of hij tot het heden of tot het verleden behoorde, was zijn gemoed vol emoties en klopte zijn hart.

Een theetuin met een overkapping van takken en frisse twijgen. De eend die op de smaragdgroene vijver zwom trok de blikken; daarachter een rotspartij.

Vandaag was het een vrije dag op de redactie van *De Nieuwe Mens*, en Sausan Hammaad zag er stralend uit in een lichte blauwe jurk die haar bruine armen onbedekt liet. Ze had zich opgemaakt, maar voorzichtig en smaakvol. Zij en Ahmed waren nu een jaar collega's. Met een glimlach van verstandhouding op hun gezicht zaten ze tegenover elkaar aan een tafeltje met daarop een karaf water en twee ijscoupes, waarin alleen nog wat gesmolten ijs was achtergebleven dat rood was van de aardbeien. Zij is het dierbaarste dat ik heb in deze wereld. Ik dank al mijn plezier aan haar, en op haar is al mijn hoop gericht. We zijn toegewijde collega's en de liefde is nog niet uitgesproken tussen ons. Maar ik twijfel er niet aan dat we van elkaar houden en dat we niet beter met elkaar zouden kunnen samenwerken. We zijn begonnen als kameraden in de strijd voor vrijheid, we hebben eendrachtig samengewerkt en we zijn allebei kandidaat voor de gevangenis. Telkens wanneer ik haar schoonheid prijs, kijkt ze me verwijtend aan en wijst ze me met gefronst voorhoofd terecht, alsof de liefde iets is dat ons misstaat. Dan glimlach ik en ga ik verder met mijn werk. Op een dag zei ik tegen haar: 'Ik houd van je... Ik houd van je... Doe wat je wilt.' Ze zei: 'Dit leven is bittere ernst, en jij maakt grapjes.' Ik zei: 'Ik denk net als jij dat het kapitalisme op sterven ligt, dat het al zijn doelen heeft verbruikt en dat de arbeidersklasse haar wil moet vrijmaken om de machine van de ontwikkeling op gang te brengen, want de vrucht valt niet vanzelf. We moeten het bewustzijn scheppen. Maar na dat alles, of eigenlijk voor dat alles, houd ik van je.' Ze fronste haar wenkbrauwen enigszins geaffecteerd en zei: 'Je staat erop me dingen te laten horen die me niet aanstaan.' Aangemoedigd doordat er verder niemand op het secretariaat was, stortte ik me plotseling op haar en gaf haar een zoen op haar wang. Ze keek me streng aan en verdiepte zich weer in de vertaling van het slot van hoofdstuk acht van een boek over de familiestructuur in de Sovjetunie, dat we samen aan het vertalen waren.

'Als het in juni al zo warm is, hoe zal het dan straks in juli en augustus zijn, lieveling?'

'Blijkbaar is Alexandrië niet voor mensen als wij bestemd.'

Hij zei lachend: 'Alexandrië is geen vakantieoord meer. Dat was voor de oorlog. Maar vanwege de geruchten dat de Duitsers zullen binnenvallen is het nu verlaten.'

'Oestaaz Adli Kariem verzekert dat de meeste inwoners zijn weggetrokken en dat er allemaal zwerfkatten in de straten lopen.'

'Dat is zo. Binnenkort zal Rommel er met zijn troepen binnentrekken.'

Na een korte stilte vervolgde hij: 'En bij het Suez-kanaal zullen ze de Japanse troepen tegenkomen die door Azië oprukken. Dan keert het fascistische tijdperk terug, net als het stenen tijdperk.'

Enigszins geagiteerd zei Sausan: 'Rusland zal niet verslagen worden. De hoop van de mensheid ligt verschanst achter de Oeral.'

'Ja, maar de Duitsers staan voor de poort van Alexandrië.'

Ze voer uit: 'Waarom zijn de Egyptenaren toch zo gesteld op de Duitsers?'

'Uit haat tegen de Engelsen. Over niet al te lange tijd zullen ze ook een hekel aan de Duitsers hebben. De koning is nu als een gevangene, maar hij zal zich uit zijn gevangenschap bevrijden om Rommel te begroeten. Dan drinken ze samen op de dood van de pasgeboren democratie in ons land. Het is bespottelijk dat de boeren denken dat Rommel het land onder hen zal verdelen.'

'We hebben veel vijanden. De Duitsers in het buitenland, de Moslim Broeders en de reactionairen in ons eigen land, ze zijn allemaal hetzelfde.'

'Als mijn broer Abd al-Moen'im je hoorde zou hij razend worden. Hij beschouwt de Broederschap als een progressieve beweging die het materialistisch-socialisme zal terechtwijzen.'

'Misschien is socialisme de islam niet vreemd, maar het is een utopisch socialisme, zoals dat ook door Thomas More en Louis Blanc en Saint-Simon werd verkondigd. Het zoekt naar een oplossing voor het sociale onrecht in het geweten van de mens, terwijl de oplossing besloten ligt in de ontwikkeling van de maatschappij zelf. Het kijkt niet naar de klassen in de maatschappij, maar naar de individuen, en het heeft natuurlijk geen enkele notie van het wetenschappelijk socialisme. Afgezien van dat alles berust de islam op een mythische metafysica, waarin engelen een belangrijke rol spelen. We mogen de oplossingen voor onze problemen in het heden niet in een ver verleden zoeken. Zeg dat maar tegen je broer.'

Ahmed lachte, zichtbaar vergenoegd, en zei: 'Mijn broer is een ontwikkelde jongeman, een intelligente jurist. Het verbaast me dat iemand als hij zich zo aangetrokken voelt tot de Moslim Broeders.'

Ze zei op laatdunkende toon: 'De Moslim Broeders zijn bezig met een grootscheepse misleidingscampagne. Tegenover de intellectuelen presenteren ze de islam in moderne kledij, en tegenover eenvoudige mensen hebben ze het over het paradijs en de hel. En ze verbreiden zich in naam van socialisme, nationalisme en democratie.'

Mijn lieveling spreekt onvermoeibaar over haar principes. Zei ik 'lieveling'? Ja, want na die gestolen kus sta ik erop haar zo te noemen. Ze protesteerde soms met woorden, soms met een gebaar, maar daarna negeerde ze het, alsof ze er niet meer in geloofde dat ik me zou beteren. Toen ik haar zei dat ik ernaar smachtte woorden van liefde uit haar mond te horen, die zo in beslag werd genomen door het socialisme, berispte ze me vol minachting: 'Dat is de achterhaalde bourgeois-visie op de vrouw, nietwaar?' Ongerust zei ik: 'Mijn respect voor je is niet in woorden uit te drukken en ik erken dat ik je leerling ben wat betreft het nobelste dat ik in mijn leven heb gedaan, maar ik houd ook van je, en daar is niets tegen.' Ik merkte dat haar verontwaardiging wegebde, hoewel ze de schijn ophield. Ik naderde haar om haar te kussen. Ik weet niet hoe ze mijn bedoeling raadde, maar ze duwde me tegen mijn borst. Desondanks kuste ik haar wang. Omdat het kwaad was geschied terwijl ze in staat was geweest het te verhinderen, ging ik ervan uit dat ze ermee instemde. Ze is een prachtig schepsel, mooi van geest en lichaam, ondanks haar preoccupatie met de politiek. Toen ik haar uitnodigde voor het uitstapje naar het park, zei ze: 'Op voorwaarde dat we het boek meenemen, zodat we aan de vertaling kunnen werken.' Ik zei: 'Nee, we gaan om te wandelen en te praten. Anders wijs ik het hele socialisme voortaan af.' Wat me het meest verontrust, als iemand die doordrongen is van de gebruiken in de Suikersteeg, is dat ik soms nog steeds met traditionele bourgeois-blik naar de vrouw kijk. Soms, bij een terugval of in uren van verslapping, lijkt het me dat het socialisme bij progressieve vrouwen slechts een pose is, iets als pianospelen of make-up. Maar het jaar waarin ik met Sausan heb samengewerkt heeft mij ontegenzeglijk veel veranderd en me in loffelijke mate gezuiverd van de in mij verankerde bourgeois-mentaliteit.

'Het is spijtig dat zoveel van onze kameraden in de gevangenis zitten.'

'Ja, lieveling, arrestatie is een mode die zich in oorlogstijd net zo verbreidt als in tijden van terreur. Maar de wet verbiedt niemand een principe aan te hangen, als hij het maar niet gepaard laat gaan met een oproep tot geweld.'

Ahmed vervolgde lachend: 'Vroeg of laat zullen ze ons ook oppakken, behalve...'

Ze keek hem verbaasd aan. Hij voegde eraan toe: 'Behalve als het huwelijk ons fatsoen bijbrengt.'

Ze haalde geringschattend haar schouders op en zei: 'Waarom denk je dat ik ermee zou instemmen te trouwen met een namaak-iemand als jij?'

'Namaak?'

Ze dacht even na en zei toen ernstig: 'Jij komt niet uit de arbeidersklasse, zoals ik. We bestrijden beiden dezelfde vijand, maar jij hebt hem niet op dezelfde manier ervaren als ik. Ik heb lange tijd armoede meegemaakt en ik heb de vreselijke gevolgen in mijn eigen familie gezien. Een van mijn zusters heeft ertegen gestreden en is omgekomen. Maar jij behoort niet... Jij behoort niet tot de arbeidersklasse.'

Hij zei kalm: 'Engels behoorde ook niet tot de arbeidersklasse.'

Ze lachte kort, waardoor haar vrouwelijkheid herleefde, en zei: 'Hoe moet ik je noemen? Prins Ahmedov? Ik twijfel niet aan je ideeën, maar je hebt nog een diepgewortelde bourgeoismentaliteit. Ik geloof dat je soms zelfs blij bent dat je tot de familie Sjaukat behoort.'

Op tamelijk heftige toon zei hij: 'Je vergist je. En je bent onrechtvaardig. Ik ben niet schuldig aan wat ik geërfd heb. Net zo min als jij schuldig bent aan je armoede, ben ik schuldig aan mijn rijkdom. Ik doel op het kleine inkomen waarvan mijn familie een lui leventje leidt. Niemand kan worden verweten dat hij als bourgeois geboren is. Het enige verwijt dat kan gelden is verstarring en achterlijkheid ten opzichte van de tijdgeest.'

Ze zei met een glimlach: 'Maak je niet boos. We zijn allebei een natuurlijk, wetenschappelijk verschijnsel. Laten we ons niet afvragen wat ons verleden is. Maar we zijn verantwoordelijk voor wat we denken en wat we doen. Ik bied mijn verontschuldiging aan, Engels, maar vertel eens, ben jij bereid door te gaan met lezingen houden voor de arbeiders ongeacht de gevolgen?'

'Tot gisteren heb ik er vijf gehouden,' zei hij trots. 'Ik heb twee belangrijke pamfletten geredigeerd en er tientallen uitgedeeld. Ik ben de regering meer dan twee jaar gevangenisstraf schuldig.'

'Ik tien keer zoveel.'

Hij legde zijn hand teder en vol bewondering op haar zachte, bruine hand. Ja, hij hield van haar. Maar hij leverde zijn inspanningen niet in naam van de liefde. Leek het niet soms alsof ze aan hem twijfelde? Was dat niet meer dan een plagerij, of was het ongerustheid over de bourgeois-mentaliteit waarvan zij dacht dat die nog steeds in hem school? Hij geloofde in zijn principes, maar was ook verliefd op haar. Hij kon niet zonder het een en niet zonder het ander. Is het niet een geluk iemand te treffen die jou goed begrijpt en die jij goed begrijpt, zonder dat een vorm van doortraptheid ons scheidt? Ik aanbid haar als ze zegt 'Ik heb lange tijd armoede meegemaakt'. Het zijn deze openhartige woorden die haar boven de andere meisjes plaatsen en haar aan mijn ziel verbinden. Maar we zijn argeloze geliefden, en de gevangenis ligt op de loer. We kunnen gaan trouwen, de problemen uit de weg gaan en een comfortabel leven leiden, maar dat zou een leven zonder ziel zijn. De leer komt me soms voor als een vloek die door het lot over ons is uitgesproken. Ze is mijn bloed en mijn ziel. Het is alsof ik voor de hele mensheid verantwoordelijk ben.

'Ik houd van je.'

'Hoe komt dat?'

'Dat komt door alles en niets.'

'Je spreekt over de strijd, maar je hart zingt de lof van het geluk.'

'Het is even stompzinnig die twee te scheiden, als ons tweeën te scheiden.'

'Liefde betekent toch geluk, geborgenheid en afkeer van gevangenschap?'

'Heb je niet gehoord over de Profeet, die dag en nacht streed, zonder dat dat hem belette negen keer te trouwen?'

Ze knakte met haar vingers en riep: 'Het lijkt wel of ik je broer hoor. Welke Profeet was dat dan wel?'

'De Profeet van de moslims,' zei hij lachend.

'Laat ik je iets over Karl Marx vertellen. Terwijl hij bezig was met *Het Kapitaal* liet hij zijn vrouw en kinderen verkommeren.'

'Maar hij was wel getrouwd.'

Het water van de vijver lijkt op het sap van smaragden, en een frisse bries waait zonder dat de junimaand het merkt. De eend zwemt verder en pikt met zijn snavel stukjes brood op.

En jij bent erg gelukkig en je veeleisende vriendin is heerlijker dan de natuur zelf. Het lijkt wel of ze bloost. Misschien heeft ze de politiek even vergeten en denkt ze nu aan...

'Ik had gehoopt, dierbare kameraad, dat we in dit park een aangenaam gesprek zouden hebben.'

'Aangenamer dan het gesprek dat we tot nu toe hadden?'

'Ik bedoel een gesprek over onze liefde.'

'Onze liefde?'

'Ja, en dat weet je heel goed.'

Er viel even een stilte, totdat ze haar ogen neersloeg en vroeg: 'Wat wil je?'

'Zeg me dat we allebei hetzelfde willen.'

Alsof ze het alleen deed om hem te gehoorzamen, zei ze: 'Ja, maar wat is het?'

'We hebben er genoeg omheen gedraaid.'

Het leek alsof ze nadacht. Wat was het wachten bitter, al duurde het maar even. Opeens zei ze: 'Als alles duidelijk is, waarom kwel je me dan nog?'

Hij slaakte een diepe zucht van verlichting en zei: 'Wat is de liefde heerlijk.'

Er viel opnieuw een stilte, als een refrein tussen twee coupletten.

'Er is nog iets belangrijks.'

'Wat dan?'

'Mijn eer.'

'Die is onlosmakelijk verbonden met mijn eer,' zei hij verontrust.

'Je kent de gewoonten van jouw mensen,' zei ze bitter. 'Je zult veel te horen krijgen over afkomst en status.'

'Onzin... Denk je dat ik nog een kind ben?'

Ze aarzelde even en zei: 'Er is maar één ding dat ons bedreigt, dat is de bourgeois-mentaliteit.'

Met een heftigheid die hem op dat moment sterk op zijn broer Abd al-Moen'im deed lijken, zei hij: 'Daar heb ik part noch deel aan.'

'Besef je wat je zegt? Je hebt het over zaken die de band tussen man en vrouw betreffen in zijn sociale en persoonlijke essentie.'

'Vanzelfsprekend.'

'Je zult een nieuw woordenboek moeten raadplegen, als

je normale woorden, zoals "liefde", "huwelijk", "jaloezie", "trouw", "het verleden", herontdekt.'

'Zeer zeker.'

Misschien betekende het niets, misschien betekende het alles. Hij had zo vaak hierover nagedacht, maar de situatie vergde buitengewone moed. Zijn overgeërfde en nieuw aangenomen mentaliteiten werden tegelijkertijd op de proef gesteld. Een zware proef. Hij dacht dat hij begreep wat ze bedoelde. Misschien wilde ze hem alleen maar op de proef stellen. Maar zelfs als dat het was, zou hij niet terugdeinzen. Hij had al pijn geleden en hij had al jaloezie in zijn hart gevoeld, maar hij zou niet terugkrabbelen.

'Ik onderken wat je bedoelt. Maar laat ik je eerlijk zeggen dat ik altijd heb gehoopt dat ik een gevoelig meisje zou vinden, dat niet denkt als een boekhouder.'

Terwijl haar ogen de zwemmende eend volgden, zei ze: 'Die tegen je zou zeggen: "Ik houd van je en wil met je trouwen"?'

'Ja.'

Ze lachte.

'Dacht je dat ik op de details zou overgaan voordat ik zou instemmen met het principe?'

Hij kneep zachtjes in haar hand. Ze vervolgde: 'Je weet alles al, maar je wilt het toch horen.'

'Het verveelt me nooit het te horen.'

'Het gaat om de reputatie van onze hele familie. Hij is hoe dan ook jullie zoon. Verder kunnen jullie zelf uitmaken wat je ervan vindt.'

Het was Khadiega die sprak, terwijl haar blik ongerust heen en weer schoot van het ene gezicht naar het andere, van haar echtgenoot Ibrahiem, die rechts van haar zat, naar haar zoon Ahmed, aan de overkant van de salon, via Jasien, Kamaal en Abd al-Moen'im.

Ahmed bootste haar toon na om haar te plagen: 'Opgelet allemaal! Het gaat om de reputatie van de familie. En ik ben hoe dan ook jullie zoon.'

Met klaaglijke stem, vol bitterheid, zei ze tegen hem: 'Waar is die ellende voor nodig, mijn jongen? Je laat je door niemand leiden, zelfs niet door je vader, en je weigert raad aan te nemen, zelfs al is het in je eigen belang. Jij weet het altijd beter en alle andere mensen zien het verkeerd. Toen je ophield met bidden zeiden we "Onze Heer geve hem leiding"; toen je weigerde rechten te gaan studeren, zoals je broer, zeiden we "De toekomst ligt in Gods hand"; toen je zei "Ik ga als journalist werken", zeiden we "Al ga je als ezeldrijver werken..."'

Glimlachend zei hij: 'En nu wil ik trouwen.'

'Ga maar trouwen, dat zal iedereen plezier doen. Maar het huwelijk heeft zijn voorwaarden.'

'En wie bepaalt die voorwaarden?'

'Het gezonde verstand.'

'Mijn verstand heeft een keuze gemaakt.'

'Heeft de tijd nog niet aangetoond dat het niet juist is alleen op je eigen verstand af te gaan?'

'Volstrekt niet. Overleg is toegestaan in alles, behalve als het om het huwelijk gaat, want dat is precies als met eten...'

'Net als met eten? Je trouwt niet alleen met een meisje, maar met haar hele familie. En wij, jouw familie, trouwen tegelijk met jou.'

Ahmed lachte en zei: 'Jullie allemaal? Dat is overdreven. Oom Kamaal wil niet trouwen, en oom Jasien wil haar alleen voor zichzelf.'

Ze moesten allemaal lachen, behalve Khadiega. Met een nog lachend gezicht vroeg Jasien: 'Als de zaak daarmee zou zijn opgelost, ben ik bereid me op te offeren.'

'Lach maar,' riep Khadiega. 'Jullie moedigen hem alleen maar aan met dat gelach. Jullie kunnen hem beter eerlijk je mening geven. Wat vinden jullie van iemand die wil trouwen met de dochter, de "trots" van een arbeider bij de drukkerij van het tijdschrift waarvoor hij werkt? Het was al moeilijk voor ons te accepteren dat je als journalist bij dat tijdschrift ging werken. En nu wil je ook nog familiebanden aanknopen met de arbeiders. Heb jij geen mening, si Ibrahiem?'

Ibrahiem Sjaukat trok zijn wenkbrauwen op alsof hij iets wilde zeggen, maar hij bleef zwijgen. Khadiega vervolgde: 'Als die ramp gebeurt, zit op de bruiloft je hele huis vol met arbeiders van de drukkerij, sjouwers en ezeldrijvers, en God weet wat nog meer.'

'Spreek niet zo over mijn schoonfamilie.'

'Heer in de hemel, ontken je dat haar familie zo is?'

'Ik trouw alleen met haar, niet met hen allemaal.'

Ibrahiem Sjaukat zei geprikkeld: 'Je trouwt niet alleen met haar. God geve je dezelfde last die je ons bezorgt.'

Khadiega, die moed putte uit de tegenwerping van haar man, hernam: 'Ik ben op bezoek gegaan in haar huis, zoals de gewoonte vereist. Ik dacht: Ik ga de bruid van mijn zoon eens zien. En ze bleken in een kelder te wonen in een straat die aan weerskanten helemaal bewoond wordt door joden, en haar moeder ziet eruit als een werkster. En de bruid zelf is maar liefst dertig jaar, jazeker, bij God, en als ze dan nog een sprankje schoonheid had, dan zou ik hem hebben verontschuldigd. Waarom wil hij met haar trouwen? Hij is betoverd, ze heeft hem met listen betoverd. Ze werkt met hem samen bij dat vervloekte tijdschrift, misschien heeft ze iets in zijn koffie of water gedaan toen hij even niet oplette. Gaan jullie zelf maar kijken en oordeel zelf. Ik hoef niet meer. Toen ik terugkwam van het bezoek was ik zo verdrietig dat ik bijna de straat niet meer kon zien.'

'Je hebt me kwaad gemaakt. Die woorden zal ik je nooit vergeven.'

'Neem me niet kwalijk... Neem me niet kwalijk, "meester der schoonheid", ik heb ongelijk. Ik heb mijn hele leven iedereen bekritiseerd, daarom heeft onze Heer alle tekortkomingen aan mijn kinderen gegeven. God de Almachtige vergeve me.'

'Wat voor verdachtmakingen je ook tegen hen spuit, zij beschuldigen anderen niet valselijk, zoals jij.'

'Je zult het nog merken, je zult het zien. God vergeve je dat je mij zo beledigt.'

'Jij hebt mij beledigd, en nu is het meer dan genoeg geweest.'

'Ze zit achter je geld aan. Als jij niet zo'n sukkel was geweest, had ze hoogstens op een krantenventer kunnen hopen.'

'Ze is redactrice bij het tijdschrift en verdient twee keer zoveel als ik.'

'Ook al journaliste... Alle mensen... De enige meisjes die werken zijn zo lelijk als de nacht, of oude vrijsters, of manwijven.'

'God vergeve je.'

'God vergeve jou de ellende die je ons aandoet.'

Op dat moment zei Jasien, die onophoudelijk aan zijn snorpunt had gedraaid terwijl hij het gesprek volgde: 'Luister, zuster, het heeft geen zin om ruzie te maken. We zeggen Ahmed eerlijk wat er gezegd moet worden, maar het is nutteloos te gaan bekvechten.'

Ahmed stond kwaad op en zei: 'Excuseer, ik moet me kleden om naar mijn werk te gaan.'

Toen hij weg was ging Jasien naast zijn zuster zitten en zei tegen haar: 'Ruziemaken helpt je niets. We hebben geen gezag over onze kinderen. Ze denken dat ze beter en slimmer zijn dan wij. Als hij met alle geweld wil trouwen, laat hem dan. Als hij gelukkig wordt, prima; als hij het niet wordt: hij is als enige voor zichzelf verantwoordelijk. Ik heb ook pas een gezin gesticht met Zannoeba, zoals je weet. Misschien heeft hij wel de beste keuze gemaakt. En bovendien, we worden niet verstandig door woorden, maar door ervaringen.'

En hij voegde er lachend aan toe: 'Ook al ben ik zelf noch door woorden, noch door ervaringen verstandig geworden.'

Kamaal merkte naar aanleiding van Jasiens woorden op: 'Jasien heeft gelijk.'

Khadiega keek hem verwijtend aan en zei: 'Is dat alles wat je te zeggen hebt, Kamaal? Hij is erg op jou gesteld. Als jij onder vier ogen met hem spreekt...'

'Ik loop met hem op en zal met hem praten. Maar genoeg geruzied. Hij is een vrij man, hij heeft het recht te trouwen met wie hij wil. Kun je het hem verhinderen, of ben je van plan met hem te breken?'

'De zaak is simpel, zus,' zei Jasien met een glimlach. 'Vandaag trouwt hij, morgen scheidt hij weer. We zijn moslims, geen katholieken.'

Ze kneep haar kleine ogen toe en zei met bijna gesloten mond: 'Natuurlijk... Wie zou hem beter kunnen verdedigen dan jij? Degene die zei "Zo oom, zo neef" had gelijk.'

Jasien lachte op zijn uitbundige manier en zei: 'God vergeve je. Als vrouwen aan de genade van andere vrouwen waren overgeleverd, zou er nooit een trouwen.'

Ze wees naar haar echtgenoot en zei: 'Zijn moeder – God hebbe haar ziel – heeft mij persoonlijk uitgekozen.'

'En ik heb de prijs ervoor betaald,' verzuchtte Ibrahiem met een glimlach. 'God zij haar genadig en vergeve haar.'

Ze sloeg geen acht op zijn commentaar en zei terneergeslagen: 'Als ze nu nog mooi was... Hij is blind.'

'Net als zijn vader,' zei Ibrahiem lachend. Ze keek hem boos aan en zei: 'Jij bent een ongelovige, net als alle andere mannen.'

De man zei kalm: 'Nee, wij volharden, en verdienen daarmee het paradijs.'

Ze riep: 'Als jij in het paradijs komt, heb je dat aan mij te danken, want ik heb je je geloof bijgebracht.'

Kamaal liep samen met Ahmed de Suikersteeg uit. Hij stond sceptisch en weifelend tegenover het trouwplan. Hij kon zichzelf niet beschuldigen van het te zeer vasthouden aan stompzinnige tradities, of van laksheid ten opzichte van de principes van gelijkheid en menselijkheid. Desondanks was de sociale werkelijkheid, die onontkoombaar was in al haar lelijkheid, een feit dat niet mocht worden veronachtzaamd. Vroeger was hij eens verkikkerd geweest op Kamar, de dochter van Aboe Sarie, de eigenaar van de notenbranderij. Ondanks haar bekoorlijkheid had ze hem bijna een complex bezorgd met haar onwelriekende lichaam. Desondanks had hij bewondering voor de jongen, vooral voor zijn durf en wilskracht, en benijdde hij hem om eigenschappen die hij zelf ontbeerde, te beginnen met zijn gedrevenheid, zijn daadkracht en zijn wens om te trouwen. Het was alsof Ahmed in deze familie was gezonden als boete voor Kamaals passiviteit en onbuigzaamheid. Waarom was het huwelijk zo belangrijk in zijn ogen, terwijl het voor anderen zo simpel was als 'goedendag' zeggen?

'Waar ga je heen, jongen?'

'Naar het tijdschrift, oom. En u?'

'Naar de redactie van *al-Fikr* om Rijaad Koeldoes te spreken. Moet je niet nog even nadenken voordat je deze stap neemt?'

'Welke stap, oom? Ik ben al getrouwd.'

'Echt waar?'

'Echt waar. Ik ga op de eerste verdieping in ons huis wonen, vanwege de woningnood.'

'Dat is een openlijke provocatie.'

'Inderdaad. Maar zij zal alleen thuis zijn wanneer mijn moeder slaapt.'

Nadat hij van het nieuws was bekomen, zei Kamaal glimlachend: 'Ben je getrouwd volgens de regels van God en Zijn Profeet?'

Ahmed lachte ook en zei: 'Natuurlijk. Het huwelijk en de begrafenis gaan volgens de regels van ons oude geloof, maar het leven volgens de regels van Karl Marx.'

Toen hij afscheid nam zei hij: 'Oom, u zult haar mogen. U zult haar zien en zelf oordelen. Ze is een opmerkelijke persoonlijkheid in de volle betekenis van het woord.'

Wat een dilemma. Het leek wel een chronische ziekte. Alles leek meer dan één gelijkwaardig aspect te hebben dat elke keuze rechtvaardigde. Dat gold zowel voor metafysische kwesties als voor de simpele ervaringen in het dagelijkse leven. Bij alles doemden twijfel en besluiteloosheid op. Moest hij trouwen of niet? Hij moest een beslissing nemen, maar hij draaide in het rond tot hij duizelig werd. De balans tussen de ziel, de geest en de zintuigen werd verstoord, waarna hij uit de draaikolk te voorschijn kwam zonder dat zijn toestand zich gewijzigd had en zonder dat zijn vraag beantwoord was: moest hij trouwen of niet? Soms benauwde zijn vrijheid hem. Dan werd hij bedrukt door een gevoel van eenzaamheid, of ergerde het hem te moeten samenleven met holle drogbeelden en snakte hij naar gezelschap. Binnen in hem hunkerden het familieinstinct en de liefde ernaar zich uit hun gevangenschap te bevrijden. Hij zag zichzelf als echtgenoot die genezen was van zijn introversie, en wiens illusies waren vervlogen, maar die tegelijkertijd in beslag werd genomen door de kinderen en de zorg voor het levensonderhoud, en die gebukt ging onder de dagelijkse beslommeringen. Dan raakte hij in paniek en besloot hij, ondanks de eenzaamheid en kwellingen, zich aan zijn vrijheid vast te klampen. Maar zijn besluit hield niet lang stand, want al snel ging hij weer twijfelen en begon alles weer opnieuw. Wat was de oplossing?

Boedoer was waarlijk een uitnemend meisje. Het was haar niet aan te rekenen dat ze tegenwoordig de tram nam, aangezien ze was geboren en opgegroeid in het engelenparadijs waarvan zijn hart vroeger hartstochtelijk had gehouden. Ze was als een vallende ster. En het was waarlijk een heel mooi, welopgevoed en ontwikkeld meisje. Ze was niet buiten zijn bereik, dus was ze de ideale echtgenote als hij om haar hand wilde vragen. Hij hoefde alleen nog maar een aanzoek te doen. Bovendien moest hij toegeven dat zij het middelpunt van zijn gedachten vormde, want zij was het laatste beeld van het leven waarvan hij afscheid nam voordat hij insliep en het eerste dat hij begroette als hij wakker werd. De hele dag week ze vrijwel niet uit zijn verbeelding, en zodra hij haar zag begon zijn hart te bonzen en klonken die droeve tonen van roestige snaren. Dan was zijn wereld niet meer zoals tevoren, een wereld van onzekerheid, pijn en eenzaamheid, maar drong er een frisse bries binnen en begon het water van zijn leven te stromen. Als dat geen liefde was, wat kon het dan wel zijn? De afgelopen twee maanden was hij elke middag naar de Ibn Zaidoenstraat gegaan. Hij liep er op zijn gemak door, zijn blik op het balkon gericht in de hoop dat hun blikken elkaar zouden treffen en ze een glimlach zouden uitwisselen zoals twee collega's dat gewoonlijk deden.

Het was begonnen als toeval, maar het had zich zo vaak herhaald dat het opzet leek. Telkens wanneer hij op de vaste tijd langskwam, zag hij haar op het balkon een boek lezen of voor zich uitkijken. Hij was er zeker van dat ze op hem wachtte, want als ze die indruk bij hem had willen wegnemen, hoefde ze slechts elke middag het balkon enkele minuten te mijden. Maar wat dacht ze ervan dat hij langskwam, glimlachte en groette? Niet te snel... De intuïtie bedriegt niet. Ze wilden allebei de ander graag zien, een gedachte die hem in vervoering bracht, hem dronken maakte van blijdschap en vervulde van het ongekende gevoel dat het leven zin had. Maar dat geluksgevoel was niet helemaal vrij van ongerustheid. Hoe kon het anders, zo lang als hij nog geen besluit had genomen en zich nog geen pad voor hem had afgetekend? Hij werd meegesleurd door een stroom en hij gaf zich eraan over zonder te weten waar hij terecht zou komen. Enig nadenken had hem ertoe kunnen brengen voorzichtiger te zijn, maar ondanks zijn ongerustheid maakte de levensvreugde het hem onmogelijk. Hij was bedwelmd door geluk, maar niet vrij van angst.

Rijaad zei tegen hem: 'Doe een aanzoek. Dit is je kans.'

Sinds hij zelf een verlovingsring droeg, sprak hij over het huwelijk alsof het het eerste en het laatste doel in het leven van de mens was. Hij zei trots: 'Ik ga de unieke beproeving onbevangen aan, want het is een gelegenheid om het leven op een nieuwe, waarachtige manier te doorgronden. Vervolgens neem ik het echtelijke leven en de kinderen in mijn verhalen op. Is dat niet het leven waar je boven zweeft, filosoof?' Hij antwoordde ontwijkend: 'Tegenwoordig behoor je tot de tegenpartij, dus je bent de laatste die mag oordelen. Ik zal jou als onpartijdige raadgever verliezen.' Anderzijds kwam de liefde hem voor als een 'dictatuur', en het politieke leven in Egypte had hem geleerd de dictatuur uit de grond van zijn hart te haten. In het huis van zijn 'tante' Galiela gaf hij Atia zijn lichaam, dat hij ogenblikkelijk weer terugnam, alsof er niets gebeurd was. Maar dit meisje, dat zich in haar verlegenheid verborg, zou niet met minder genoegen nemen dan zijn lichaam en zijn ziel, tot in eeuwigheid. Dan was er nog maar één devies: de bittere strijd om het levensonderhoud, om het voortbestaan van het gezin en de kinderen veilig te stellen. Een vreemd lot, dat een leven gevuld met verheven zaken veranderde in louter een middel om 'geld te verdienen'. De Indische fakir was misschien dwaas en dom, maar hij was ook duizendmaal wijzer dan iemand die tot over zijn oren in het 'geld verdienen' gedompeld was.

Geniet van de liefde die je verloren hebt en waarnaar je zo verlangde. Nu leeft zij weer op in je gemoed met alle problemen die erbij horen.

Rijaad zei: 'Is het mogelijk dat je van haar houdt, dat je in staat bent met haar te trouwen en dat je het toch niet doet?' Hij antwoordde dat hij van haar hield, niet van het huwelijk. Rijaad wierp tegen: 'Het is de liefde die ons doet berusten in het huwelijk, en als je niet van het huwelijk houdt, zoals je zegt, betekent dat dat je niet van het meisje houdt.' Hij antwoordde koppig: 'Ik houd wel van haar, maar ik haat het huwelijk.' 'Misschien ben je bang voor de verantwoordelijkheid.' 'Ik draag meer verantwoordelijkheid dan jij, in mijn huis en op mijn werk,' zei hij boos. 'Misschien ben je egoïstischer dan ik dacht.' 'Trouwt een mens niet altijd juist uit zichtbaar of verhuld egoïsme?' 'Misschien ben je ziek. Ga naar een psychotherapeut om je te laten analyseren.' 'Dat is toevallig, mijn volgende artikel in *al-Fikr* is getiteld "Hoe analyseer je jezelf".' 'Ik erken dat je me voor een raadsel stelt.' 'Ik stel mezelf tot in eeuwigheid voor een raadsel.'

Toen hij op een keer zoals gewoonlijk door de Ibn Zaidoenstraat liep, kwam hij toevallig de moeder van zijn beminde tegen, die op weg was naar huis. Hij herkende haar meteen, hoewel hij haar minstens zeventien jaar niet had gezien. Ze was niet meer de hanoem die hij vroeger had gekend. Ze zag er beklagenswaardig verwelkt uit, eerder door de zorgen dan door ouderdom. Geen mens zou zich kunnen voorstellen dat deze magere, voorthollende vrouw dezelfde hanoem was die als een toonbeeld van schoonheid en volmaaktheid door de tuin van een villa had geschreden. Desondanks deed de vorm van haar hoofd hem aan Ajida denken en haar aanblik verscheurde zijn hart. Gelukkig had hij al tegen Boedoer geglimlacht voordat hij haar zag, anders was het onmogelijk geweest te glimlachen. Hij moest opeens aan Aisja denken en hij herinnerde zich hoe ze die ochtend thuis grote opschudding had veroorzaakt omdat ze haar kunstgebit zocht en niet meer wist waar ze het had neergelegd voordat ze was gaan slapen.

Eergisteren had hij Boedoer op het balkon zien staan, tegen haar gewoonte in, en opeens begreep hij dat ze zich gereedmaakte om naar buiten te gaan. Hij vroeg zich af of ze alleen zou uitgaan. Even later verdween ze van het balkon. Hij liep rustig, peinzend verder. Als ze alleen naar buiten kwam, zou ze naar hem toe komen. Deze bedwelmende triomf zou misschien de belediging die zoveel jaar geleden had plaatsgehad wegwassen. Maar zou Ajida dat hebben gedaan, zelfs als de maan in tweeën zou splijten?

Toen hij halverwege de straat was, draaide hij zich om en zag haar aankomen... alleen... Hij had het idee dat de buren het kloppen van zijn hart konden horen. Weldra drong het belang van de ontmoeting die op het punt stond plaats te vinden tot hem door, en een deel van hem maakte zich op om op de vlucht te slaan. Het glimlachen, tot nu toe, was een onschuldig romantisch spelletje geweest, maar deze ontmoeting zou van verstrekkend belang zijn. Nu kwam het aan op verantwoordelijkheidsgevoel, ernst en de absolute eis een keuze te maken. Als hij nu op de vlucht sloeg, zou hij zichzelf meer kans geven om na te denken. Maar hij sloeg niet op de vlucht. Hij liep met rustige pas verder, alsof hij verdoofd was, totdat ze hem bij de kruising met de al-Galaalstraat inhaalde. Hij draaide zich om en ze keken elkaar glimlachend aan.

'Goedenavond,' zei hij.

'Goedenavond.'

Terwijl zijn besef van de ernst van het moment toenam, vroeg hij: 'Waar gaat u heen?'

'Naar een vriendin. Die kant op...'

Ze wees naar de Koningin Nazlistraat. Hij zei zonder na te denken: 'Die kant moet ik ook op. Staat u mij toe dat we samen oplopen?'

'Natuurlijk,' zei ze, een glimlach verbergend.

Ze liepen naast elkaar verder. Ze had die mooie jurk niet aangetrokken om een vriendin te bezoeken, maar om hem te ontmoeten. Zijn hart begroette haar met affectie, maar hoe moest hij te werk gaan? Misschien had ze zich aan zijn passiviteit geërgerd en was ze zelf gekomen om hem een gunstige gelegenheid te bieden. Of hij greep de kans aan uit eerbied voor haar, of hij liet hem voorbijgaan, dan kon hij haar voorgoed opgeven. Het ging om een enkel woord. Als het uitgesproken werd, was hij voor de rest van zijn leven verstrikt, als het niet werd uitgesproken, zou hij er de rest van zijn leven spijt van hebben. Zo was hij zonder het te beseffen in een fuik gelopen.

Ze liepen voort. Ze verwachtte vast iets. Ze was volgzaam, alsof ze niet tot de familie Sjaddaad behoorde. Nee, ze behoorde in geen enkel opzicht tot de familie Sjaddaad. De familie Sjaddaad had afgedaan, hun tijd was voorbij. Naast je loopt slechts een meisje dat tegenspoed heeft gehad. Ze draaide zich glimlachend naar hem om en zei teder: 'Leuk je te hebben ontmoet.'

'Dank je.'

Wat nu? Het leek alsof ze een initiatief van hem verwachtte. Ze waren bijna aan het eind van de straat. Hij moest een beslissing nemen... Of verstrikt raken, of afscheid nemen... Ze had vast niet verwacht dat ze eenvoudig uiteen zouden gaan. Een aanmoedigend woord, al was het er maar een. Ze waren nog maar een paar passen van het kruispunt verwijderd. Hij was zich pijnlijk bewust van de teleurstelling die ze zou ondervinden, maar zijn tong weigerde te spreken. Of moest hij zomaar iets zeggen, ongeacht de gevolgen?

Ze bleef staan en glimlachte verlegen, alsof ze wilde zeggen: 'Hier moeten we uiteengaan.' Zijn verwarring bereikte een hoogtepunt. Ze stak haar hand uit. Hij gaf haar een hand en zweeg een huiveringwekkend moment. Toen zei hij: 'Tot ziens.'

Ze trok haar hand terug en sloeg een zijstraat in. Hij stond op het punt haar te roepen. Dat ze zo wegging, ten prooi aan teleurstelling en schaamte, was een ondraaglijke nachtmerrie. Jij kent die ellendige situaties beter dan wie ook. Maar zijn tong was verstijfd. Waarom had hij haar de afgelopen twee maanden dan achtervolgd? Is het betamelijk dat je haar afwijst nadat zij uit eigen beweging naar je toe is gekomen? Is het niet onbarmhartig haar net zo te behandelen als haar zuster jou destijds heeft behandeld? En je houdt zelfs van haar... Gaat ze eenzelfde nacht tegemoet als jij hebt achtergelaten, toen, als een gloeiend kooltje in het verre verleden met de gesmolten pijn?

Hij liep verder terwijl hij zich afvroeg of hij werkelijk vrijgezel wilde blijven om filosoof te kunnen zijn, of de filosofie als voorwendsel gebruikte om vrijgezel te kunnen blijven. Rijaad zei tegen hem: 'Dit is iets ongelooflijks. Daar zul je spijt van krijgen.' Het is inderdaad iets ongelooflijks, maar zou hij er spijt van krijgen? 'Hoe heb je haar zo eenvoudig kunnen afwijzen,' zei hij. 'Je sprak over haar alsof ze het meisje uit je dromen was.' Ze was niet het meisje uit zijn dromen. Het meisje uit zijn dromen zou nooit naar hem toe gekomen zijn. Ten slotte zei hij: 'Je bent al bijna zevenendertig jaar. Daarna ben je niet geschikt meer voor het huwelijk.' Die woorden stemden hem bitter en bedroefd.

II

Kariema kwam in haar bruidsjurk naar de Suikersteeg in een rijtuig met haar ouders en haar broer. Ibrahiem Sjaukat, Khadiega, Ahmed en zijn echtgenote Sausan Hammaad, en Kamaal stonden klaar om hen te verwelkomen. Het enige dat erop wees dat er een bruiloft was, waren de bloemboeketten rondom in de salon. Het ontvangpaviljoen was vol met jongemannen met baarden die rond sjeik Ali al-Minoefi geschaard zaten. Hoewel er anderhalf jaar was verstreken sinds het overlijden van sajjid Ahmed, woonde Amiena de bruiloft niet bij en had ze beloofd na afloop te komen feliciteren. Wat Aisja betrof, toen Khadiega haar had uitgenodigd om de stille bruiloft bij te wonen, had ze verbaasd haar hoofd geschud en met nerveuze stem gezegd: 'Ik ga alleen naar begrafenissen.'

Die woorden hadden Khadiega pijn gedaan, maar ze had zich eraan gewend een voorbeeldige tact tegenover Aisja te betrachten. De tweede verdieping van het huis in de Suikersteeg werd voor de tweede maal met de uitzet van een bruid ingericht. Jasien had zijn dochter een passende bruidsschat verschaft en had daarvoor zijn laatste bezittingen verkocht, zodat hem alleen het huis in Paleis van Verlangen nog restte. Kariema was een toonbeeld van schoonheid. Ze leek op haar moeder in haar bloeitijd, vooral haar warme ogen. Ze had de huwbare leeftijd pas de afgelopen week, in oktober, bereikt. Khadiega zag er gelukkig uit, zoals de moeder van een bruidegom paste, en ze nam de gelegenheid dat ze een keer alleen was met Kamaal waar om tegen hem te zeggen: 'Ze is ten minste de dochter van Jasien en is hoe dan ook duizend keer beter dan die sjouwersdochter.'

Er was een klein buffet in de eetkamer klaargezet voor de familie, en een ander op de binnenplaats voor de gebaarde gasten van Abd al-Moen'im. Hij onderscheidde zich niet van hen, want hij had ook zijn baard laten groeien, waarop Khadiega had gezegd: 'Religie is mooi, maar waar is die baard voor nodig? Je ziet eruit als Mohammed al-Agami, de couscousverkoper.'

De familieleden zaten in de ontvangkamer, behalve Abd al-Moen'im, die bij zijn vrienden zat, en Ahmed, die hem een poosje bijstond bij de ontvangst. Daarna voegde deze zich bij de familie in de ontvangkamer, waar hij opmerkte: 'Het paviljoen is duizend jaar teruggezet in de tijd.'

'Waar praten ze over?' vroeg Kamaal.

'Over de slag bij al-Alamain. Het paviljoen daverde van hun stemmen.'

'Wat vinden ze van de Engelse overwinning?'

'Ze zijn kwaad, natuurlijk. Ze zijn de vijanden van iedereen, de Engelsen, de Duitsers en de Russen. Ze sparen zelfs de bruidegom op zijn bruiloftsavond niet.'

Jasien zat naast Zannoeba en zag er in zijn piekfijne kleren tien jaar jonger uit dan zij. Hij zei: 'Laat ze elkaar maar opvreten, ver van ons vandaan. Gelukkig heeft God ervoor gezorgd dat Egypte geen slagveld is geworden.'

Khadiega zei met een glimlach: 'Je wilt alleen maar vrede zodat jij je temperament weer kunt uitleven.'

Ze keek Zannoeba met zo'n arglistige blik aan dat iedereen moest lachen. De afgelopen dagen had het gerucht zich verspreid dat Jasien een nieuwe bewoonster in zijn huis het hof had gemaakt. Zannoeba had hem op heterdaad betrapt, of vrijwel op heterdaad, en rustte niet voordat ze de bewoonster had gedwongen het appartement te ontruimen. Jasien zei om zijn verlegenheid te maskeren: 'Hoe kan ik mijn temperament uitleven als zelfs in mijn eigen huis de staat van beleg heerst?'

'Schaam je je niet tegenover je dochter?' zei Zannoeba bits. Jasien zei op smekende toon: 'Ik ben onschuldig en de arme buurvrouw is onrecht aangedaan.'

'En ik ben zeker de boosdoener. Ben ik soms degene die betrapt is terwijl hij midden in de nacht op haar deur klopte, met het excuus dat hij verdwaald was in het donker? Hè? Je woont al veertig jaar in dat huis en nog kun je je appartement niet vinden.'

Ze barstten in lachen uit. Khadiega zei gekscherend: 'Hij vergist zich wel vaker in het donker.'

'En als het licht is ook.'

Ibrahiem zei tegen Ridwaan: 'En hoe gaat het met jou, Ridwaan, en met Mohammed Efendi Hassan?'

'Mohammed Efendi Rotzak,' verbeterde Jasien. Ridwaan

antwoordde boos: 'Hij geniet nu van het fortuin van mijn grootvader, dat mijn moeder heeft geërfd.'

'Een aanzienlijke erfenis,' zei Jasien. 'En telkens wanneer Ridwaan bij haar komt om wat geld voor een uitstapje of iets anders te vragen, maakt de onverlaat problemen over de kosten.'

Khadiega zei tegen Ridwaan: 'Jij bent haar enige kind. Het zou beter voor haar zijn als ze je tijdens haar leven van haar geld zou laten genieten.'

Ze voegde eraan toe: 'En het wordt tijd dat je gaat trouwen, nietwaar?'

Ridwaan lachte lusteloos en zei: 'Wanneer oom Kamaal trouwt.'

'Wat betreft je oom Kamaal heb ik de hoop opgegeven. Maar je moet geen voorbeeld aan hem nemen.'

Kamaal luisterde vol weerzin naar het gesprek dat om hem heen werd gevoerd, ook al stond daar geen spoor van op zijn gezicht te lezen. Ze had de hoop opgegeven, en hijzelf ook. Hij was opgehouden door de Ibn Zaidoenstraat te lopen, waarmee hij toonde dat hij zich van zijn schuld bewust was. Maar hij ging vaak aan één kant van de halte staan om haar op het balkon te zien zitten zonder dat zij hem kon zien. Hij kon zijn verlangen om haar te zien niet weerstaan, noch zijn liefde voor haar loochenen of zijn afkeer en angst negeren bij de gedachte dat hij met haar zou trouwen. Rijaad had zelfs tegen hem gezegd: 'Je bent ziek en weigert te genezen.'

Op veelbetekenende toon vroeg Ahmed: 'Denk je dat Mohammed Hassan over de kosten had gezeurd als de Saadisten aan de macht waren geweest?'

Ridwaan lachte schamper en zei: 'Hij is tegenwoordig niet de enige die over mijn kosten zeurt. Maar geduld... Het duurt nog maar een paar dagen of weken...'

Sausan Hammaad vroeg: 'Denk je dat de dagen van de Wafd geteld zijn, zoals haar tegenstanders beweren?'

'De Wafd is ervan afhankelijk wat de Engelsen willen. Hoe dan ook, de oorlog zal niet eeuwig duren. Dan komt het moment van de afrekening.'

Sausan zei ernstig: 'De eerst verantwoordelijken voor het drama zijn degenen die de fascisten hebben geholpen om de Engelsen een mes in de rug te steken.'

Khadiega, die Sausan met spottende en afkeurende blik aankeek, verbaasde zich over haar 'mannelijke' manier van spreken, en ze kon niet nalaten te zeggen: 'We worden verondersteld een bruiloft te vieren. Praat liever over passende onderwerpen.'

Sausan deed er het zwijgen toe zonder zich te verweren, terwijl Ahmed en Kamaal een glimlach uitwisselden. Ibrahiem Sjaukat zei lachend: 'Hun verontschuldiging is dat bij ons bruiloften geen feesten zijn. God zij sajjid Ahmed genadig en schenke hem het paradijs.'

Jasien zei mistroostig: 'Ik ben drie keer getrouwd, maar ik heb niet één bruiloftsfeest gehad.'

Op bittere, verwijtende toon zei Zannoeba: 'Denk je wel aan jezelf en vergeet je je dochter?'

'Hopelijk vieren we de vierde keer wel feest,' zei Jasien lachend. Zannoeba zei spottend: 'Stel dat maar uit tot Ridwaan getrouwd is.'

Ridwaan werd boos, maar zei niets. Vervloekt, jullie allemaal, en het huwelijk erbij. Begrijpen jullie niet dat ik nooit zal trouwen? En dat ik iedereen wel kan doodslaan die over dat vervloekte onderwerp begint?

Na een korte stilte zei Jasien: 'Kon ik maar bij het damesbuffet blijven, zodat ik niet tussen die baardapen in hoef te staan die me de stuipen op het lijf jagen.'

Zannoeba haakte hierop in: 'Als ze te weten zouden komen hoe je leeft, zouden ze je stenigen.'

'Ze hangen vast met hun baard in de schotel,' zei Ahmed. 'Daar komt ruzie van. En u, oom Kamaal, houdt u van de Broeders?'

Glimlachend zei Kamaal: 'Ik houd minstens van een van hen.'

Sausan wendde zich tot de zwijgzame bruid en vroeg haar vriendelijk: 'En wat vindt Kariema van de baard van haar echtgenoot?'

Kariema verborg een lachje door haar bekroonde hoofd te buigen en zei niets. Zannoeba antwoordde in haar plaats: 'Er zijn maar weinig jongemannen zo godsdienstig als Abd al-Moen'im.'

'Zijn godsdienstigheid bevalt me,' zei Khadiega. 'Die zit onze familie in het bloed. Maar zijn baard bevalt me niet.'

Ibrahiem Sjaukat zei lachend: 'Ik erken dat mijn zoons, zowel de gelovige als de ketter, allebei even gek zijn.'

'Gekte zit onze familie ook in het bloed,' zei Jasien, uitbundig lachend. Khadiega keek hem met een blik van protest aan maar voordat zij iets kon tegenwerpen, zei hij: 'Ik bedoel dat ik zelf gek ben. En ik geloof dat Kamaal ook gek is. Of, als je wilt, dat ik als enige gek ben...'

'Dat is zonder meer waar.'

'Is iemand bij zijn verstand die zichzelf ertoe veroordeelt vrijgezel te blijven om tijd te hebben om te lezen en te schrijven?'

'Hij zal vroeg of laat trouwen. Niemand is meer bij zijn verstand dan hij.'

'Waarom trouwt u niet, oom?' vroeg Ridwaan. 'Ik wil graag uw bezwaren weten, zodat ik daarmee mezelf kan verdedigen als het nodig is.'

'Ben je soms van plan ongetrouwd te blijven?' vroeg Jasien. 'Dat zal ik niet toestaan, zo lang als ik leef. Maar wacht maar tot jullie weer aan de macht zijn. Dan zul je een prachtig politiek huwelijk aangaan.'

Kamaal zei: 'Als niets je verhindert, trouw dan meteen.'

Wat een knappe jongeman... En hij is voorbestemd tot roem en rijkdom. Als Ajida hem destijds had kunnen zien, was ze verliefd op hem geweest. En als hij een vluchtige blik op Boedoer zou werpen, zou hij hartstochtelijk verliefd op haar worden.

Terwijl de hele wereld voortschreed, draaide hij in een kring rond en bleef hij zich afvragen of hij zou gaan trouwen of niet. Het leven leek een en al duistere verwarring, geen kans die geboden werd, noch een kans die voorbijging. De liefde is zwaar, getekend door strijd en kwelling. Trouwde zij maar met iemand anders, dan zou hij van zijn martelende tweestrijd bevrijd zijn.

Opeens kwam Abd al-Moen'im binnen, voorgegaan door zijn baard: 'Kom naar het buffet. Vandaag blijft het feest tot de maag beperkt.'

12

Kamaal wandelde door de Foeaad I-straat. Het liep tegen tien uur op vrijdagochtend en de straat was vol lopende en stilstaande mensen, zowel mannen als vrouwen. Het was al de hele maand november zacht weer, dat uitnodigde tot wandelen. Hij had de gewoonte aangenomen zijn eenzaamheid te verzachten door zich op zijn vrije dag onder de mensen te begeven, doelloos rond te lopen en zich te vermaken met het bekijken van de mensen en de dingen om zich heen. Meer dan eens kwam hij een van zijn jonge leerlingen op straat tegen, die hem dan groette met zijn hand aan zijn voorhoofd. Dan groette hij glimlachend nog hartelijker terug. Wat had hij veel leerlingen. Sommigen hadden al een betrekking, anderen studeerden aan de universiteit, maar de meesten volgden nog de lagere en de middelbare school. Het was geen kleinigheid, zoals hij nu al veertien jaar de wetenschap en het onderwijs diende. Zijn traditionele uiterlijk was nauwelijks veranderd: een net pak, glimmende schoenen, een rechtop staande fez, een vergulde bril en een dikke snor. Zelfs zijn rang – de zesde – was in veertien jaar niet gewijzigd, hoewel gezegd werd dat de Wafd overwoog de achtergestelde groepen hun recht te geven. Het enige dat was veranderd, was dat er grijze haren op zijn slapen waren verschenen. De begroetingen van de leerlingen, die hem respecteerden en van hem hielden, deden hem genoegen, want geen van de andere onderwijzers viel een dergelijk aanzien ten deel. Hij had het verworven ondanks zijn grote hoofd en neus, en ondanks de duivelse brutaliteit die de leerlingen deze dagen tentoonspreidden.

Toen hij bij het kruispunt van de Foeaad I-straat en de Imaad ad-Dienstraat kwam, stond hij plotseling oog in oog met Boedoer. Zijn hart begon te bonzen alsof de alarmsirene afging. Zijn blik verstarde even. Toen wilde hij glimlachen om zich uit de ongemakkelijke situatie te bevrijden, maar ze wendde haar ogen af en liep met een stalen gezicht langs hem heen. Pas op dat moment zag hij dat ze gearmd liep met een jongeman. Hij bleef staan en keek haar na. Ja, het was Boedoer, in een elegante zwarte jas. Haar metgezel was even net gekleed als zij en was zo te zien nog geen dertig jaar oud. Het kostte hem grote moeite bij te komen van de schok en hij vroeg zich af wie de jongeman kon zijn. Het was niet een broer van haar en ook geen geliefde, want geliefden toonden hun liefde niet zo openlijk in de Foeaad I-straat, zeker niet op vrijdagochtend. Was hij dan... Zijn hart bonsde in paniek. Hij liep hen zonder te aarzelen achterna. Zijn blik liet hen niet los en zijn gedachten waren zo op hen geconcentreerd dat hij het gevoel had dat zijn temperatuur en bloeddruk toenamen en dat de slagen van zijn hart zijn naderende dood aankondigden. Ze bleven voor de etalage van een tassenwinkel staan, zodat hij langzaam kon naderen. Hij tuurde naar de rechterhand van het meisje, totdat zijn blik uiteindelijk op een gouden ring bleef rusten. Een heet gevoel doorstroomde hem, als een mengsel van intense pijnen. Sinds het voorval in de Ibn Zaidoenstraat waren er vier maanden verstreken. Had deze jongeman aan het eind van de straat staan wachten om zijn plaats in te nemen? Hij hoefde zich niet te verbazen, want vier maanden was een lange tijd, waarin de hele wereld op zijn kop kon worden gezet. Hij bleef voor een speelgoedwinkel op enige afstand van hen staan en gluurde naar hen terwijl hij deed alsof hij in de etalage keek. Ze leek nu mooier dan ooit tevoren, een bruid in de ware zin des woords. Maar waarom was ze helemaal in het zwart gekleed? Een zwarte mantel was niet ongewoon en zelfs modieus, maar waarom had ze ook een zwarte jurk aan? Was het de mode of was ze in de rouw? Was haar moeder overleden? Hij had niet de gewoonte de rouwadvertenties in de kranten door te nemen. Maar was dat nog van belang? Het enige dat ertoe deed was dat de bladzijde Boedoer in het boek van zijn leven was omgeslagen. Boedoer was verleden tijd. Eindelijk had de onoplosbare vraag 'Zal ik trouwen of niet?' haar definitieve antwoord gekregen. Hij moest van zijn gemoedsrust genieten na zoveel tweestrijd en kwelling. Hoe vaak had hij niet gehoopt dat ze met iemand anders zou trouwen, zodat hij van zijn kwelling zou zijn verlost... En zie, nu was het gebeurd. Het kwam hem voor dat een mens die werd afgeslacht hetzelfde gevoel zou ondergaan als hij in deze situatie. De poorten van het leven werden in zijn gezicht dichtgesmeten en hij was naar buiten de muren verbannen.

Hij zag dat ze zich weer in beweging zetten en zijn richting uit kwamen. Ze liepen rustig langs hem en hij keek hen na. Hij stond op het punt hen te volgen, maar hij zag er enigszins geërgerd van af en bleef voor de speelgoedetalage staan kijken zonder iets te zien. Hij keek nogmaals naar hen, alsof hij haar een blik van afscheid wilde toewerpen. Ze verwijderden zich zonder te blijven stilstaan, nu eens verdween ze tussen de andere voorbijgangers, dan kwam ze weer te voorschijn; nu eens zag hij de ene helft van haar, dan weer de andere helft. Alle snaren in zijn hart fluisterden 'vaarwel'. Hij voelde pijn opkomen vermengd met droeve tonen, die niet nieuw voor hem waren. Hij herinnerde zich een vergelijkbare toestand in het verleden. Ze drongen in zijn binnenste en rakelden allerlei tastbare herinneringen op, als een raadselachtige melodie die een ontzaglijke pijn opwekte, maar tegelijkertijd niet gespeend was van een zeker ondoorgrondelijk genot. Een gevoel, waarin pijn en genot in elkaar overgingen, zoals in de dageraad het restant van de nacht zich met de voorboden van de dag vermengt. Toen verdwenen ze uit het zicht, misschien voor altijd, zoals haar zuster voor haar was verdwenen.

Hij merkte dat hij zich afvroeg wie haar verloofde was. Hij had hem niet kunnen bekijken, hoewel hij dat graag had gewild. Hij hoopte – als hij een ambtenaar was –, dat hij een rang lager stond dan de onderwijzers. Wat een kinderachtige gedachte... Beschamend... Wat het leed betrof, een deskundige als hij zou zich geen zorgen moeten maken, omdat hij uit ervaring wist dat het, net als alles, uiteindelijk tot de dood zou zijn voorbestemd. Voor het eerst keek hij naar de etalage met speelgoed, dat fraai en ordelijk voor zijn ogen was uitgestald. Er lagen allerlei soorten speelgoed bij, treintjes, auto's, schommels, muziekinstrumenten, huisjes en parkjes. Het geheel trok hem met een vreemde kracht aan, die zo hevig uit zijn gekwelde ziel voortsproot, dat hij zijn ogen er niet van af kon houden. In zijn kindertijd had hij nooit van zo'n paradijs kunnen genieten. Hij was opgegroeid met een drang die nog onbevredigd was, en nu was het te laat om hem te bevredigen. Degenen die over het 'geluk' van de jeugd spraken, wat wisten zij ervan? Wie kon beweren dat hij een gelukkige kindertijd had gehad? Wat was het dan ook stompzinnig, die plotselinge onbedwingbare wens om weer kind te worden, zoals dit houten poppetje dat in een fraai miniatuurpark speelde. Het was een tegelijkertijd stompzinnig en triest verlangen. Misschien waren kinderen eigenlijk onuitstaanbare wezens, en had hij alleen door zijn beroep geleerd hoe hij met hen moest omgaan en hun leiding moest geven. Maar hoe zou zijn leven er uitzien als hij weer kind zou worden en zijn ontwikkelde verstand en zijn geheugen kon behouden? Dan zou hij in de tuin op het dakterras spelen vol van de herinneringen aan Ajida. Of hij zou naar al-Abbasiyya gaan in 1914 en Ajida in de tuin zien spelen, terwijl hij al zou weten wat ze hem in 1924 en daarna zou aandoen. Of hij zou slissend tegen zijn vader zeggen dat de oorlog in 1939 zou beginnen en dat hij na een luchtaanval zou overlijden. Wat een bespottelijke gedachten, maar ze waren in ieder geval te verkiezen boven mijmeren over de nieuwe teleurstelling die hij nu in de Foeaad I-straat had ondergaan, en boven piekeren over Boedoer, haar verloofde en zijn houding tegenover haar. Misschien had hij in het verleden een zonde begaan waarvoor hij zonder het te weten boete deed. Hoe en waar had die zonde plaatsgevonden? Misschien een toevallige handeling, een enkel woord of een standpunt dat hij had ingenomen... Iets dergelijks was schuldig aan de kwelling die hij leed. Hij moest zichzelf goed leren kennen, zodat hij zijn pijnen kon uitbannen, want het gevecht was nog niet afgelopen en hij had zich nog niet overgegeven. Hij zou zich ook niet overgeven. Misschien was dat de oorzaak van die duivelse twijfel, waardoor hij nu op zijn nagels beet wanneer Boedoer gearmd met haar verloofde voorbijliep. Hij moest tweemaal nadenken over deze pijn, die vermengd was met een mysterieus genot. Het was immers dezelfde pijn die hij vroeger had gevoeld, in de woestijn van al-Abbasiyya, terwijl hij naar het verlichte venster van de bruidskamer keek. Was zijn aarzeling tegenover Boedoer een middel om zichzelf in een vergelijkbare situatie te brengen, zodat hij zijn vroegere gevoelens weer kon oproepen en kon zwijmelen over zowel de pijn als het genot? Voordat hij zou beginnen te schrijven over God, de ziel en de materie, zou hij er goed aan doen zichzelf te leren kennen, zijn unieke persoon, Kamaal Efendi Ahmed, of Kamaal Ahmed, of nee, alleen Kamaal. Dan kon hij zichzelf herscheppen. Vanavond moest hij zijn dagboek weer te voorschijn halen om zijn verleden goed te bestuderen. Het zou een nacht worden zonder slaap, maar dat was niet de eerste keer. Hij had er zo'n voorraad van, dat hij ze kon bundelen in een geschrift onder de titel *Slapeloze nachten.* Hij zou nooit zeggen dat zijn leven tevergeefs was, want uiteindelijk zou hij botten nalaten, waarvan komende generaties misschien siervoorwerpen zouden maken.

Boedoer was voorgoed uit zijn leven verdwenen. Wat een met droefheid geladen constatering, als een treurzang... Ze liet niet één herinnering aan affectie na, geen omarming, geen kus, zelfs geen aanraking of vriendelijk woord. Maar hij was niet bang meer voor slapeloosheid, want vroeger trad hij die alleen tegemoet, terwijl hij nu allerlei middelen had waarin het verstand en het hart oplosten. Hij zou naar Atia gaan in haar nieuwe huis in de Mohammed Ali-straat en ze zouden onophoudelijk keuvelen. De vorige keer had hij tegen haar gezegd, met een dikke tong van dronkenschap: 'Wat passen wij goed bij elkaar.'

Met gelaten spot had ze gezegd: 'Wat ben je lief als je dronken bent.'

'Wat zouden we gelukkig zijn als we zouden trouwen,' vervolgde hij. Ze zei met gefronst voorhoofd: 'Drijf niet de spot met me, want ik ben ooit een dame geweest, in de volle betekenis van het woord.'

'Ja, ja... Je bent heerlijker dan een rijpe vrucht.'

Ze kneep hem en zei gekscherend: 'Dat zeg je nu, maar als ik je er een paar piaster meer voor zou vragen zou je weglopen.'

'Wat wij met elkaar hebben stijgt boven geld uit.'

Ze keek hem protesterend aan en zei: 'Maar ik heb twee kinderen die liever geld zien dan wat wij met elkaar hebben.'

Zijn dronkenschap en melancholie bereikten een hoogtepunt en hij zei spottend: 'Ik denk erover tot inkeer te komen, net als sitt Galiela. Zodra ik tot het soefisme ben uitverkoren, zal ik al mijn rijkdom aan jou afstaan.'

Ze zei lachend: 'Als jij je bekeert, dan is het met meisjes als ik gebeurd.'

Hij lachte luid en zei: 'Ik kom niet tot inkeer als het meisjes als jij schade doet.'

Toch verafschuwde hij slapeloosheid. Hij had het gevoel dat hij lang genoeg voor de speelgoedetalage had gestaan en liep weg.

Khalo, de eigenaar van taveerne 'de Ster' in de Mohammed Alistraat, vroeg: 'Is het waar dat ze de drankzaken gaan sluiten?'

Jasien zei zelfverzekerd: 'Dat zal niet gebeuren, Khalo. De afgevaardigden zeggen altijd van alles wanneer de begroting wordt besproken. De regering belooft altijd toe te zien op een zo spoedig mogelijke uitvoering van de wensen van de afgevaardigden. En dat "zo spoedig mogelijk" komt nooit dichterbij.'

Het gezelschap van Jasien barstte los met commentaar. De personeelschef zei: 'Ze beloven al jaren dat ze de Engelsen eruit zullen gooien, dat ze een nieuwe universiteit zullen openen, dat ze de Khaliegstraat zullen verbreden, en is er ooit iets van terechtgekomen, Khalo?'

De gepensioneerde vrijgezel zei: 'Misschien heeft de afgevaardigde die het voorstel heeft ingediend die afschuwelijke oorlogsalcohol gedronken en heeft hij wraak willen nemen met zijn voorstel.'

'Hoe het ook zij,' zei de advocaat, 'de taveernes in de straten waar de buitenlanders komen zullen er niet door getroffen worden. Dus als het onverhoopt mocht gebeuren, Khalo, hoef je alleen maar een aandeel te nemen in de een of andere taveerne. Drankzaken zijn net als gebouwen: ze zijn er om elkaar te ondersteunen.'

De hoofdklerk van de dienst voor religieuze stichtingen zei: 'Als de Engelsen al met hun tanks naar Abdien oprukken voor zoiets onbenullig als an-Nahhaas weer aan de macht brengen, denk je dan dat ze zouden zwijgen als de drankzaken dichtgaan?'

Afgezien van de groep met Jasien, waren er ook een paar kooplieden, maar desondanks stelde de hoofdklerk voor dat zij hun dronkenschap zouden aanlengen met enig gezang.

'Kom op, laten we *Gevangene van de liefde* zingen.'

Khalo haastte zich naar zijn plaats achter de toog en de vrienden hieven aan:

Gevangene van de liefde
Wat is hij diep gezonken

De dronkenschap klonk duidelijk door in hun stemmen en er tekende zich een spottende glimlach af op de gezichten van de kooplieden. Maar het zingen duurde niet lang. Jasien was de eerste die ophield, waarna de anderen volgden. Alleen de hoofdklerk maakte het couplet af. Toen viel er een stilte die af en toe werd verbroken door geslurp of gesmak of handgeklap om een glas of een hapje te bestellen. Opeens zei Jasien: 'Is er niet een middeltje om zwangerschap te bespoedigen?'

De oude ambtenaar bromde: 'Dat heb je nu al zo vaak gevraagd. Geduld, jongen.'

De hoofdklerk zei: 'Je hoeft niet bang te zijn, Jasien Efendi. Je dochter zal heus wel zwanger worden.'

Met een domme glimlach zei Jasien: 'Ze is een bruid als een roos, de trots van de Suikersteeg. Maar ze is het eerste meisje in de familie dat een jaar is getrouwd en nog niet zwanger is. Daarom is haar moeder bezorgd.'

'Haar vader ook, zo te zien.'

'Als een echtgenote bezorgd is, is haar man dat ook,' zei Jasien lachend.

'Als een mens bedenkt hoe vreselijk kinderen zijn, zou hij de pest hebben aan zwangerschap.'

'Zelfs dan... Mensen trouwen gewoonlijk om een nageslacht te krijgen.'

'En daar hebben ze gelijk in. Zonder kinderen zou niemand het echtelijke bestaan kunnen verdragen.'

Jasien dronk zijn glas leeg en zei: 'Ik vrees dat mijn neef geen aanhanger van die visie is.'

'Sommige mannen nemen kinderen om hun vrouw bezig te houden, zodat zij weer iets van hun verloren vrijheid kunnen terugwinnen.'

'Vergeet het maar,' zei Jasien. 'Een vrouw kan een kind de borst geven, een tweede op haar arm wiegen en tegelijkertijd haar man in de gaten houden. "Waar ben je geweest?" "Waarom ben je zo laat thuis?" Toch hebben de wijsgeren nooit iets aan dit universele systeem kunnen veranderen.'

'Hoe komt dat?'

'Door hun echtgenoten. Die hebben hun niet de kans gegeven om na te denken.'

'Rustig maar, Jasien Efendi, de echtgenoot van je dochter zal nooit vergeten dat je zoon hem aan een betrekking heeft geholpen.'

'Alles wordt vergeten.'

De drank tintelde in zijn hoofd en hij zei lachend: 'Trouwens, zoonlief staat nu zelf aan de kant.'

'Ja, en zo te zien gaat de Wafd het deze keer lang uithouden.'

De advocaat zei op gedragen toon: 'Als alles in Egypte zijn natuurlijke loop volgt, is de Wafd voor altijd aan de macht.'

'Dat zou uitstekend zijn,' zei Jasien lachend, 'als mijn zoon niet uit de Wafd was getreden.'

'Vergeet het ongeluk in al-Kassasien niet.* Als de koning omkomt is het gedaan met de tegenstanders van de Wafd.'

'Maar de koning mankeert niets.'

'Prins Mohammed Ali heeft zijn staatsiekostuum al klaarliggen. En hij heeft heel zijn leven een goede verstandhouding met de Wafd gehad.'

'Wie op de troon zit – hoe hij ook heet –, is een vijand van de Wafd, op grond van zijn positie. Net zoals whisky en zoetigheid niet samengaan.'

Jasien barstte in een hilarisch gelach uit.

'Jullie hebben misschien gelijk,' zei hij. 'Wie een dag ouder is, is een jaar wijzer. Sommigen van jullie zijn al stokoud en de rest is er niet ver vanaf.'

'God zij met je, je bent zelf al zevenenveertig.'

'Ik ben in elk geval jonger dan jullie.'

Hij knakte met zijn vingers en vervolgde, wiegend van dronkenschap en trots: 'De ware leeftijd wordt niet in jaren gemeten, maar in dronkenschap. De drank is misschien slechter van kwaliteit en smaak in oorlogstijd, maar de dronkenschap is hetzelfde. Wanneer je wakker wordt, bonkt je hoofd van de pijn en moet je je ogen openen met een tang. Daarna laat je alcoholboeren. Toch zeg ik jullie dat ten behoeve van dronkenschap alles te verdragen is. Iemand vraagt misschien: "En je gezondheid dan?" Ja, de gezondheid is niet meer wat zij geweest is. Iemand van zevenenveertig is tegenwoordig niet meer als iemand van diezelfde leeftijd vroeger. Dat duidt erop dat alles duurder is geworden in de oorlog, behalve de leeftijd, want die is niet te koop. Vroeger trouwde een man nog op zijn zestigste, maar in onze verraderlijke tijd vraagt iemand van veertig de wetenschappers al om versterkende recepten. Een

* Koning Faroek kwam bijna om bij een auto-ongeluk met een Britse vrachtwagen in de Caïreense wijk al-Kassasien.

bruidegom redt het in zijn wittebroodsweken maar ternauwernood.'

'Vroeger... Iedereen heeft er heimwee naar.'

Terwijl de tonen van de dronkenschap meeklonken in de snaren van zijn stem, hernam Jasien: 'Vroeger... God zij mijn vader genadig. Hij heeft me zo vaak geslagen om te verhinderen dat ik mijn bloed opofferde aan de revolutie. Maar wie niet bang is voor de kogels van de Engelsen is ook niet bang voor een pak slaag. We kwamen in het koffiehuis van Ahmed Abdoeh bijeen om demonstraties te organiseren en bommen te gooien.'

'Beginnen we daar weer over? Vertel eens, Jasien Efendi, was je in de tijd van de strijd net zo zwaarlijvig als nu?'

'Nog zwaarlijviger, maar als het ernst werd, was ik als een bij. Op de dag van de grote demonstratie liep ik aan het hoofd, ik en mijn broer, de eerste martelaar van de nationalistische beweging. Ik hoorde de kogel fluiten toen die langs mijn oor vloog en mijn broer trof. Wat een herinnering. Als hij was blijven leven, had hij recht gehad op de rang van minister, net als de andere oud-strijders.'

'Maar jij bent in leven gebleven.'

'Ja, maar ik kon geen minister worden omdat ik alleen een lagere-schooldiploma had. En bovendien, in onze strijd wacht ons de dood, geen hoge positie. Maar het is onvermijdelijk dat sommigen omkomen en anderen hoge functies krijgen. Op de begrafenis van mijn broer liep Saad Zaghloel mee. De leider van de studenten heeft me aan hem voorgesteld. Nog een mooie herinnering.'

'Maar hoe komt het dat je, naast de strijd, nog tijd had voor geslemp en geflikflooi?'

'Luister! En die soldaten dan, die de vrouwen op straat te grazen nemen, zijn dat niet dezelfde die Rommel op de vlucht hebben gejaagd? De strijd staat vertier niet in de weg. Als jullie eens wisten hoezeer de drank de ziel van de ridderlijkheid belichaamt. De strijder en de drinker zijn broeders, slimmerik.'

'Heeft Saad Zaghloel niet iets tegen je gezegd op de begrafenis van je broer?'

De advocaat antwoordde in zijn plaats: 'Hij zei: "Jammer dat jij niet de martelaar bent."'

Ze lachten. In deze toestand lachten ze eerst en vroegen zich dan pas af waarom. Jasien lachte ontspannen en van ganser harte met hen mee, en hervatte toen zijn verhaal: 'Dat zei hij niet. Hij was – God hebbe zijn ziel – beleefder dan Uedele. Hij was ook begaafd en had daarom een brede horizon. Hij was politicus, strijder, letterkundige, filosoof en jurist. Een woord van hem kon beslissen over leven of dood.'

'God zij hem genadig.'

'God zij hun allemaal genadig. Elke gestorvene verdient genade. Het is al erg genoeg dat hij zijn leven verloren heeft. Zelfs hoeren en pooiers. Zelfs de moeder die haar zoon naar haar minnaar stuurt om hem te halen.'

'Bestaat er zo'n moeder?'

'Alles wat je je kunt voorstellen en wat je je niet kunt voorstellen bestaat in het leven.'

'Had ze daar alleen haar zoon voor?'

'Wie zorgt er beter voor de moeder dan haar zoon? Jullie zijn trouwens allemaal zonen van een geslachtsgemeenschap.'

'Maar wel een wettige.'

'Dat is een formaliteit, het feit blijft hetzelfde. Ik heb ongelukkige hoeren gekend die een week of langer niemand in bed hadden. Noem me een van jullie moeders die zo lang ver van haar partner heeft doorgebracht.'

'Ik ken geen volk dat er zo van houdt de reputatie van moeders te besmeuren als Egyptenaren.'

'We zijn een volk zonder manieren.'

'De tijd heeft ons meer opgevoed dan goed voor ons is,' zei Jasien lachend. 'Als iets te ver gaat, slaat het om in zijn tegendeel. Daarom zijn we ongemanierd. Maar desondanks zijn we goedhartig en uiteindelijk krijgen we altijd berouw.'

'Ik ben al gepensioneerd, maar ik heb nog steeds geen berouw.'

'Berouw onderwerpt zich niet aan het ambtenarenstatuut. Bovendien doe je niets kwaads. Je bent elke avond een paar uur dronken, daar is niets op tegen. Op een dag zal je belet worden nog te drinken, hetzij door ziekte, hetzij door de dokter, wat hetzelfde is. Wij zijn van nature zwak, anders zouden we niet zo van drank houden en het echtelijk leven niet volhouden. Met het verstrijken der dagen worden we steeds zwakker, maar onze verlangens kennen geen grenzen. Daaronder lijden we, zodat we weer opnieuw gaan drinken. Ons haar wordt grijs en op een dag komt onze leeftijd uit. Dan worden we opeens op straat tegengehouden door een onverlaat die zegt: "Het is een schande dat je de vrouwen naloopt terwijl je al grijze haren hebt." "Grote God, wat heb jij ermee te maken of ik een jongeman ben of een grijsaard, en of ik een vrouw naloop of een ezel?" Uiteindelijk haal je het in je hoofd dat de mensen met je vrouw tegen je samenspannen. En afgezien daarvan heb je nog het geflirt met zijn onverkwikkelijkheden en de soldaat met zijn knuppel. Zelfs dienstmeisjes lopen er al parmantig bij op de groentemarkt. Zo bevind je je in een vijandige wereld met de fles als enige kameraad. En dan komen die huurlingen aan de beurt, die simpel zeggen: "Niet meer drinken."'

'En wil je ontkennen dat we de wereld desondanks met heel ons hart liefhebben?'

'Met heel ons hart. Zelfs het kwaad is niet geheel gespeend van het goede. Zelfs in de Engelsen schuilt iets goeds. Ik heb ze ooit van nabij leren kennen. In de tijd van de revolutie had ik vrienden onder hen.'

'Maar je streed tegen ze,' riep de advocaat. 'Ben je dat vergeten?'

'Eh... ja... Elke situatie vereiste iets anders. Op een keer verdachten ze me ervan dat ik een spion was, maar de leider van de studenten snelde op het juiste moment toe en zei de mensen wie ik werkelijk was. Ze riepen me toe... Dat was in de Hoessein-moskee.'

'Leve Jasien, leve Jasien... Maar wat deed jij in de Hoesseinmoskee?'

'Geef antwoord. Dat is een heel belangrijk punt.'

Jasien lachte en zei: 'We baden in de moskee. Mijn vader had de gewoonte ons mee te nemen voor het vrijdaggebed. Geloven jullie me niet? Vraag het maar aan de mensen in al-Hoessein.'

'Bad je om een wit voetje bij je vader te halen?'

'Bij God, denk geen kwaad over ons, wij zijn een godsdienstige familie. We zijn weliswaar dronkaards en schuinsmarcheerders, maar uiteindelijk wacht ons berouw.'

De advocaat geeuwde en zei: 'Zullen we weer even iets zingen?'

Jasien zei snel: 'Toen ik gisteren zingend uit de taveerne

kwam, werd ik door een politieagent aangehouden, die dreigend riep: "Hé, efendi." Ik vroeg: "Heb ik niet het recht om te zingen?" Hij zei: "Het is verboden na twaalf uur lawaai te maken." Ik protesteerde: "Maar ik zong!" Hij zei kwaad: "Dat maakt geen verschil voor de wet." "En de bommen die na twaalf uur ontploffen, is dat dan geen lawaai?" "Blijkbaar wilt u graag een nacht op het politiebureau doorbrengen." Ik liep weg en zei: "Nee, ik slaap liever thuis." Hoe kunnen we ooit een beschaafde natie worden als politieagenten de dienst uitmaken? Thuis staat je echtgenote je op te wachten, op het ministerie je chef, en zelfs in je graf kom je twee engelen met knuppels tegen.'

'Laten we zingen als aperitief,' zei de advocaat. De gepensioneerde vrijgezel schraapte zijn keel en begon te zingen:

Mijn echtgenoot heeft een ander getrouwd
Ik heb de henna nog op mijn handen
De dag waarop hij kwam en haar meenam
Brandde ik als vuur, o mensen

Meteen zongen ze het refrein met wild enthousiasme. Jasien lachte tot de tranen in zijn ogen sprongen.

13

Khadiega voelde zich vaak alleen. Hoewel Ibrahiem Sjaukat, vooral nu hij tegen de zeventig liep, de hele winter binnen bleef, slaagde hij er toch niet in haar eenzaamheid te verdrijven. Ze vatte haar huishoudelijke taken nog even zwaar op, maar die taken waren zo licht geworden dat ze niet meer al haar energie en werklust in beslag namen. Ze was zesenveertig jaar, maar nog steeds sterk, ijveriger en dikker dan ooit. Het ergste was dat haar taak als moeder was opgehouden, terwijl haar rol als schoonmoeder nog niet was aangevangen, en schijnbaar nooit zou aanvangen, want haar ene schoondochter was een nicht van haar en de andere was een werkende vrouw die ze maar zelden tegenkwam. Ze luchtte haar bedrukte gemoed in gesprekken met haar echtgenoot die in zijn mantel gewikkeld zat.

'Ze zijn al een jaar getrouwd en we hebben nog steeds geen kaarsen kunnen aansteken.'

De man haalde onverschillig zijn schouders op zonder iets te zeggen. Ze vervolgde: 'Misschien vinden Abd al-Moen'im en Ahmed dat het krijgen van kinderen uit de mode is, net als het gehoorzamen van ouders.'

De man zei geërgerd: 'Maak je niet druk. Ze zijn gelukkig, daar gaat het om.'

Ze vroeg heftig: 'Als de bruid niet zwanger wordt en geen kinderen krijgt, waar dient ze dan voor?'

'Misschien zijn je zoons het daar niet mee eens.'

'Ze zijn het nooit met me eens. Al mijn moeite en hoop zijn tevergeefs geweest.'

'Doet het je zoveel verdriet dat je geen grootmoeder bent?'

Met enige stemverheffing zei ze: 'Ik heb verdriet om hen, niet om mezelf.'

'Abd al-Moen'im is met Kariema naar de dokter geweest en die geeft goede hoop.'

'De arme jongen heeft veel uitgegeven en de kosten zullen nog hoger oplopen. Bruiden zijn duur, tegenwoordig, net als tomaten en vlees.'

De man lachte zonder iets te zeggen. Khadiega vervolgde: ‘En voor die andere heb ik gebeden tot Sidi al-Mitwalli.’

‘Je moet erkennen dat ze honing op haar tong heeft.’

‘Ze is sluw en doortrapt. Wat kun je anders verwachten van een sjouwersdochter?’

‘God vergeve je, sjeikha.’

‘Wanneer gaat de “oestaaz” eens met haar naar de dokter?’

‘Maar zij doen aan onthouding, wat dat betreft.’

‘Natuurlijk, zij werkt. Waar moet ze de tijd vandaan halen om zwanger te worden en kinderen te krijgen?’

‘Ze zijn gelukkig, dat staat vast.’

‘Een vrouw die werkt kan geen goede echtgenote zijn. Hij zal daar te zijner tijd achterkomen.’

‘Hij is een man. Daar kan hij wel tegen.’

‘In deze hele wijk zijn er geen twee jongemannen als mijn zoons. Wat vreselijk...’

Het karakter en de aspiraties van Abd al-Moen’im hadden zich uitgekristalliseerd. Hij was een competent ambtenaar en een actieve Broeder. Hij had de supervisie over de afdeling al-Gamaliyya gekregen en was tevens tot haar juridisch adviseur benoemd. Hij werkte mee aan de redactie van het tijdschrift en hield soms preken in wijkmoskeeën. Zijn appartement was een trefpunt voor de Broeders geworden, die elke avond bij hem kwamen met aan het hoofd sjeik Ali al-Minoefi. De jongeman was bijzonder enthousiast en liep over van toewijding en bereidheid om alles wat hij bezat aan energie, geld en verstand ten dienste te stellen van de goede zaak. Daarin geloofde hij met heel zijn hart, volgens de interpretatie van de leider die inhield dat het om een fundamentalistische boodschap ging, die terugging op de leefwijze van de Profeet en de mystiek, om een politieke organisatie, een sportvereniging, een wetenschappelijke en culturele organisatie, een economische onderneming en een sociale ideologie. Sjeik Ali al-Minoefi zei: ‘De leerstellingen en voorschriften van de islam vormen een systeem dat alle aangelegenheden van de mens in deze wereld en het hiernamaals omvat. Degenen die menen dat deze leer alleen betrekking heeft op spiritualiteit en vroomheid, zonder de andere aspecten, vergissen zich. Want de islam is dogma en vroomheid, vaderland en natie, godsdienst en staat, religiositeit, Boek en zwaard.'

Een van de aanwezige jongemannen zei: 'Zo is onze godsdienst. Maar we zijn passief en doen niets, terwijl de ongelovigheid heerst, met haar wetten, tradities en voormannen.'

'We moeten werven en de boodschap uitdragen,' zei sjeik Ali. 'We moeten strijdbare aanhangers werven. Dan breekt de tijd van de daad aan.'

'Hoe lang moeten we nog wachten?'

'We moeten wachten tot de oorlog voorbij is. Dan is de weg geëffend voor onze boodschap. De mensen hebben geen vertrouwen meer in de politieke partijen. Wanneer de stem van de Leider op het juiste moment klinkt, springen de Broeders op, ieder voorzien van zijn koran en zijn wapen.'

Abd al-Moen'im zei met zijn luide, zware stem: 'We moeten ons op een lange strijd voorbereiden. Onze boodschap is niet alleen tot Egypte gericht, maar tot alle moslims op aarde. We zullen pas zijn geslaagd als Egypte en de islamitische naties op deze koranische grondslag verenigd zijn. We zullen ons wapen pas weer neerleggen als we zien dat de koran de grondwet voor alle moslims is.'

Sjeik Ali al-Minoefi zei: 'Ik kan jullie het verheugende nieuws meedelen dat onze boodschap zich dankzij God in alle milieus verbreidt. We hebben nu al een centrum in elk dorp. Het is de boodschap van God, en God laat geen volk van helpers in de steek.'

Tegelijkertijd bruiste de benedenverdieping ook van activiteit, al was het met een ander doel en een geringer aantal deelnemers. Ahmed en Sausan ontvingen 's avonds vaak een beperkt aantal vrienden met verschillende religieuze en etnische achtergrond, van wie de meesten uit journalistieke kringen afkomstig waren. Op een avond kregen zij bezoek van *oestaaz* Adli Kariem. Hij was op de hoogte van de theoretische discussies die zij voerden en zei: 'Het is goed dat jullie het marxisme bestuderen, maar onthoudt goed dat het, al is het een historische noodzakelijkheid, niet om een soort determinisme gaat als dat van de astronomische verschijnselen. Het wordt slechts verwezenlijkt door de wil en de strijd van de mensheid, dus is het niet onze eerste taak om veelvuldig te filosoferen, maar om het bewustzijn van de zwoegende klassen te doordringen van de historische rol die zij moeten vervullen om zichzelf en de hele wereld te redden.'

Ahmed zei: 'We vertalen de meest waardevolle boeken over deze filosofie voor de intellectuele elite en houden daarnaast enthousiasmerende lezingen voor de strijdende arbeiders. Allebei de activiteiten zijn noodzakelijk en onmisbaar.'

'Maar de verdorven maatschappij zal zich alleen verbeteren door het proletariaat. Wanneer het bewustzijn van het nieuwe geloof is doordrongen, wordt het hele volk één brok wilskracht. Dan houden noch barbaarse wetten, noch kanonnen ons tegen.'

'Daarin geloven we allemaal. Maar het winnen van het verstand van de intellectuelen betekent een greep op de groep die in aanmerking komt om leiding te geven en te besturen.'

'Sidi *oestaaz*,' zei Ahmed opeens. 'Er is iets dat ik u wilde voorleggen. Ik heb ondervonden dat het niet moeilijk is intellectuelen ervan te overtuigen dat godsdienst een mythe is en dat het bovennatuurlijke een verdovend middel en misleiding is. Het is echter zeer gevaarlijk met het volk over deze denkbeelden te spreken. Het belangrijkste argument dat onze tegenstanders gebruiken is de beschuldiging dat onze beweging atheïstisch en ketters is.'

'Onze eerste taak is de geest van bezadigdheid, laksheid en berusting te bestrijden. Wat betreft de godsdienst, daarmee rekenen we af onder het vrije bestuur, en dat vrije bestuur kan alleen door een omwenteling worden verwezenlijkt. In het algemeen is armoede sterker dan het geloof, en het is altijd verstandig het volk op zijn eigen niveau toe te spreken.'

De *oestaaz* keek glimlachend naar Sausan en zei: 'Je geloofde in actie, stel je je tevreden met discussiëren nu je getrouwd bent?'

Ze begreep dat hij haar plaagde en niet meende wat hij zei. Desondanks zei ze ernstig: 'Mijn echtgenoot houdt lezingen voor de arbeiders in ver afgelegen bouwvallen, en ik deel alleen maar pamfletten uit.'

Ahmed zei op bezorgde toon: 'Het is een tekortkoming van onze beweging dat ze veel opportunisten aantrekt, mensen die werken voor het geld of voor partijbelangen.'

Terwijl hij zichtbaar onverschillig knikte, zei *oestaaz* Adli Kariem: 'Dat weet ik maar al te goed. Maar ik weet ook dat de

Oemmajjaden de islam erfden zonder dat ze erin geloofden, en dat zij het desondanks geweest zijn die de islam overal in de toenmalige wereld hebben verbreid, tot in Spanje toe. We moeten van zulke mensen profiteren en tegelijkertijd voor hen op onze hoede zijn. Vergeet niet dat de tijd aan onze kant staat op voorwaarde dat we ons de uiterste inspanning en opoffering getroosten.'

'En de Moslim Broeders, *oestaaz*? We beginnen te beseffen dat zij een belangrijke hindernis voor ons vormen.'

'Dat ontken ik niet. Maar zij zijn niet zo belangrijk als je denkt. Zie je niet dat ze het verstand aanspreken met onze taal en het hebben over "islamitisch socialisme"? Zelfs de reactionairen kunnen er niet onderuit onze terminologie te gebruiken. Als zij ons voor zijn met een coup, dan zullen ze een paar principes van ons verwezenlijken, al is het maar gedeeltelijk. Maar ze zullen nooit de beweging van de tijd kunnen stremmen die naar haar voorbestemde doel voortgaat. Bovendien zal de verbreiding van de wetenschap hen weten te verjagen, zoals het licht vleermuizen verjaagt.'

Khadiega zag deze vreemde activiteit aan met een mengeling van verbazing en bitterheid. Op een dag zei ze tegen haar echtgenoot: 'Ik heb nog nooit zoiets gezien als het huis van Abd al-Moen'im en Ahmed. Blijkbaar hebben ze er koffiehuizen van gemaakt zonder dat ik het wist. Zodra de avond valt staat de straat vol bezoekers, mannen met baarden en *khawaga*'s. Zoiets heb ik nog nooit gehoord.'

De man knikte en zei: 'Dan is het tijd dat je het wel hoort.'

Ze zei heftig: 'Hun salaris is niet toereikend om de koffie voor al die gasten te betalen.'

'Hebben ze soms over geldgebrek geklaagd?'

'En de mensen? Wat moeten die ervan denken als ze hele volksstammen in en uit zien lopen?'

'Iedereen is vrij in zijn eigen huis.'

Ze snoof en zei: 'En die eindeloze gesprekken... Soms praten ze zo hard dat het op straat te horen is.'

'Laat het buiten maar te horen zijn, of in de hemel...'

Khadiega slaakte een diepe zucht, terwijl ze haar handen op elkaar sloeg.

In de villa van Abd ar-Rahiem Pasja Iesa in Helwaan nam de laatste groep bezoekers afscheid. Ze waren gekomen om afscheid van hem te nemen voordat hij naar het land van de Hidjaaz vertrok om zijn geloofsplicht tot de pelgrimstocht te vervullen.

'De *hadj* is al een oude wens van me. God vervloeke de politiek, die me er jaar na jaar vanaf heeft gehouden. Maar op mijn leeftijd moet een mens nadenken over de voorbereidingen op de ontmoeting met zijn Heer.'

Ali Mahraan, de secretaris van de pasja zei: 'God vervloeke de politiek.'

De pasja liet zijn fletse blik nadenkend heen en weer gaan tussen Ridwaan en Hilmi, en zei toen: 'Zeg erover wat je wilt, maar ik heb ook iets aan de politiek te danken dat ik niet zal vergeten, en dat is dat ik ben afgeleid van mijn eenzaamheid. Een oude vrijgezel als ik zoekt zelfs tot in de hel naar gezelligheid.'

Ali Mahraan liet zijn wenkbrauwen dansen en zei: 'En wij, pasja, hebben wij niet het onze bijgedragen om je af te leiden?'

'Zonder twijfel. Maar de dag van een vrijgezel is even lang als een winternacht. Een mens moet een metgezel hebben. Ik erken dat de vrouw een belangrijke noodzaak is. Wat moet ik vaak aan mijn moeder denken, de laatste tijd. De vrouw is een noodzaak, zelfs voor wie geen liefhebber van vrouwen is.'

Ridwaan was diep in gedachten verzonken. Opeens vroeg hij aan de pasja: 'Als an-Nahhaas Pasja wordt afgezet, ziet u dan af van de reis?'

De pasja maakte een boos gebaar met zijn hand: 'Laat die ellendeling tenminste aanblijven tot ik terug ben van de *hadj*.'

Hoofdschuddend vervolgde hij: 'We zijn allen zondaars. En de *hadj* wast de zonden schoon.'

Hilmi Izzat zei lachend: 'U bent gelovig geworden, pasja, ook al staat menigeen daar versteld van.'

'Waarom? Het geloof is ruimhartig. Alleen een hypocriet maakt aanspraak op volstrekte onschuld. Het is dom om te denken dat de mens alleen zondigt wanneer hij niet gelooft. Trouwens, onze zonden hebben meer weg van kattekwaad.'

Ali Mahraan slaakte een zucht van verlichting en zei: 'Dat is mooi gezegd. Laat me je nu bekennen dat ik het somber inzag toen je me je voornemen vertelde om de *hadj* te volbrengen. Ik vroeg me af of het uit berouw zou zijn en of het afgelopen zou zijn met de geneugten des levens.'

De pasja lachte zo hard dat zijn lichaam ervan schudde, en zei: 'Je bent een echte duivel. Zouden jullie echt bedroefd zijn als jullie zouden horen dat het uit berouw is?'

'Als een vrouw die haar kind onthalsd op haar schoot draagt,' zei Hilmi zuchtend. Abd ar-Rahiem lachte opnieuw en zei: 'Ach, schurken... Als iemand als ik werkelijk tot inkeer wil komen, houdt hij zich verre van grote ogen en roze wangen, en trekt hij zich terug bij het graf van de Profeet, hij zij gezegend.'

Ali Mahraan riep met leedvermaak: 'In de Hidjaaz? Weet je hoe het daar is? Ik heb erover gehoord van mensen die het kunnen weten. Je zult er van de regen in de drup komen.'

Hilmi Izzat wierp tegen: 'Misschien is het valse propaganda, zoals de propaganda van de Engelsen. Is er in de hele Hidjaaz een gezicht als dat van Ridwaan?'

'Zelfs in het paradijs niet,' riep Abd ar-Rahiem Iesa. Hij voegde eraan toe: 'Maar we hadden het over berouw, schavuiten.'

'Rustig aan, pasja,' zei Ali Mahraan. 'Je hebt me ooit verteld over een soefi die zeventig keer tot inkeer kwam. Betekent dat niet dat hij zeventig keer gezondigd had?'

'Ofwel honderd keer,' zei Ridwaan.

'Ik neem genoegen met zeventig keer,' zei Ali Mahraan. Met stralend gezicht vroeg de pasja: 'Is er nog tijd genoeg in het leven?'

'God schenke je een lang leven, pasja. Stel ons gerust, en zeg dat dit je eerste berouw is.'

'En het laatste.'

'Opschepperij... Als je me uitdaagt zal ik je bij je terugkeer van de *hadj* afhalen met een onovertrefbare schoonheid. Dan moet je maar eens zien hoe het je vergaat.'

Met een glimlach zei de pasja: 'Het resultaat zal net zo zijn als jouw gezicht, een verwrongen snuit. Je bent een duivel, Mahraan. Een duivel waar een mens niet buiten kan.'

'Gelukkig maar.'

'Zeg dat wel,' zeiden Ridwaan en Hilmi tegelijk. Trots en gelukkig zei de pasja: 'Jullie zijn mijn hartsvrienden. Wat is het leven zonder genegenheid en vriendschap? Het leven is mooi, schoonheid is mooi, muziek is mooi, vergevingsgezindheid is mooi. Jullie zijn jong en zien de wereld van een bepaalde kant. Het leven zal jullie nog veel leren. Ik houd van jullie en van de wereld. Ik ga op bezoek in het huis van God om mijn dankbaarheid te tonen, vergeving en rechte leiding te vragen.'

Ridwaan zei met een glimlach: 'Wat zie je er stralend uit. De sereniteit druipt ervan af.'

Ali Mahraan zei arglistig: 'Maar met een kleine beweging druipt hij van iets anders. Echt, pasja, je bent de leermeester van een hele generatie.'

'En jij bent de duivel zelf, oude rakker. Mijn God, als ik ooit ter verantwoording word geroepen, hoef ik alleen maar naar jou te wijzen.'

'Naar mij? Dat is onrechtvaardig. Ik ben maar een slaaf die bevelen uitvoert.'

'Nee, je bent een duivel.'

'Maar een waar een mens niet buiten kan.'

De pasja zei lachend: 'Inderdaad, schurk.'

'Ik ben in je prachtige leven altijd een welluidende melodie geweest, een mooi gezicht en een zich steeds vernieuwend geluk, en dat ben ik nog steeds. Vergeet ten slotte niet de tijd van mijn jeugd, o verraderlijk geluk.'

De pasja verzuchtte: 'Die goede oude tijd... Ach, de tijd... Jongens, waarom worden we ouder? Maar Uw wijsheid is onmetelijk, mijn Heer.'

Hij zong:

Mijn staf boog niet voor een knipoog
Hem verzachtten slechts de ochtend en de avond

Met dansende wenkbrauwen zei Ali Mahraan: 'Voor een knipoog? Zeg liever "voor Mahraan".'

'Schurk, bederf de stemming niet met je grapjes. We mogen niet spotten als we het over de mooie tijden van weleer hebben. Soms zijn tranen mooier dan een glimlach, veel menselijker en veel dankbaarder. Luister ook hiernaar:

Je hebt me afgewezen
Maar het enige nieuws
Is mijn grijze, kalende hoofd'

'Wat vinden jullie van dat "nieuws"?'

Mahraan riep op de manier van een krantenverkoper: '*Het Nieuws, al-Ahraam, al-Masri...*'

De pasja zei wanhopig: 'Het is niet jouw schuld, maar...'

'Jouw schuld.'

'De mijne? Mij treft geen blaam, wat jou betreft. Toen ik je leerde kennen was je in zo'n staat dat de duivel Iblies jaloers op je zou zijn geweest. Maar ik laat niet toe dat je me uit mijn nostalgische stemming haalt. Ja... Luister ook hiernaar:

Ik ben van mijn sappige jeugd ontdaan
Als een stok zonder bladeren'

'Een "stok", pasja?' vroeg Mahraan, alsof hij geschokt was.

De pasja liet zijn blik heen en weer gaan tussen Ridwaan en Hilmi, die schaterden van het lachen, en zei: 'Jullie vriend is een ongevoelig lijk. Poëzie raakt hem niet. Maar weldra zal hij spijt krijgen, wanneer al het mooie verleden tijd is.'

Hij vervolgde tegen Mahraan: 'Ben je de vrienden van vroeger vergeten, oude rakker?'

'Och, God schenke hun al het goede. Ze waren allemaal even mooi en wulps.'

'Wat weet je van Sjakir Soelaimaan?'

'Hij was vice-minister van Binnenlandse Zaken en knuffeldier van de Engelsen, totdat hij voortijdig met pensioen werd gestuurd tijdens de tweede regering an-Nahhaas, of de derde, dat weet ik niet meer. En ik geloof dat hij zich nu heeft teruggetrokken op zijn landgoed in Koem Hamada.'

'Ach, wat een tijd... En Hamid an-Nagdi?'

'Die is het slechtst terechtgekomen van onze dierbaren. Hij is diep gezonken en loopt 's nachts de openbare toiletten af.'

'Hij was geestig en aardig, maar ook een gokker en een losbol. En Ali Ra'fat?'

'Die is het door zijn "inspanningen" gelukt om lid van de bestuursraad van een aantal bedrijven te worden. Maar zijn reputatie heeft een ministerschap voor hem onmogelijk gemaakt, zo wordt gezegd.'

'Geloof niet wat ze zeggen. Er zijn mensen minister geworden van wie de roem tot over de grenzen van het koninkrijk reikte. Bovendien heb ik jullie er al vaak op gewezen dat wij meer dan de andere mensen het openbare fatsoen in acht moeten nemen. Als jullie daarin slagen, kan jullie daarna niets meer verweten worden. De mammelukken hebben Egypte generaties lang geregeerd en hun nazaten genieten nog steeds aanzien en rijkdom. Wat is een mammeluk? Een slaaf... Ik zal jullie een mooi, leerzaam verhaal vertellen.'

De pasja zweeg even alsof hij zijn gedachten wilde ordenen en zei toen: 'Ik was in die tijd president van de rechtbank. Er werd me op een keer een burgerlijke zaak voorgelegd over een betwiste erfenis. Voordat de zaak in behandeling kwam, werd ik voorgesteld aan een mooie jongeman, met het gezicht van Ridwaan en de lengte van Hilmi. En het slanke figuur van deze hond in zijn beste dagen. (Hij wees naar Mahraan.) We raakten bevriend zonder dat ik verder iets van hem wist. Maar op de dag waarop de zaak voorkwam, stond hij opeens voor me als vertegenwoordiger van een van de partijen! Wat denken jullie dat ik heb gedaan?'

'Wat een situatie,' zei Ridwaan zacht.

'Ik heb zonder aarzeling afgezien van de behandeling van de zaak.'

Ridwaan en Hilmi toonden hun bewondering, maar Mahraan zei op protesterende toon: 'En je hebt hem niet voor zijn inspanningen beloond?'

Zonder aandacht te schenken aan de grap van Mahraan, zei de pasja: 'En dat niet alleen... Ik heb met hem gebroken uit minachting voor zijn laakbare instelling. Ja, een mens zonder moraal heeft geen waarde. De Engelsen zijn niet de slimste mensen – de Fransen en Italianen zijn slimmer. Maar ze zijn de meesters van het fatsoen, en daarom zijn ze de meesters over de hele wereld. Daarom heb ik altijd banale en loze schoonheid afgewezen.'

Ali Mahraan vroeg lachend: 'Mag ik uit het feit dat je mij hebt gehouden afleiden dat ik fatsoenlijk ben?'

De pasja wees naar hem en zei ernstig: 'Het fatsoen heeft meer dan één vorm. Van een rechter wordt geëist dat hij eerlijk en integer is, van een minister dat hij plichtsgetrouw is en gevoel voor openbare verantwoordelijkheid heeft, van een vriend dat hij trouw en openhartig is. En jij bent ongetwijfeld schaamteloos en vaak een schurk, maar je bent betrouwbaar en...'

'Ik hoop dat ik nu bloos.'

'God legt een hart niet meer op dan het aankan. Maar ik ben tevreden over het goede dat je in je hebt. En je bent echtgenoot en vader, en dat is ook een deugd. Dat is een geluk dat je pas kunt waarderen als je de stilte in huizen hebt meegemaakt, of de stilte die wordt veroorzaakt door de kwelling van de ouderdom.'

'Ik dacht dat oude mensen van rust hielden,' zei Ridwaan, alsof hij hem wilde tegenspreken.

'De voorstellingen van de jeugd over de ouderdom bestaan uit dwalingen, en de voorstellingen van de ouderen over de jeugd bestaan uit trieste verzuchtingen. Vertel me eens, Ridwaan, wat is jouw visie op het huwelijk?'

Het gezicht van Ridwaan vertrok, terwijl hij zei: 'Die heb ik je al eerder verteld, pasja.'

'Is er geen hoop dat je die mening herziet?'

'Dat denk ik niet.'

'Waarom niet?'

Ridwaan aarzelde even en zei toen: 'Het is iets vreemds, dat ik niet kan doorgronden. Maar vrouwen komen me als iets weerzinwekkends voor.'

Er kwam een treurige blik in de fletse ogen en hij zei: 'Wat jammer. Je ziet toch dat Ali Mahraan echtgenoot en vader is? En dat je vriend Hilmi een voorstander van het huwelijk is? Ik betreur het voor jou dubbel, omdat ik het ook voor mezelf heb betreurd. Ik heb zo vaak versteld gestaan als ik las of hoorde over de schoonheid van de vrouw. Maar ik heb mijn mening voor me gehouden uit eerbied voor mijn moeder. Ik hield zielsveel van haar, en toen ze de geest gaf in mijn armen, stroomden mijn tranen over haar voorhoofd en wangen. Wat zou ik graag zien dat je je gevoelens overwint, Ridwaan.'

Met een ernstig gezicht zei Ridwaan: 'Een mens kan zonder vrouw leven. Dat is geen probleem.'

'Een mens kan zonder vrouw leven, maar het is wel een probleem. Misschien kan het je niets schelen wat de mensen zich afvragen, maar wat vraag je jezelf af? Je kunt zeggen dat vrouwen weerzin oproepen, maar waarom roepen ze geen weerzin op bij anderen? Daardoor bekruipt je een gevoel als een ziekte, een ziekte waartegen je geen medicijn kent. Je zondert je af van de wereld en eenzaamheid is de slechtste metgezel. Misschien schaam je je daarna dat je de vrouw minacht, ook al ben je genoodzaakt haar te blijven minachten.'

Ali Mahraan snoof schijnbaar wanhopig en zei: 'Ik hoopte op een vrolijke avond, zoals dat hoort bij een afscheid.'

Abd ar-Rahiem Pasja lachte en zei: 'Maar het is het afscheid van een pelgrim. Wat weet jij daarvan?'

'Ik zal afscheid van je nemen met een gebed en je weer begroeten met roze wangetjes. Dan zien we wat je doet.'

De pasja sloeg zijn handen op elkaar en zei lachend: 'Ik leg me in handen van God de Allerhoogste.'

Op het kruispunt van de Sjariefstraat en de Kasr an-Nielstraat, voor café Ritz, stond Kamaal plotseling oog in oog met Hoessein Sjaddaad. Ze bleven allebei staan en staarden elkaar aan, totdat Kamaal uitriep: 'Hoessein!'

'Kamaal!' riep deze op zijn beurt. Ze schudden elkaar hartelijk de hand en lachten verheugd.

'Wat een aangename verrassing, na zo'n lange tijd.'

'Ja, wat een aangename verrassing. Je bent erg veranderd, Kamaal. Maar wacht even, misschien overdrijf ik. Je postuur is hetzelfde, je ziet er over het geheel genomen hetzelfde uit. Maar wat heeft die deftige snor te betekenen? En die klassieke bril en die wandelstok? En die fez, die niemand anders meer draagt?'

'En wat ben jij veranderd... Je bent dikker geworden dan ik had verwacht. Is dat wel te verenigen met de Parijse gewoonten? Waar is de Hoessein van vroeger?'

'Waar is het Parijs van vroeger? Waar zijn Hitler en Mussolini? Maar ik was op weg naar Ritz om een glas thee te drinken. Heb je er bezwaar tegen even bij me te komen zitten?'

'Integendeel.'

Ze liepen naar Ritz en namen plaats aan een tafeltje bij het raam dat op de straat uitkeek. Hoessein Sjaddaad bestelde thee en Kamaal koffie, waarna ze elkaar nogmaals glimlachend opnamen. Hoessein was fors geworden, zowel in de lengte als in de breedte. Maar wat had hij van zijn leven gemaakt? Had hij door hemel en aarde gezworven, zoals hij vroeger wilde? Ondanks zijn glimlach lag er een zwaarmoedige blik in zijn ogen, alsof hij het kinderleven voor ernst had ingeruild. Er waren een paar jaar verstreken sinds zijn ontmoeting met Boedoer in de Foeaad 1-straat en in die tijd was hij over de teleurstelling heengekomen en was de familie Sjaddaad bij hem geheel in vergetelheid geraakt. Maar de ontmoeting met Hoessein had hem uit zijn sluimering gewekt. Het was alsof het verleden, met zijn vreugde en pijn, werd geprolongeerd.

'Wanneer ben je uit het buitenland teruggekomen?'

'Een jaar geleden, ongeveer.'

Hij had helemaal niet geprobeerd hem op te zoeken... Maar waarom zou hij het hem verwijten, terwijl hij zelf al lang geleden zijn vriendschap had opgegeven en was vergeten?

'Als ik had geweten dat je weer in Egypte was, had ik mijn best gedaan je te ontmoeten.'

Dit leek Hoessein niet in verlegenheid te brengen. Hij zei eenvoudig: 'Toen ik terugkwam waren er nogal wat problemen die me opwachtten. Heb je niets over ons gehoord?'

Kamaals gezicht betrok en hij zei op trieste toon: 'Ja, van onze vriend Isma'iel Latief.'

'Hij is twee jaar geleden naar Irak vertrokken, vertelde mijn moeder me. Ja, ik heb nogal wat zorgen gehad, zoals ik al zei. Bovendien moest ik werken, dag en nacht werken...'

Dit was de Hoessein van 1944. Vroeger beschouwde hij werken als een misdaad tegen de mensheid. Had die tijd werkelijk bestaan? Misschien was het kloppen van dit hart het enige bewijs.

'Herinner je je onze laatste ontmoeting nog?'

'Oef...'

Voordat hij zijn antwoord kon afmaken, kwam de kelner met de thee en de koffie. Hij leek echter niet enthousiast om herinneringen op te halen.

'Laat ik het je zeggen. Het was in 1926.'

'Bravo, wat een geheugen.'

Hij vervolgde afwezig: 'Zeventien jaar Europa...'

'Vertel me hoe je daar leefde.'

Hij schudde zijn hoofd, dat alleen op de slapen grijs was, en zei: 'Dat kan later nog wel. Neem nu maar genoegen met deze koppen: Jaren van reizen en blijdschap als een droom, liefde en huwelijk met een Parijse van goede familie, de oorlog en vlucht naar het zuiden, het faillissement van mijn vader, werken in de zaak van mijn schoonvader, terugkeer naar Egypte zonder mijn echtgenote, om een leven voor haar in te richten. Wat wil je nog meer weten?'

'Heb je kinderen?'

'Nee.'

Het was alsof hij niet wilde praten. Maar wat was er over van de vroegere vriendschap, iets waarover hij kon treuren? Desondanks ondervond hij een krachtig verlangen om op de deuren van het verleden te kloppen. Hij vroeg: 'Hoe staat het met je vroegere levensfilosofie?'

Hoessein dacht even na, lachte toen spottend en zei: 'Ik word al jaren en jaren door mijn werk opgeslokt. Ik ben niet meer dan een werkman.'

Waar was de geest van Hoessein Sjaddaad, waarin hij destijds een schaduwrijke toevlucht vond van geestelijk welbehagen? Niet in deze forse man. Misschien in Rijaad Koeldoes. Deze man kende hij niet. Alleen een vergeten verleden verbond hen, een verleden waarvan hij op dat moment graag een levend beeld had bewaard, niet een kille foto.

'Wat voor werk doe je nu?'

'Een vriend van mijn vader heeft me een baan op het bureau voor censuur bezorgd. Daar werk ik van middernacht tot de ochtend. Daarnaast maak ik vertalingen voor een paar Europese kranten.'

'Wanneer ben je vrij?'

'Zelden. Het enige dat het draaglijk maakt, is dat ik mijn vrouw pas naar Egypte kan laten komen als ik hier een leven heb ingericht dat haar past. Want ze is van goede familie, en toen ik trouwde, behoorde ik tot de rijken.'

Terwijl hij dat zei lachte hij, alsof hij met zichzelf de spot dreef. Kamaal glimlachte bij wijze van aanmoediging en zei tegen zichzelf: Het is een geluk dat ik je al lang geleden uit mijn geheugen heb gewist, anders had ik uit het diepst van mijn hart om je gehuild.

'En jij Kamaal, wat doe jij?'

Hij vervolgde: 'Ik herinner me dat je verslingerd was aan cultuur.'

Die herinnering verdiende erkentelijkheid. Hij was net zo dood voor Hoessein als Hoessein voor hem. We sterven en herleven vele malen per dag. Hij antwoordde: 'Ik onderwijs Engels.'

'Onderwijzer? Ja, ja... Nu herinner ik me weer iets. Je wilde toch schrijver worden?'

Wat een onvervulde wensen.

'Ik schrijf artikelen in het tijdschrift *al-Fikr*. Misschien ga ik een deel ervan binnenkort in een boek bundelen.'

Hoessein glimlachte droef en zei: 'Jij hebt geluk, omdat je je jeugddromen hebt verwezenlijkt. Maar ik...'

Hij lachte opnieuw. De woorden 'Jij hebt geluk' klonken Kamaal vreemd in de oren, zeker vanwege de enigszins afgunstige toon waarop ze waren uitgesproken. Hij werd als gelukkig beschouwd en benijd... Door wie? Door de steunpilaar van de familie Sjaddaad. Maar hij zei uit hoffelijkheid: 'Jouw werkende leven is nobeler dan het mijne.'

'Ik heb geen keus,' zei de ander. 'Mijn enige hoop is dat ik het niveau van vroeger gedeeltelijk weer kan bereiken.'

Er viel even een stilte. Kamaal bekeek Hoessein aandachtig. Terwijl hij hem opnam, kwam een beeld uit het verleden weer tot leven en hij hoorde zichzelf vragen: 'Hoe gaat het met de familie?'

'Goed,' zei hij onverschillig. Kamaal aarzelde even en zei toen: 'Je had toch een jonger zusje? Ik ben haar naam vergeten... Hoe gaat het nu met haar?'

'Boedoer... Ze is vorig jaar getrouwd.'

'Alle mensen... Onze kinderen trouwen al...'

'Ben jij niet getrouwd?'

Herinnert hij het zich niet?

'Nee.'

'Je mag wel opschieten, anders mis je de boot.'

'Die heb ik allang gemist,' zei hij lachend.

'Misschien trouw je toch nog onverwacht. Geloof me, een huwelijk was ook niet in mijn plannen opgenomen, en nu ben ik al meer dan tien jaar getrouwd.'

Kamaal haalde geringschattend zijn schouders op en zei: 'Vertel me eens hoe je het leven hier vindt na zo'n lang verblijf in Frankrijk.'

'Na de Duitse invasie was het leven in Frankrijk niet bepaald plezierig. Hier is het leven gemakkelijk, vergeleken met daar.'

Hij voegde er met heimwee aan toe: 'Maar Parijs... Waar is Parijs?'

'Waarom ben je niet in Frankrijk gebleven?'

'En helemaal op de zak van mijn schoonouders leven? Nee... Dat was nog te verontschuldigen toen de oorlogsomstandigheden het reizen onmogelijk maakten. Maar daarna moest ik vertrekken.'

Was dat een glimp van de vroegere trots? Hij kon de drang niet weerstaan om een tegelijk gevaarlijk en aangenaam avontuur aan te gaan.

'Hoe gaat het met Hassan Saliem?' vroeg hij sluw. Hoessein keek hem even achterdochtig aan en zei toen koel: 'Daar weet ik niets van.'

'Hoe kan dat?'

Hij tuurde door het raam naar de straat en zei: 'We hebben al zo'n twee jaar geen contact meer met hem.'

Met een verbazing die hij niet kon verbergen zei Kamaal: 'Bedoel je...'

Hij maakte zijn zin niet af. De verrassing overweldigde hem. Was Ajida weer teruggekomen naar al-Abbasiyya? Als gescheiden vrouw? Hij moest het nadenken hierover uitstellen. Hij zei kalm: 'Zijn vertrek naar Iran is het laatste dat Isma'iel Latief me over hem verteld heeft.'

Hoessein zei op trieste toon: 'Mijn zuster heeft hem op die reis maar een maand vergezeld. Toen is ze alleen teruggekomen.'

Hij voegde er met zachte stem aan toe: 'God zij haar genadig...'

'Wat?'

Het ontsnapte Kamaal zo luid dat het aan de tafeltjes om hen heen te horen was. Hoessein keek hem verbaasd aan en zei: 'Wist je dat niet? Ze is een jaar geleden gestorven.'

'Ajida?'

De ander knikte. Op hetzelfde moment schaamde Kamaal zich ervoor de naam zonder meer hardop te hebben uitgesproken. Maar hij bleef er maar een ogenblik bij stilstaan. Al met al leek het alsof de klank geen betekenis had. Hij had het gevoel dat de ondergang in zijn hoofd rondwentelde. Het was geen verdriet of pijn; hij was verbijsterd. Uiteindelijk zei hij: 'Wat een droevig nieuws. Gecondoleerd.'

Hoessein zei: 'Ze kwam alleen uit Iran terug en woonde een maand bij mijn moeder. Toen is ze getrouwd met Anwar Bey Zaki, de inspecteur-generaal van de sectie Engels. Maar na twee maanden werd ze ziek. Ze is in het Koptische ziekenhuis overleden.'

Hoe kon zijn hoofd deze razendsnelle gebeurtenissen bijhouden? Hij had gezegd Anwar Bey Zaki, de hoogste inspecteur van zijn onderwijsdienst. Hij had hem een aantal malen ontmoet, terwijl hij de echtgenoot van Ajida was... Heer... Hij bedacht nu dat hij zelfs op de begrafenis van de vrouw van de inspecteur was geweest, een jaar geleden... Dat was dus Ajida? Maar waarom was hij daar Hoessein niet tegengekomen?

'Ben jij bij haar overlijden aanwezig geweest?'

'Nee, ze is gestorven voordat ik naar Egypte terugkwam.'

Hij schudde verbaasd zijn hoofd en zei: 'Ik heb in je zusters rouwstoet gelopen zonder dat ik wist dat zij het was.'

'Hoe kan dat?'

'Ik hoorde die dag op school dat de vrouw van de inspecteur-generaal was overleden en dat de rouwstoet vanaf het Isma'iliyya-plein zou vertrekken. Ik ging er met mijn collega-onderwijzers heen zonder naar het overlijdensbericht in de kranten te kijken. We liepen met de anderen naar de Tjerkes-moskee. Dat was een jaar geleden.'

'Bedankt,' zei Hoessein met een verdrietige glimlach.

Als haar overlijden in 1926 had plaatsgevonden was je gek geworden of had je zelfmoord gepleegd. Maar nu ga je eraan voorbij als een van de vele berichten. Het is ongelooflijk dat je bij haar begrafenis bent geweest zonder het te weten. Destijds was hij nog in de ban van de bittere ervaring die het huwelijk van Boedoer had nagelaten, en waarschijnlijk was degene op de baar hem voor de geest gekomen als hij aan Boedoer en haar familie dacht. Hij herinnerde zich de dag van de begrafenis nog goed. Hij was naar Anwar Bey Zaki toegelopen om hem te condoleren en had toen tussen de anderen plaatsgenomen. Toen ze zeiden 'Opstaan, de baar is binnengedragen', zag hij een fraaie baar, bedekt met witte zijde. Hij hoorde zijn collega's fluisteren: 'Ze was net getrouwd... Zijn tweede echtgenote... Overleden aan longontsteking...' Hij had van de baar afscheid genomen zonder te weten dat hij van zijn eigen verleden afscheid nam. Wie was haar echtgenoot? Een man van boven de vijftig met een echtgenote en kinderen... Hoe had de engel van weleer daarmee genoegen kunnen nemen? Vroeger dacht je dat ze boven het huwelijk verheven was, en nu had ze een scheiding ondergaan en de positie van tweede echtgenote aanvaard. Het zou lang duren voordat de kolkende emoties in zijn borst tot rust zouden komen, niet uit verdriet of pijn, maar uit verbijstering en ontsteltenis, en omdat de wereld de pracht van dromen ontbeerde, omdat het geheim van het toverachtige verleden voorgoed teloorgegaan was. Als er sprake is van droefheid, dan is het omdat je niet zo bedroefd bent geweest als je had behoren te zijn.

'Maar waardoor is Hassan Saliem veranderd?'

Hoessein schudde vol minachting zijn hoofd.

'De schoft is verliefd geworden op een ambtenares bij de Belgische vertegenwoordiging in Iran. Mijn zuster nam dat niet en eiste een scheiding om haar eer te beschermen.'

In zo'n situatie kan iemand alleen troost putten uit de gedachte dat zelfs de axioma's van Euclides niet absoluut meer zijn.

'En haar kinderen?'

'Bij hun grootmoeder van vaderskant.'

Waar is ze nu? Wat is er van haar geworden in dat jaar? Is het mogelijk dat Fahmi of sajjid Ahmed Abd al-Gawwaad of Na'iema haar nu kennen?

Opeens stond Hoessein Sjaddaad op.

'Ik moet gaan,' zei hij. 'Ik hoop je binnenkort weer te zien. Ik eet vaak 's avonds in Ritz.'

Hij stond eveneens op. Ze gaven elkaar een hand, terwijl hij mompelde: 'Ik hoop het...'

Ze gingen uiteen. Hij had het gevoel dat hij hem nooit meer zou zien en dat hij er geen behoefte aan had hem weer te zien, zoals Hoessein er ook geen behoefte aan had hem nog te zien. Toen hij het café verliet, zei hij tegen zichzelf: Het bedroeft me, Ajida, dat ik niet zo bedroefd om je ben als ik zou behoren te zijn.

In de stilte van de nacht werd er op de deur geklopt van het huis van de familie Sjaukat in de Suikersteeg. Het kloppen ging door tot de slapende bewoners wakker waren. Nauwelijks had de dienstbode opengedaan, of zware voeten drongen luidruchtig naar binnen, verspreidden zich op de binnenplaats en de trap, en sloten de drie appartementen in. Ibrahiem Sjaukat kwam de salon in met een hoofd dat vermoeid was en zwaar van de slaap en de ouderdom. Toen hij een hoge politieofficier zag staan, omringd door een groep soldaten en politieagenten, vroeg hij verbaasd en ongerust: 'Wat heeft dat te betekenen? God wende het kwaad af.'

De hoge officier riep met barse stem: 'Bent u de vader van Ahmed Ibrahiem Sjaukat en Abd al-Moen'im Ibrahiem Sjaukat, die in dit huis wonen?'

'Jazeker,' antwoordde de man. Zijn gezicht verbleekte.

'Wij hebben bevel gekregen het hele huis te doorzoeken.'

'Waarom, meneer de commissaris?'

Deze gaf geen antwoord, maar wendde zich tot zijn assistenten en beval: 'Doorzoek het huis!'

De mannen gaven gehoor aan het bevel en stoven naar de andere kamers, terwijl Ibrahiem Sjaukat vroeg: 'Waarom doorzoeken jullie mijn appartement?'

De commissaris negeerde hem echter. Op dat moment werd Khadiega gedwongen haar slaapkamer, waar de agenten waren binnengestormd, te verlaten. Ze had zich in een zwarte sjaal gewikkeld en riep boos: 'Bestaat er geen eerbied meer voor vrouwen? Zijn we soms dieven, meneer de commissaris?'

Ze keek hem kwaad aan. Opeens kreeg ze het gevoel dat ze dat gezicht eerder had gezien, of liever gezegd, dat ze een vroegere vorm had gezien voordat het door ouderdom was vertekend. Waar en wanneer? Mijn Heer, hij was het, zonder twijfel, hij was niet veel veranderd. En zijn naam? Zonder aarzeling zei ze: 'U was officier op het politiebureau van al-Gamaliyya, twintig jaar geleden, of dertig jaar geleden, ik herinner me de tijd niet meer precies.'

De commissaris sloeg verbaasd zijn ogen naar haar op. Ibrahiem Sjaukat keek ook verbaasd van de een naar de ander.

'Uw naam is Hassan Ibrahiem, nietwaar?' zei ze.

'Kent u mij?'

Ze zei hoopvol: 'Ik ben de dochter van sajjid Ahmed Abd al-Gawwaad en de zuster van Fahmi Ahmed, die tijdens de revolutie door de Engelsen is gedood. Herinnert u zich hem niet?'

Er verscheen een onthutste blik in de ogen van de commissaris en hij zei, voor het eerst op beleefde toon: 'God zij hem genadig.'

Nog hoopvoller zei ze: 'Ik ben zijn zuster. Laat u het toe dat mijn huis overhoop wordt gehaald?'

De commissaris wendde zijn gezicht af en zei op verontschuldigende toon: 'Wij voeren slechts bevelen uit, hanoem.'

'Maar waarom, meneer de commissaris? Wij zijn brave mensen.'

'Ja,' zei de commissaris vriendelijk. 'Maar dat geldt niet voor uw zoons.'

Khadiega riep ongerust: 'Maar het zijn de neven van uw vroegere vriend.'

'Wij voeren slechts de bevelen uit van het ministerie van Binnenlandse Zaken,' zei de commissaris zonder hen aan te kijken.

'Ze hebben niets kwaads gedaan. Het zijn brave kinderen, dat zweer ik u.'

De soldaten en agenten kwamen terug in de salon zonder iets te hebben gevonden. De commissaris beval hun het appartement te verlaten. Toen richtte hij zich tot het echtpaar tegenover zich en zei: 'Ik deel u mee dat er verdachte bijeenkomsten in hun appartementen plaatsvinden.'

'Dat is een leugen, meneer de commissaris.'

'Ik hoop dat dat zo is. Maar ik ben nu gedwongen hen te arresteren. Ze zullen worden vastgehouden tot het verhoor is afgerond. Misschien loopt het allemaal goed af.'

Met bevende stem, op het punt in tranen uit te barsten, riep Khadiega: 'Neemt u ze werkelijk mee naar het bureau? Dat... Ik kan het niet geloven... Vergeef ze, bij het leven van uw kinderen.'

'Dat ligt niet in mijn vermogen. Ik heb duidelijke bevelen om hen te arresteren. Goedenavond.'

De man verliet het appartement. Weldra liepen Khadiega en in haar voetspoor de oude man naar buiten. Ze daalden de trap af zonder om zich heen te kijken. Kariema, die hevig ontdaan voor haar appartement stond, zag hen en riep: 'Ze hebben hem meegenomen, tante, ze hebben hem meegenomen naar de gevangenis...'

Khadiega wierp een starre blik in het appartement en holde toen snel naar beneden, waar ze Sausan ook in de deuropening aantrof. Ze stond met somber gezicht naar de binnenplaats te kijken. Khadiega volgde haar blik en zag Abd al-Moen'im en Ahmed omringd door militairen die hen mee naar buiten voerden. Ze kon zich niet inhouden en slaakte een kreet uit het diepst van haar hart. Ze stond op het punt om achter hen aan te rennen. Sausan hield haar met haar hand tegen. Ziedend draaide ze zich naar haar om, maar Sausan zei met kalme, droevige stem: 'Kom tot bedaren... Ze hebben niets verdachts gevonden. Ze zullen niets tegen hen kunnen bewijzen. Ren niet achter hen aan, dat zou oneervol zijn voor Abd al-Moen'im en Ahmed.'

'Wat een benijdenswaardige kalmte,' riep Khadiega.

Sausan zei vriendelijk en geduldig: 'Ze zullen gezond en wel weer thuiskomen. Wees gerust.'

'Hoe weet jij dat?'

'Ik ben zeker van wat ik zeg.'

Ze schonk geen aandacht aan haar woorden, maar wendde zich tot haar echtgenoot en sloeg haar handen op elkaar.

'Er bestaat geen loyaliteit meer,' zei ze. 'Ik zeg tegen hem dat zij de neven van Fahmi zijn, en hij zegt "Ik heb mijn bevelen". Waarom neemt onze Heer brave mensen tot zich en laat hij het uitschot met rust?'

Sausan zei tegen Ibrahiem: 'Ze zullen het huis in Tussen Twee Paleizen ook doorzoeken. Ik hoorde een agent tegen de commissaris zeggen dat hij het huis van hun grootvader kende. De adjudant stelde voor het ook te doorzoeken ter uitvoering van de bevelen en uit voorzichtigheid, omdat ze daar misschien pamfletten zouden hebben verborgen.'

Khadiega riep: 'Ik ga naar mijn moeder. Misschien kan Kamaal iets doen. Ach, Heer, ik sta in vuur en vlam.'

Ze haalde haar mantel en verliet de Suikersteeg met kleine, rusteloze passen. Het was koud en er heerste nog een dichte duisternis. De hanen kraaiden elkaar onafgebroken toe. Ze holde van al-Ghoeriyya door as-Sagha naar an-Nahhasien, en zag een agent bij de deur staan. Op de binnenplaats zag ze er nog een staan. Hijgend liep ze de trap op.

De familie was ongerust wakker geworden toen de bel had geklingeld. Toen was Oemm Hanafi vol afgrijzen komen vertellen dat het 'de politie' was. Kamaal haastte zich naar de hof, waar hij de commissaris tegenkwam, en vroeg bezorgd: 'Wat is er aan de hand?'

De commissaris vroeg hem: 'Kent u Abd al-Moen'im Ibrahiem Sjaukat en Ahmed Ibrahiem Sjaukat?'

'Ik ben hun oom.'

'Wat is uw beroep?'

'Onderwijzer aan de Silahdaar-school.'

'Wij hebben bevel huiszoeking te doen.'

'Maar waarom? Welke beschuldiging richt u tegen mij?'

'We zoeken pamfletten die de twee jongemannen toebehoren en die misschien hier verborgen zijn.'

'Ik verzeker u dat er geen pamfletten in ons huis zijn. Gaat uw gang, zoek maar waar u wilt.'

Kamaal zag dat hij de militairen bevel gaf zich op de trap en op het dak op te stellen en dat hijzelf apart met hem meeliep. Het was geen huiszoeking waarbij alles overhoop werd gehaald. De commissaris volstond met het inspecteren van de vertrekken en wierp een oppervlakkige blik op het bureau en de boekenkasten. Kamaal haalde opgelucht adem en was in staat de commissaris, met wie hij inmiddels op iets vertrouwelijker voet stond, te vragen: 'Heeft u hun huis ook doorzocht?'

'Natuurlijk.'

Na een ogenblik stilte voegde hij eraan toe: 'Ze bevinden zich nu in de gevangenis op het bureau.'

Ongerust vroeg Kamaal: 'Is er enig bewijs tegen hen?'

Met ongewone vriendelijkheid antwoordde de man: 'Ik hoop dat het niet zo ver komt. Maar het verhoor moet ik aan de officier van justitie overlaten.'

'Ik dank u voor uw medeleven.'

Met een glimlach en op kalme toon zei de commissaris: 'Vergeet niet dat ik het huis niet overhoop heb laten halen.'

'Ja, sidi, ik weet niet hoe ik u kan bedanken.'

Opeens keek hij hem aan en vroeg: 'Bent u een broer van de overleden Fahmi?'

Kamaal sperde zijn ogen open van verbazing en zei: 'Ja. Heeft u hem gekend?'

'We waren vrienden. God hebbe zijn ziel.'

'Dat is een gelukkig toeval. Aangenaam,' zei Kamaal hoopvol. Hij stak zijn hand naar hem uit. 'Kamaal Ahmed Abd al-Gawwaad.'

De man schudde hem de hand.

'Hassan Ibrahiem, commissaris van het politiebureau in al-Gamaliyya. Ik ben er begonnen als luitenant en ben er uiteindelijk als commissaris teruggekomen.'

Hoofdschuddend voegde hij eraan toe: 'De bevelen waren

duidelijk. Ik hoop dat er geen bewijzen zijn om hen te veroordelen.'

Op dat moment hoorden ze de stem van Khadiega, die huilend aan haar moeder en Aisja vertelde wat er gebeurd was.

'Hun moeder heeft me met haar bewonderenswaardige geheugen herkend en me aan de overledene herinnerd, maar toen was de grondige huiszoeking al geschied. Ik heb haar zoveel als ik kon gerustgesteld.'

Ze liepen naast elkaar naar beneden. Toen ze langs de tweede verdieping kwamen, kwam Aisja zichtbaar geagiteerd naar buiten. Ze keek de commissaris streng aan en riep: 'Waarom arresteert u de zonen van mensen zonder reden? Hoort u niet hoe hun moeder huilt?'

De commissaris keek in een reflex naar haar en sloeg toen zijn blik uit beleefdheid neer.

'Ze zullen hopelijk binnenkort worden vrijgelaten,' zei hij. Toen ze zich van de ingang van de tweede verdieping hadden verwijderd, vroeg hij aan Kamaal: 'Uw moeder?'

Kamaal glimlachte bedroefd en zei: 'Nee, mijn zuster. Ze is pas vierenveertig jaar, maar ze is door de vele tegenspoed gebroken.'

De commissaris keek hem geschrokken aan. Het leek hem dat hij op het punt stond een vraag te stellen, maar hij aarzelde en zag er toen van af. Op de binnenplaats gaven ze elkaar een hand. Voordat de man wegliep, vroeg Kamaal: 'Is het mogelijk hen in de gevangenis te bezoeken?'

'Ja.'

'Dank u.'

Kamaal liep terug naar de salon en voegde zich bij zijn moeder en zijn twee zusters.

'Ik zal hun morgen een bezoek brengen,' zei hij. 'Er is geen reden om bang te zijn. Na het verhoor zullen ze worden vrijgelaten.'

Khadiega kon haar tranen niet bedwingen en Aisja riep nerveus: 'Niet huilen... Genoeg gehuild... Ze zullen bij je terugkomen, dat hoor je toch?'

Khadiega jammerde: 'Ik weet het niet... Ik weet het niet... Mijn kinderen, in de gevangenis...'

Amiena zweeg, alsof het verdriet haar het spreken onmogelijk maakte. Op een toon die hen moest geruststellen, zei

Kamaal: 'De commissaris kent ons. Hij was een vriend van Fahmi. Hij is onvoorstelbaar mild voor ons geweest tijdens de huiszoeking. Hij zal hen ongetwijfeld welwillend behandelen.'

Amiena keek verbaasd op en Khadiega zei kwaad: 'Hassan Ibrahiem. Herinner je je hem nog, moeder? Ik heb hem verteld dat ik de zuster van Fahmi ben, maar het enige dat hij zei was "We voeren slechts bevelen uit, hanoem". Bevelen...'

Amiena keek naar Aisja, maar uit niets bleek dat die zich iets herinnerde. Vervolgens nam ze Kamaal apart en zei hevig verontrust: 'Ik begrijp er niets van, mijn jongen. Waarom hebben ze hen gearresteerd?'

Kamaal overdacht even wat hij het beste kon zeggen en zei toen: 'De regering denkt per abuis dat ze tegen haar ageren.'

Ze schudde hulpeloos haar hoofd en zei: 'Je zuster zei dat ze Abd al-Moen'im hebben gearresteerd omdat hij lid is van de Moslim Broeders. Waarom arresteren ze moslims?'

'De regering denkt dat ze tegen haar ageren.'

'En Ahmed? Ze zei dat... Ik ben het woord vergeten, jongen...'

'Communist? De communisten worden net als de Broeders verdacht door de regering.'

'Communisten? De volgelingen van onze heer Ali?'*

Kamaal onderdrukte een glimlach en zei: 'De communisten zijn geen sjiieten. Het is een partij tegen de regering en tegen de Engelsen.'

De vrouw zuchtte wanhopig en zei: 'Wanneer worden ze vrijgelaten? Kijk naar je arme zuster. De regering en de Engelsen... Konden ze geen ander huis vinden dan het onze, dat al zo zwaar getroffen is?'

De oproep tot het ochtendgebed drong juist in de volstrekte stilte toen de commissaris van het politiebureau van al-Gamaliyya Abd al-Moen'im en Ahmed in zijn kamer liet komen. Ze verschenen voor zijn bureau, begeleid door een gewapende soldaat. De commissaris beval hem weg te gaan, waarna hij hen aandachtig opnam. Hij keek Abd al-Moen'im aan en vroeg: 'Naam, leeftijd, beroep?'

* De Arabische woorden voor 'communisten' en 'sjiieten' zijn afkomstig van dezelfde stam.

Abd al-Moen'im antwoordde kalm en zelfverzekerd: 'Abd al-Moen'im Ibrahiem Sjaukat, vijfentwintig jaar, inspecteur op het bureau voor inspectie op het ministerie van Onderwijs.'

'Hoe komt het dat u de wetten van de staat overtreedt, terwijl u een kenner van de wet bent?'

'Ik heb geen enkele wet overtreden. Wij werken openlijk, schrijven in de kranten en preken in de moskeeën. Wie Gods woord verspreidt, heeft niets te verbergen.'

'Hebben er in uw huis geen verdachte bijeenkomsten plaatsgevonden?'

'Nee. Het waren normale bijeenkomsten met vrienden om gedachten uit te wisselen, te overleggen en onze kennis over de religie te verdiepen.'

'Behoort het aanzetten tot agressie tegen bevriende staten daar ook toe?'

'Doelt u op Groot-Brittannië, sidi? Dat is een verraderlijke vijand. Een staat die onze eer vermorzelt met tanks kan geen bevriende natie zijn.'

'U bent een ontwikkeld man. U zou moeten begrijpen dat de oorlogsomstandigheden restricties rechtvaardigen.'

'Ik begrijp dat Brittannië onze belangrijkste vijand is op deze wereld.'

De commissaris richtte zich tot Ahmed: 'En u?'

Met een zweem van een glimlach op zijn lippen zei Ahmed: 'Ahmed Ibrahiem Sjaukat, vierentwintig jaar, redacteur van het tijdschrift *De Nieuwe Mens*.'

'We hebben ernstige rapporten over uw extremistische artikelen. Afgezien daarvan heeft uw tijdschrift een slechte reputatie.'

'Mijn artikelen beogen slechts de principes van sociale rechtvaardigheid te verdedigen.'

'Bent u communist?'

'Ik ben socialist. Veel parlementsleden propageren het socialisme, en de wet verbiedt een communist zijn mening niet, zolang als hij niet zijn toevlucht neemt tot gewelddadige methoden.'

'Moeten we soms wachten tot de bijeenkomsten die u elke avond in uw appartement belegt uitmonden in geweld?'

Hij vroeg zich af of ze achter de pamfletten en de nachtelijke lezingen waren gekomen. Hij antwoordde: 'Ik ontvang alleen goede vrienden in mijn huis. En het aantal bezoekers bedraagt nooit meer dan vier of vijf per dag. Ons denken staat zo ver van geweld af als maar kan.'

De commissaris keek van de een naar de ander en zei toen na enige aarzeling: 'U bent ontwikkeld en... beschaafd... En getrouwd, nietwaar? Goed. Is het niet raadzaam dat u zich met uw persoonlijke aangelegenheden bezighoudt en zich niet aan moeilijkheden blootstelt?'

Met zijn luide stem zei Abd al-Moen'im: 'Ik dank u voor uw advies, maar ik zal het niet opvolgen.'

De commissaris lachte afgemeten, als met tegenzin, en zei: 'Ik heb tijdens de huiszoeking vernomen dat u kleinzoons bent van de overleden Ahmed Abd al-Gawwaad. Uw overleden oom Fahmi was een goede vriend van mij. Ik denk dat u weet dat hij in de lente van zijn leven is gestorven, terwijl zijn collega's die in leven zijn gebleven nu de hoogste functies bekleden.'

Ahmed, die nu de vriendelijkheid van de commissaris begreep, die hem aanvankelijk had verwonderd, zei: 'Laat ik vragen, sidi, wat er van Egypte zou zijn geworden als mijn oom en velen met hem zich niet hadden opgeofferd?'

De man knikte en zei: 'Denk goed na over mijn advies en houd u verre van deze gevaarlijke filosofie.'

Hij stond op.

'U zult onze gast blijven in de gevangenis totdat u voor het verhoor wordt opgeroepen. Ik wens u veel geluk.'

Ze verlieten het vertrek en werden opgevangen door een korporaal en twee bewapende soldaten. Ze liepen gezamenlijk naar de eerste verdieping en sloegen af naar een donkere, vochtige hal, waar ze al snel werden overgedragen aan een cipier met een elektrische lantaarn, om hun de deur van de cel te wijzen. De man maakte de deur open en liet hen binnengaan. Vervolgens scheen hij met de lantaarn naar binnen om hun te laten zien waar hun brits stond. In het licht konden ze zien dat het een middelgrote ruimte was met een hoog plafond en een klein, getralied venster boven in de muur. Het was er vol met gasten, onder wie twee jongemannen die er uitzagen als studenten, en drie ongeschoeide mannen, die een ruwe, wanstaltige aanblik boden. Zodra de deur was dichtgegaan viel er een stilte. Maar het licht en het gerucht hadden de slapenden gewekt. Ahmed fluisterde tegen zijn broer: 'Ik ga niet zitten in die vochtigheid, dat wordt mijn dood. Laten we blijven staan en wachten tot het ochtend wordt.'

'We moeten vroeg of laat toch gaan zitten. Wie weet hoe lang we hier moeten blijven.'

Opeens hoorden ze een stem – ze begrepen meteen dat hij van een van de jongemannen afkomstig was: 'Je kunt beter gaan zitten. Het is niet bepaald plezierig, maar het is minder erg dan dagenlang staan.'

'Zijn jullie hier al lang?'

'Drie dagen.'

Even was het stil. Toen vroeg de stem: 'Waarvoor zijn jullie gearresteerd?'

Abd al-Moen'im antwoordde kortaf: 'Politieke redenen, schijnbaar.'

De stem zei lachend: 'Eindelijk zijn de politieke gevangenen in de meerderheid. Voor jullie komst waren we in de minderheid.'

'Waarvan worden jullie beschuldigd?' vroeg Ahmed.

'Vertellen jullie het eerst maar, jullie zijn nieuwelingen. Al hoeven we het eigenlijk niet te vragen, want een van jullie draagt de baard van de Broeders.'

Terwijl hij in de duisternis glimlachte, zei Ahmed: 'En jullie?'

'Wij zijn allebei rechtenstudenten, beschuldigd van het uitdelen van "subversieve" pamfletten, zoals ze dat noemen.'

Ahmed stoof op: 'Hebben ze jullie op heterdaad betrapt?'

'Ja.'

'Wat waren dat voor pamfletten?'

'Een oproep om de agrarische rijkdom van Egypte te verdelen.'

'Maar dat staat ook in de kranten, zelfs onder de staat van beleg.'

'Er stonden wat opzwepende richtlijnen bij.'

Ahmed glimlachte opnieuw in de duisternis en voelde zich voor het eerst iets minder eenzaam. De stem vervolgde: 'We zijn minder bang voor de wet dan voor gevangenschap zonder proces.'

'Alles zal ten goede keren.'

'Maar wij zullen altijd het doelwit blijven.'

Opeens klonk er een zware, rauwe stem: 'Genoeg gekletst, laat ons toch slapen.'

Maar zijn stem wekte een van zijn kornuiten, die geeuwend vroeg: 'Is het al ochtend?'

'Nee,' zei de eerste. 'Maar onze vrienden hier denken dat ze in een kroeg zitten.'

Abd al-Moen'im zuchtte en fluisterde zo zacht dat alleen Ahmed het kon horen: 'Ben ik hier alleen maar ingegooid omdat ik God aanbid?'

Ahmed fluisterde glimlachend: 'En wat heb ik dan misdaan? Ik aanbid Hem helemaal niet.'

Hierna wilde niemand zijn stem meer verheffen. Ahmed vroeg zich af waarom de drie anderen gearresteerd waren. Diefstal, ordeverstoring, dronkenschap, onzedelijkheid? Hij had vaak over het volk geschreven, gehuld in zijn mantel, in zijn riante studeerkamer. En hier zag hij het volk, vloekend en in slaap gedompeld. Die grauwe, afgeleefde gezichten die hij even bij het licht van de lantaarn had gezien... Die man die op zijn hoofd en onder zijn oksels krabde, misschien waren de vlooien al op weg naar hem en zijn broer...

Dit is het volk ter wille waarvan je leeft. Waarom schrikt de gedachte hen aan te raken je dan zo af? Die man, die de verlossing van de mensheid tot taak heeft, zou moeten ophouden met snurken en zich van zijn historische positie bewust moeten worden, waarna hij zou opstaan om de hele wereld te redden. Hij zei tegen zichzelf: Het zijn dezelfde menselijke omstandigheden die ons bijeenbrengen in deze vochtige, donkere ruimte, hoe verschillend onze geaardheid ook is. De Broeder en de communist, de dronkaard en de dief. We zijn allemaal één, ongeacht het verschil in weerbaarheid en lotsbestemming. Even later zei hij tegen zichzelf: Waarom houd je je niet met je persoonlijke zaken bezig... Dat zei de commissaris. Ik heb een vrouw van wie ik houd, een comfortabel inkomen. Een mens kan misschien gelukkig zijn als echtgenoot of ambtenaar, of vader, of zoon, maar toch veroordeeld zijn tot problemen, of zelfs tot de dood, omdat hij mens is.

Of hij nu tot gevangenisstraf werd veroordeeld of werd vrijgelaten, de zware, lugubere deur van de gevangenis zou hij altijd voor ogen hebben aan de horizon van zijn leven. Hij vroeg zich af: Wat drijft me tot deze gevaarlijke en prachtige levensweg? Is het niet de mens die in mijn innerlijk verborgen ligt, de mens die zich van zichzelf bewust is, die zijn menselijke, historische, universele positie begrijpt? En de mens onderscheidt zich van de andere wezens doordat hij in staat is zichzelf ter dood te veroordelen uit eigen vrije wil.

Hij voelde de klamheid in zijn benen trekken en de uitputting drong in zijn gewrichten. Aan alle kanten klonk gesnurk met een ononderbroken regelmaat. Toen vielen er zwakke, broze lichtstralen door het kleine tralievenster.

De dokter liep de kamer uit, gevolgd door een sombere Kamaal. In de salon ging hij bij hem staan en keek hem vragend aan. De dokter zei kalm: 'Het spijt me u te moeten zeggen dat het om een algehele verlamming gaat.'

Kamaals hart kromp ineen en hij vroeg: 'Is het ernstig?'

'Natuurlijk. Ze heeft tegelijkertijd longontsteking. Ze heeft een injectie nodig om haar rust te geven.'

'Is er hoop op herstel?'

De dokter zweeg even en zei toen: 'Levensduur ligt in Gods hand. Een arts kan met zijn beperkingen slechts constateren dat deze toestand niet langer dan drie dagen kan duren.'

Kamaal nam het fatale nieuws gelijkmoedig in ontvangst. Hij begeleidde de dokter naar de buitendeur en liep terug naar de kamer. Amiena sliep, althans, ze leek te slapen. Alleen haar bleke gezicht en haar enigszins scheef dichtgeklemde mond waren boven de dikke deken te zien. Aisja, die naast het bed stond, liep naar hem toe.

'Wat heeft ze?' vroeg ze. 'Wat heeft de dokter gezegd?'

Vanaf het hoofdeinde, waar ze stond, zei Oemm Hanafi: 'Ze zegt niets, sidi, ze heeft niet één woord gezegd.'

Hij zei in zichzelf: Haar stem zal nooit meer gehoord worden.

'Hoge bloeddruk en een lichte verkoudheid,' antwoordde hij. 'Een injectie zal haar rust geven.'

Aisja zei, waarschijnlijk zichzelf toesprekend: 'Ik ben bang. Als ze lang zo blijft liggen, hoe is het leven in dit huis dan te verdragen?'

Kamaal wendde zich naar Oemm Hanafi en vroeg: 'Heb je de anderen op de hoogte gebracht?'

'Ja, sidi. Sitt Khadiega en si Jasien kunnen elk ogenblik

komen. Wat heeft ze, sidi? Vanmorgen was ze nog helemaal gezond.'

Dat was ze, daarvan kon hij getuigen. Hij was vanochtend zoals gewoonlijk door de salon gekomen, voordat hij naar de Silahdaar-school zou gaan, en had een kopje koffie gedronken dat zij hem had aangereikt. Hij had gezegd: 'Ga vandaag maar niet uit. Het is erg koud.'

Ze had vriendelijk geglimlacht en gezegd: 'Hoe kan ik van de dag genieten als ik je heer niet bezoek?'

Hij had op afkeurende toon gezegd: 'Doe wat je wilt. Je bent koppig, moeder.'

'Je heer zal me beschermen.'

En toen hij wegging had ze gezegd: 'Onze heer schenke je voorspoed.'

Dat was de laatste keer geweest dat hij haar bij bewustzijn had gezien. 's Middags was op school het bericht gebracht dat ze ziek was, en hij was met de dokter teruggegaan, die enkele minuten geleden haar dood had aangekondigd. Ja, nog maar drie dagen... Hoeveel dagen zou hij nog hebben?

Hij liep naar Aisja en vroeg: 'Wanneer en hoe is het gebeurd?'

Oemm Hanafi gaf in haar plaats antwoord: 'We zaten in de salon. Ze stond op en liep naar haar kamer om haar mantel aan te trekken en uit te gaan. Ze zei: "Als ik klaar ben met het bezoek aan al-Hoessein ga ik naar Khadiega." Ze liep de kamer in en meteen hoorde ik binnen een geluid alsof er iets viel. Ik rende naar binnen en zag haar uitgestrekt op de vloer liggen, tussen het bed en de kast. Ik rende naar haar toe en riep sitt Aisja.'

Aisja zei: 'Ik kwam aanrennen en zag haar daar liggen. We tilden haar in bed en ik begon te vragen wat er was, maar ze gaf geen antwoord. Ze zei niets. Wanneer zal ze weer spreken, broer?'

'Wanneer God het wil,' antwoordde hij terneergeslagen.

Hij ging op de canapé zitten en keek verdrietig naar het bleke, zwijgende gezicht. Ja, hij moest er lang naar kijken, want binnenkort zou hij het niet meer kunnen zien. De aanblik van deze kamer zou veranderen en daarmee die van het hele huis. Niemand zou er meer 'mama' roepen. Hij had niet verwacht dat haar dood zijn hart zo'n pijn zou doen. Was hij nog niet gewend aan de dood? Jawel, en het leven en de ervaring hadden hem tegen verdriet gehard. Maar het verdriet om het afscheid voor eeuwig was pijnlijk. En misschien moest hij het zijn hart verwijten dat het ondanks de smarten die het had ondergaan nog pijn leed als een pril hart. Wat had ze veel van hem gehouden, wat had ze veel van iedereen gehouden en van alles op de wereld. Maar die goede eigenschappen beseft men pas op het moment van afscheid. Op dit gewichtige moment was zijn geheugen vol met beelden van plaatsen, tijden, gebeurtenissen die zijn gemoed schokten. Maar opeens werd de helderheid daarvan vermengd met duisternis, waarin het blauw van de ochtend overliep in de tuin op het dakterras, de stoof van het koffieuur en de sprookjes, het gekir van de duiven in lieflijke liedjes. Het was een schitterende liefde, o ongelovig hart. Misschien zeg je morgen terecht dat de dood de mens heeft weggenomen die je het dierbaarst was. Misschien zullen je ogen huilen tot je grijze haren je terechtwijzen. Het leven zien als een tragedie is niet vrij van kinderlijke romantiek, en je kunt het beter moedig zien als een tragedie met een gelukkig slot: de dood. Vraag je af hoe je je leven nog laat vervliegen. Je moeder sterft nadat ze een levenswerk heeft opgebouwd. Wat heb jij opgebouwd?

Hij werd uit zijn overpeinzingen gewekt door het geluid van voetstappen. Khadiega kwam ontdaan de kamer binnen en liep naar het bed, terwijl ze haar moeder riep en vroeg wat er gebeurd was. Zijn pijn nam zo toe dat hij vreesde dat zijn koelbloedigheid het zou begeven, en hij liep de kamer uit naar de salon. Even later kwamen Jasien, Zannoeba en Ridwaan binnen. Ze gaven hem een hand en hij vertelde zonder uit te weiden over haar ziekte. Ze gingen de kamer binnen en hij bleef alleen achter totdat Jasien bij hem terugkwam en vroeg: 'Wat heeft de dokter gezegd?'

'Verlamming en longontsteking. Binnen drie dagen zal alles afgelopen zijn.'

Jasien beet op zijn lip en zei met droeve stem: 'Er is geen macht noch kracht dan bij God.'

Hij ging zitten en zei zacht: 'Het arme mens... En zo plotseling... Heeft ze de laatste dagen niet over vermoeidheid geklaagd?'

'Nee, ze klaagde nooit, zoals je weet. Maar ze zag er soms wel moe uit.'

'Had haar maar eerder naar de dokter gebracht.'

'Niets stond haar zo tegen als dokters.'

Ridwaan voegde zich even later bij hen en zei tegen Kamaal: 'Ik vind dat ze naar het ziekenhuis gebracht moet worden.'

'Dat heeft geen zin,' zei Kamaal, bedroefd zijn hoofd schuddend. 'De apotheker zal een verpleegster sturen om haar een injectie te geven.'

Ze hulden zich in stilzwijgen, terwijl de somberheid op hun gezicht te lezen was. Op dat moment dacht Kamaal aan iets dat de hoffelijkheid vereiste, maar dat hij had nagelaten. Hij vroeg aan Jasien: 'Hoe gaat het met Kariema?'

'Ze zal in de loop van de volgende week bevallen. Dat zegt de dokter tenminste.'

'God sta haar bij,' zei Kamaal zacht. Jasien zei: 'Het kind zal ter wereld komen terwijl zijn vader in de gevangenis zit.'

De bel ging. Het was Rijaad Koeldoes. Kamaal begroette hem en nam hem mee naar zijn studeerkamer. Terwijl ze er naar toe liepen zei Rijaad: 'Ik vroeg naar je op school, en toen vertelde de secretaris me het nieuws. Hoe gaat het met haar?'

'Ze is verlamd en de dokter heeft gezegd dat het binnen drie dagen afgelopen zal zijn.'

'Is er niets aan te doen?' vroeg Rijaad somber. Kamaal schudde verslagen zijn hoofd en zei: 'Misschien is het een geluk dat ze buiten bewustzijn is en niet weet wat haar te wachten staat.'

Toen ze waren gaan zitten, voegde hij er op spottende toon aan toe: 'Maar weten wij soms wat ons te wachten staat?'

Rijaad glimlachte zonder iets te zeggen. De ander vervolgde: 'Veel mensen vinden het verstandig om een sterfgeval aan te grijpen om over de dood na te denken. Maar we moeten een sterfgeval aangrijpen om over het leven na te denken.'

'Dat lijkt me beter,' zei Rijaad glimlachend. 'En bij een sterfgeval – welk dan ook – moeten we ons afvragen wat we van ons leven hebben gemaakt.'

'Ik heb niets van mijn leven gemaakt. Daar dacht ik juist over na.'

'Maar je bent nog maar halverwege.'

Misschien wel, misschien niet. Maar het is altijd aan te raden om te mijmeren over de dromen die je ziel beheersen. Mystiek is een vlucht, net als passief geloof in de wetenschap. Het is dus onontkoombaar te handelen, en handelen is niet te scheiden van geloof. Het gaat erom dat we voor onszelf een geloof scheppen dat het leven recht doet.

Hij zei: 'Denk je dat ik mijn plicht tegenover het leven heb gedaan door me aan mijn beroep als leraar te wijden en door filosofische artikelen te schrijven?'

'Daarmee heb je in elk geval één plicht vervuld,' zei Rijaad toeschietelijk.

'Maar ik heb altijd met een gekweld geweten geleefd, zoals dat verraders past.'

'Verraders?'

Kamaal zuchtte en zei: 'Laat me je vertellen wat mijn neef Ahmed zei toen ik hem in de cel van het politiebureau opzocht, voordat hij naar het detentiekamp werd overgebracht.'

'Trouwens, is er nieuws over hen?'

'Ze zijn met een heleboel anderen naar het Toer-kamp gebracht in de Sinai.'

'Zowel degene die God aanbidt als degene die Hem niet aanbidt?' vroeg Rijaad met een glimlach.

'Je moet allereerst de regering aanbidden om rustig te kunnen leven.'

'Hoe dan ook, het kamp is in mijn ogen minder zwaar dan een proces.'

'Dat vind jij. Maar wanneer komt er een einde aan die ellende? Wanneer wordt de noodtoestand opgeheven? Wanneer wordt de soevereiniteit van de wet en de constitutie hersteld? Wanneer worden de Egyptenaren eindelijk als mensen behandeld?'

Rijaad begon aan de trouwring aan zijn linkerhand te draaien. Toen zei hij bedroefd: 'Ja, wanneer? Maar wat heeft Ahmed in de politiecel gezegd?'

'Ja, hij zei dat het leven bestaat uit werken, trouwen en een universele plicht tegenover de mensheid. Het is nu niet het geschikte moment om over de plicht van het individu tegenover zijn beroep of zijn echtgenoot te spreken. De universele plicht tegenover de mensheid is de permanente revolutie. Die houdt het onafgebroken ageren in ter wille van de verwezenlijking van de wil tot leven, belichaamd in haar ontwikkeling tot een ideaal.'

Rijaad dacht even na en zei toen: 'Een nobele gedachte, die echter voor allerlei tegengestelde interpretaties vatbaar is.'

'Ja, en daarom was zijn broer en tegenhanger Abd al-Moen'im het met hem eens. Daarom heb ik het opgevat als een oproep tot geloof, wat de richting of het doel ook is. Daarom schrijf ik mijn ongeluk toe aan gewetenswroeging, zoals een verrader betaamt. Het lijkt gemakkelijk om in een cocon van egoïsme te leven, maar het is moeilijk om op die manier gelukkig te worden, als je werkelijk een mens bent.'

Ondanks de treurige gelegenheid klaarde het gezicht van Rijaad op. Hij zei: 'Dat is de voorbode van een belangrijke omwenteling, die op het punt staat plaats te vinden.'

Kamaal zei behoedzaam: 'Drijf niet de spot met me. Het probleem van het geloven blijft onopgelost. Het enige waarmee ik me nog kan troosten is dat de strijd nog niet beëindigd is en niet zal eindigen zolang er nog drie dagen van mijn leven resten, zoals bij mijn moeder.'

Hij vervolgde zuchtend: 'Weet je wat hij ook zei? Hij zei: "Ik geloof in het leven en in de mensen. Ik voel me dus genoodzaakt hun idealen te volgen zo lang als ik geloof dat ze waar zijn, want het zou een laffe vlucht zijn me eraan te onttrekken. En zo zie ik me ook genoodzaakt tegen hun idealen in opstand te komen als ik geloof dat ze vals zijn, want het zou verraad zijn me daaraan te onttrekken." Dat is de betekenis van "permanente revolutie".'

Toen Rijaad instemmend knikte kwam er een neerslachtige vermoeidheid over Kamaal. Rijaad zei: 'Ik moet gaan. Loop je mee naar de tramhalte? Misschien ontspant het lopen je.'

Ze stonden op en verlieten de kamer. Bij de ingang van de eerste verdieping kwamen ze Jasien tegen, die Rijaad oppervlakkig kende. Kamaal vroeg hem hen te vergezellen. Hij vroeg hun een paar minuten te wachten, zodat hij even naar zijn moeder kon kijken. In de kamer zag hij Amiena nog net zo buiten bewustzijn liggen als hij haar had achtergelaten. Khadiega zat op het bed aan het voeteneinde met rode ogen van het huilen. Op haar gezicht lag de droefheid die er niet van was geweken sinds de regering haar zoons had opgepakt. Zannoeba, Aisja en Oemm Hanafi zaten zwijgend op de canapé. Aisja rookte een sigaret, snel en rusteloos, terwijl haar ogen gespannen door de kamer dwaalden.

Hij vroeg: 'Hoe gaat het met haar?'

Aisja antwoordde op luide toon, die haar angst en protest verried: 'Ze wil niet bijkomen.'

Hij keek naar Khadiega en ze wisselden een trieste, wanhopige blik van verstandhouding. Hij kon zich nauwelijks groot houden en verliet de kamer om zich bij zijn metgezellen te voegen.

Ze liepen langzaam over straat en doorkruisten zwijgend as-Sagha naar al-Ghoeriyya. Toen ze bij as-Sanadikiyya kwamen, zagen ze sjeik Mitwalli Abd as-Samad, steunend op zijn stok, met slepende tred naar al-Ghoeriyya afslaan. Hij kon niets meer zien en zijn ledematen beefden. Hij draaide in het rond en riep met luide stem: 'Waar is de weg naar het paradijs?'

'Eerste straat rechts,' riep een voorbijganger lachend.

Jasien zei tegen Rijaad Koeldoes: 'Wil je geloven dat die man al bijna tien jaar over de honderd is?'

'Hij is in elk geval geen man meer,' zei Rijaad met een glimlach.

Kamaal keek vertederd naar sjeik Mitwalli. Hij deed hem aan zijn vader denken. Hij beschouwde hem als een van de monumenten van de wijk, zoals de oude fontein, de Kalawoenmoskee en de Kirmiz-tunnel. Veel mensen hadden medelijden met hem, maar de oude man bleven niet de plagerijen bespaard van een groep opgeschoten jongens, die in zijn gezicht floten en achter hem gingen lopen en zijn bewegingen nadeden.

Ze brachten Rijaad naar de tramhalte en wachtten tot hij was ingestapt. Toen liepen ze samen terug naar al-Ghoeriyya. Opeens bleef Kamaal staan en zei tegen zijn broer: 'Het is tijd voor je om naar het koffiehuis te gaan.'

'Nee, nee,' zei Jasien heftig. 'Ik blijf bij jou.'

Kamaal, die het karakter van zijn broer als geen ander kende, zei: 'Dat is helemaal niet nodig.'

Jasien duwde hem voor zich uit en zei: 'Ze is net zo goed mijn moeder als jouw moeder.'

Opeens werd Kamaal bevangen door bezorgdheid om Jasien. Hij liep daar weliswaar bruisend van leven, fors als een kameel, maar hoe lang kon hij dat leven gevuld met uitspattingen volhouden? Zijn hart liep over van droefheid. Maar zijn gedachten kwamen opeens op at-Toer, het gevangenkamp. 'Ik geloof in het leven en in de mensen.' Dat had hij gezegd. 'Ik voel me dus genoodzaakt hun idealen te volgen zo lang als ik geloof dat ze waar zijn, want het zou een laffe vlucht zijn me eraan te onttrekken. En zo zie ik me ook genoodzaakt tegen hun idealen in opstand te komen als ik geloof dat ze vals zijn, want het zou verraad zijn me daaraan te onttrekken.' Je kunt je afvragen wat waar is en wat vals, maar misschien is twijfel een vorm van vluchten, net als mystiek, en een passief geloof in de wetenschap. Kun je een ideaal onderwijzer, een ideaal echtgenoot en een permanent revolutionair zijn?

Toen ze langs de winkel van as-Sjarkawi liepen, bleef Jasien staan. Hij zei: 'Kariema heeft me gevraagd wat spullen voor de baby te kopen. Wacht even.'

Ze gingen de kleine winkel in. Jasien zocht de spullen uit die hij wilde, een luier, een mutsje en een nachthemd. Kamaal bedacht dat de zwarte stropdas die hij een jaar lang had gedragen uit rouw om zijn vader, versleten was en dat hij een nieuwe nodig had voor de komende trieste dag. Toen Jasien klaar was, zei hij tegen de man: 'Een zwarte stropdas, alstublieft.'

Ieder nam zijn pakje op en ze liepen naar buiten. De zonsondergang scheidde een helder bruin licht af. Ze liepen zij aan zij naar huis.

Nawoord

Met de roman *De Suikersteeg* is de *Trilogie* van Nagieb Mahfoez voltooid. In het eerste deel, *Tussen twee paleizen*, stond sajjid Ahmed Abd al-Gawwaad in het middelpunt, als hoeder van de traditionele religieuze waarden, maar ook als levensgenieter, die moeiteloos zinnelijkheid en een strenge moraal in zich verenigde; in *Paleis van verlangen* was de aandacht gericht op de generatie van Kamaal, die opgroeide met de leuzen van het nationalisme en een positie probeerde te bemachtigen in een maatschappij waarvan de contouren nog nauwelijks zichtbaar waren; in *De Suikersteeg*, ten slotte, wordt enerzijds de ontgoocheling van Kamaals generatie beschreven, die er maar ten dele in is geslaagd haar idealen te verwezenlijken, en anderzijds de opkomst van de derde generatie, die zich opmaakt om het nieuwe, onafhankelijke Egypte gestalte te geven.

De jaren 1935 tot 1944, die *De Suikersteeg* omspant, worden gekenmerkt door grote politieke onrust. Hoewel Egypte formeel na de Eerste Wereldoorlog een zekere mate van onafhankelijkheid had verworven onder koning Foeaad, bleven de Britten de feitelijke machthebbers. Vanaf het eind van de jaren twintig wordt het politieke leven in Egypte echter steeds gecompliceerder. De min of meer eenstemmige roep om onafhankelijkheid wijkt voor de pogingen van uiteenlopende belangengroepen om hun positie binnen de nieuwe staat veilig te stellen. De drie polen in het politieke krachtenveld zijn daarbij het paleis, het parlement en het Britse bestuur. De strijd concentreert zich op de formele uitbreiding van de Egyptische soevereiniteit en op het behoud van de grondwet.

In de jaren dertig moet de Wafd, de politieke beweging die de drijvende kracht vormde achter de onafhankelijkheidsbeweging in de jaren twintig, steeds meer terrein prijsgeven aan andere stromingen. In 1930 wordt de leider van de Wafd, Moestafa an-Nahhaas, de opvolger van Saad Zaghloel, door een coalitie van monarchisten en anti-wafdisten afgezet als premier. Hierna volgt een periode waarin onder Isma'iel Sidki de parlementaire rechten en de grondwet worden opgeschort.

Het dictatoriale regime van Sidki roept echter al snel tegenkrachten op en in 1931 vormen de liberalen en de Wafd een nationaal pact om Sidki ten val te brengen. Hierin slagen zij in 1933, maar inmiddels is er binnen de Wafd onvrede gegroeid over de door tactische overwegingen ingegeven samenwerking met de liberalen. Het eens zo sterke wafdistische front begint scheuren te vertonen door interne intriges en afsplitsingen. Niettemin slaagt an-Nahhaas er in 1936 in een nieuw verdrag met de Britten te sluiten, waarin de Britse privileges in Egypte worden beperkt.

In 1937 sterft koning Foeaad, die wordt opgevolgd door zijn zoon Faroek. Mede door de interne machtsstrijd is de positie van de Wafd ten opzichte van het koningshuis en de antiparlementaire stromingen verzwakt, en in 1938 veroveren de zogeheten Saadisten, een afsplitsing van de Wafd, de macht. Te zamen met de koning vertegenwoordigen zij de pro-Duitse sentimenten in de Egyptische politiek. Terwijl de spanningen in Europa toenemen, grijpen de Britten in om zich van een pro-Brits bewind in Egypte te verzekeren. In 1942 stellen zij een ultimatum waarmee zij de koning willen dwingen an-Nahhaas opnieuw tot premier te benoemen. Op deze wijze wordt de Wafd met behulp van Britse tanks opnieuw aan de macht geholpen. Deze stap leidt tot grote verdeeldheid en wrok in Egypte, die nog worden versterkt wanneer de Wafd haar positie met zuiveringen en nepotisme probeert te consolideren, hetgeen culmineert in het ontslag van de Koptische minister van Financiën Makram Obaid.

De toenemende verdeeldheid in Egypte kwam niet alleen tot uiting in de afbrokkeling van de Wafd, maar ook in de opkomst van een aantal nieuwe politieke stromingen. De twee belangrijkste bewegingen, die voortkwamen uit de groeiende stedelijke middenklassen, waren de Moslim Broederschap en de socialisten. De eersten stonden de stichting van een islamitische staat voor en lieerden zich met pro-Duitse krachten, terwijl de laatsten uitgingen van seculiere, marxistische en socialistische modellen en op de Sovjetunie waren georiënteerd. In tegenstelling tot de oudere politieke bewegingen, vormden zij een hecht organisatorisch kader en opereerden zij niet zozeer als belangengroeperingen met algemene doelstellingen, maar als militante politieke partijen met een uitgewerkt programma.

Terwijl de macht van de Wafd in de jaren veertig afkalfde, zou de strijd tussen de islamitische beweging en de socialisten tot diep in de jaren zeventig het politieke toneel in Egypte kenmerken.

Net als in de eerste twee delen van de *Trilogie*, hebben ook in *De Suikersteeg* de politieke verwikkelingen hun weerslag op de familie Abd al-Gawwaad. Terwijl de generatie van sajjid Ahmed geleidelijk van het toneel verdwijnt, bereiken Kamaal en de zijnen de fase van volwassenheid. Voor de meesten van hen bestaat deze fase voornamelijk uit desillusie. De jeugddromen zijn vervlogen: Kamaal heeft het gevoel dat hij in de tijd is blijven steken en verzandt in een cynische lethargie; het fortuin van de familie Sjaddaad slaat om in tegenspoed en Hoessein en Ajida keren ontgoocheld terug van hun Europese avontuur; Isma'iel Latief, de losbol van weleer, is een brave huisvader geworden die alleen nog oog heeft voor het onderhouden van zijn gezin. Alleen de pragmatici, Foeaad al-Hamzawi en Hassan Saliem, slagen erin op de ontwikkelingen in te haken en een snelle carrière op te bouwen. De idealen van vroeger hebben plaats gemaakt voor het besef van een harde werkelijkheid.

De onbestemde, sceptische houding van Kamaal staat in schril contrast met de voortvarendheid van zijn neven Ridwaan, Abd al-Moen'im en Ahmed. Terwijl Kamaal blijft vasthouden aan de Wafd – met zijn nationalistische uitstraling – sluit Ridwaan zich uit opportunistische overwegingen aan bij de Saadisten en voegen Abd al-Moen'im en Ahmed zich uit overtuiging bij respectievelijk de Moslim Broeders en de socialisten. Tegenover de twijfel en de ambivalentie van Kamaal, staan het pragmatisme van Ridwaan en de doelgerichte gedrevenheid van Ahmed en zijn broer. Voor de nieuwe generatie zijn idealen geen romantische dromen, maar het doel van een politieke strijd. Deze ontwikkeling wordt ook weerspiegeld in de vrouwelijke personages, de onderdanige Amiena, de wilskrachtige, maar traditioneel georiënteerde Khadiega en de zelfstandige en politiek bewuste Sausan.

De verschuivingen in de *Trilogie* blijven niet beperkt tot de politieke verwikkelingen en de houding van de individuele hoofdfiguren. In zijn romancyclus beschrijft Mahfoez een fase in de ontstaansgeschiedenis van de staat Egypte, een proces van transformatie dat niet alleen in politiek, maar ook in psychologisch opzicht een nieuw besef van identiteit heeft voortgebracht. Dit proces, noch de uitkomst ervan, wordt als eenduidig positief beschreven, maar veeleer als complex en tegenstrijdig. Mahfoez toont ons een glimp van een visioen: een Egypte dat steunt op een gevoel van saamhorigheid, op democratische principes, op culturele openheid naar Europa, op fundamenten die aan rede en wetenschap, niet aan religie en obscurantisme zijn ontleend. Al tijdens het transformatieproces wordt dit ideaalbeeld echter aangetast. Het nationalistische elan ontaardt in politieke intriges en het najagen van eigenbelang; democratische en humanitaire principes worden met voeten getreden door dictators en op macht beluste politici; de openstelling voor invloeden uit Europa slibt dicht door een heropleving van religieus fanatisme en isolationisme. Wat overblijft is een strijd om de macht: waren het eerst de Britten die er niet voor teruggeschrokken om sajjid Ahmed te molesteren, aan het slot werpt het nieuwe machtsapparaat van de Egyptische staat zijn schaduw vooruit, wanneer Abd al-Moen'im en Ahmed vanwege hun politieke activiteiten worden gearresteerd.

Wanneer sajjid Ahmed en Amiena overlijden – de Tweede Wereldoorlog is dan in volle gang – sterft het Egypte dat gefundeerd was op een samengaan van eeuwenoude tradities en de hervormingen van de negentiende eeuw. Mahfoez is erin geslaagd de complexiteit van dit proces in een literair meesterwerk vast te leggen. De *Trilogie* beschrijft een vlechtwerk van collectieve en individuele tegenstellingen dat nog steeds relevant is voor het huidige Egypte. Daarmee is de romancyclus niet alleen een monument voor Egypte, maar tevens een monument in de wereldliteratuur dat zijn waarde zal behouden.

Richard van Leeuwen